AK

ÇİX

DESTEK
yayınları

DESTEK YAYINLARI: 478
EDEBİYAT: 166

Çİ / AKİLAH

Bu eserin aynen ya da özet olarak hiçbir bölümü, telif hakkı sahibi Azra Sarızeybek Kohen'in yazılı izni alınmadan kullanılamaz.
www.akilah.co

Genel Yayın Yönetmeni: Ertürk Akşun
Son Okuma: Ayten Koçal
Kapak Tasarım: İlknur Muştu
Sayfa Düzeni: Cansu Poroy

Destek Yayınları: Temmuz 2014
2.Baskı: Temmuz 2014
3.-4.Baskı: Eylül 2014
5.-11.Baskı: Ekim 2014
12.-21.Baskı: Kasım 2014
22.-31.Baskı: Aralık 2014
32.-41.Baskı: Ocak 2015
42.-46.Baskı: Şubat 2015
47.-51.Baskı: Mart 2015
52.-56.Baskı: Nisan 2015
57.-62.Baskı: Haziran 2015
63.-85.Baskı: Temmuz 2015
86.-100.Baskı: Ağustos 2015
101.-130.Baskı: Eylül 2015
131.-150.Baskı: Ekim 2015
151.-152.Baskı: Haziran 2016
153.-154.Baskı: Temmuz 2016
155.-157.Baskı: Ağustos 2016
158.-162.Baskı: Ekim 2016
163.-165.Baskı: Aralık 2016
166.-170.Baskı: Ocak 2017
171.-173.Baskı: Şubat 2017
174.-176.Baskı: Mart 2017
177.-194.Baskı: Nisan 2017
Yayıncı Sertifika No. 13226

ISBN 978-605-4994-81-6

© Destek Yayınları
Abdi İpekçi Caddesi No. 31/5 Nişantaşı/İstanbul
Tel.: (0) 212 252 22 42
Faks: (0) 212 252 22 43
www.destekdukkan.com – info@destekyayinlari.com
facebook.com/ DestekYayinevi
twitter.com/destekyayinlari
instagram.com/destekyayinlari.com

Deniz Ofset – Nazlı Koçak
Sertifika No. 29652
Maltepe Mah. Gümüşsuyu Ca d.
Odin İş Mrk. B Blok No. 403/2
Zeytinburnu / İstanbul

AKİLAH

azra kohen

Çİ

χ

Hayat hepimizden daha akıllı.

DESTEK yayınları

DUR!

Fi'yi okumadıysan **SAKIN** başlama!
Anlayamaz, kaybolursun bu sayfadan sonrasında.

Önce Fi, sonra Çi.

Bir tek kişiye duyulan aşktan
daha acımasız bir şey var mıdır?

Eşim Sadok;

Kutuplaşmış saçmalıklar evreninde, bu agresif düalitenin tam göbeğinde, ancak bir mucizeyle var olabilecek kadar nadir, her koşulda hayatta kalabilecek kadar güçlü, beni bile şaşırtabilecek kadar akıllı ve her an bende sevgi uyandırabilecek kadar eşsiz bir varlıksın sen. Ben ancak, olduğun her şey için minnettar olmaya devam ediyorum. Senden seri üretime geçmek dünyanın kurtuluşu için sanırım tek çare!

Oğlum Baruh;

Verdiğin ilhamın yüceliğinde boynum resmen kıldan ince. Savaşların savaşılarak kazanılmayacağını bana öğrettiğin için, doğduğun andan itibaren beni eğittiğin için, bu kadar anlayışlı ve sağlam olabildiğin için hayata şükürler olsun! Kendin gibi tertemiz varlıklarla yaşayabileceğin bir dünya için elimden geleni yapacağıma söz veriyorum.

Kendisi olabilme cesareti gösterebildiği için Natalie'ye,

Kalbinin temizliğini hep koruyabildiği için Hülya'ya,

Böylesine gerçek olabildikleri için Hatice ve Onur'a,

Beni topraklıdığı için Dilek'e,

Zekâsı için Raşel'e,

Ait hissettirdiği için Yelda'ya,

Sahip çıktığı için Ertürk'e,

Derin dostluğu için Tülay'a,

İşinin ehli olduğu için Zeynep'e,

KK'ler için Ayşegül ve Korhan'a,

Cuma akşamları için Pur ailesinin tüm fertlerine,

Her yer Şakran her yer bizim için Gizem ve Mete'ye,

Görevini çok iyi yapıp beni özgürleştirdiği için Zübeyde'ye,

ve benim kadar yansıdığı için 19 arkadaşıma teşekkür ederim.

Varlığınız fark yarattı, mutluluk verdi.

Sabrın için minnettarım.

Bilgisayarımın bir köşesinde, bürokrasi hapishanesinde bekleyen Çi'yi sana ulaştırabilmek için vazgeçmemecesine savaştığımı ve seninle kurduğum bu bağın, senin varlığının, benim için çok değerli olduğunu bilmelisin. Aynı kaynaktan geldiklerimizle buluşmanın, hayatı değil sistemi yaşadığımızı anlamanın, bir parazit gibi tükettiğimiz bu gezegende kurulmuş bu lanetli sistemi aşmanın, gerekeni yapmak için uyanmanın zamanı yakın.

Aynı anda yan yana var olmamız hepimizin aynı gezegende yaşadığı anlamına gelmiyor maalesef. Tekâmüllerimiz farklı. Dip dibe olmamıza rağmen aynı anda, farklı boyutlarda, hatta farklı gezegenlerde, bambaşka deneyimlerde olabiliriz. Çi, ölmek için doğduğunu unutmadan bu gezegende hiçbir şeyin hiç kimseye ait olamayacağını anlayan, sahip olduklarının değil analizini yapabildiği deneyimlerin gerçek zenginlik olduğunu bilerek yaşayıp kendi potansiyelinin savaşçısı olabilme cesareti gösterenlere adanmıştır.

Çi'nin satır aralarında pusuya yatmış anlamların sana ulaşması dileğiyle kocaman sarılıyorum sana, kendimden bir parçayı kucaklarcasına.

Beynimizi bilgiyle yıkamanın zamanı geldi.

ᘓ 1. BÖLÜM ᘓ

Hayat hepimizden daha akıllı.

1. Deniz...

Köye geldiğinden beri bu tarlayı üçüncü temizlemesiydi, köklerine dikkat etmeden kopardığı yabani otların bir hafta içinde aynı yerde yine biteceğini biliyordu artık. Yalın ayak çalışmaktan kurumuş, çatlamış çıplak ayaklarına baktı, ne kadar köksüzdü. Bildiği hayattan geriye hiçbir şey kalmamıştı, var olmasına neden olan her şey yok olmuş, artık sadece anlamsızlık vardı.

Hissettiği duyguya isim takamıyordu. Buraya geldikten aylar sonra, durumuna teşhis koyabilecek ayıklığa ancak gelebilmişti. Ayıklığını kaybetmesi ilk defa uyuşturucudan değildi. Bu sefer önce ruhunu, sonra bedenini ele geçiren bu şey, vücudunun ürettiği bu şey, herhangi bir uyuşturucudan bile daha güçlü, daha uzun etkili bir kimyasaldı: Acı.

Duru'nun, Can Manay'ın helikopterinden inişini gördüğü o televizyon mağazasının vitrininde Can Manay'ın Duru'yu kollarına alıp öptüğü o anda doğmuştu bu acı ve arsızca içinde ne duygu varsa yutmuş, şimdi kocaman olmuştu. Öyle büyüktü ki sanki Deniz'in evreniydi. Artık, ancak acının içinde var olabilen biriydi o. Ruhu ağrıyordu.

Ülkenin güneybatısında bir köyde, karın tokluğuna çalışan, önüne konulursa yiyen, konulmazsa sormayan, işi olmadığında dalıp dalıp giden, şaşılacak kadar az uyuyan, uzun boylu, geniş omuzlu, suratındaki kıllardan yakışıklılığı pek bilinmese de gözlerinin güzelliği köylüler arasında dillendirilmiş bir işçiden başka bir şey değildi artık. Dikkatle çektiği o yabani otlar gibi, dikkatle çekilip çıkarılmıştı kendi toprağından.

Şehirden ayrılışı, daha doğrusu kovulması tam bir insanlık dramıydı aslında ama Deniz o kadar yaralıydı ki kendi dramını kavrayabilecek algısı bile kalmamıştı. Duru'yu aramakla geçen 29 saatte dört ayrı karakola gitmiş, Can Manay dahil tanıdığı herkesten yardım istemiş, Can Manay'a ulaşamamasından şüphelenmeden Duru'yu her yerde aramıştı. 29 saat boyunca içinde hissettiği azap, dördüncü kez gittiği karakoldan çıkışta, önünden geçtiği bir elektronik mağazasının satılık televizyonlarından bazılarında Duru'yu görene kadar kendi çaresizliğine çare bulabileceğini sanmıştı. O magazin programının görüntüleri, Duru'yu nihayet bulmanın hissiyle çaresizliğini bir an dindirmiş, sonraysa ruhunu parçalamıştı. Hissedilen çaresizliğin ruhu parçalayan bir umutsuzluğa dönüşmesi var olan tüm anlamları yok ederken damarlarındaki kan acıyla beslenmeye başlamıştı. Kendi uydusu tarafından parçalanmış bir gezegendi o, hayat yoktu ama hâlâ yörüngedeydi. O an artık acı yok, sadece anlamsızlık vardı.

Duru nasıl yapmıştı böyle bir şeyi? Neden? Niye?

Oraya nasıl gittiğini, içeri nasıl girdiğini bilmiyordu ama Can Manay'ın ofisinde etrafa saldırdığını hatırlıyordu. Kıskançlığın değil, hayal kırıklığın saldırışıydı bu. Belki de ölebilirdi, Can Manay'ın "ricasıyla" alındığı karakolun o hücresinde geçen üç gün olmasa... O hücre Deniz'in ölmesini engelledi ama onu sessizce bitirdi. Nezarethaneden çıktığındaysa üç gün önce sahip olduğunu sandığı hayattan geriye hiçbir şey kalmamıştı. Müzik gitmişti.

Anlamsızlık bedeninden taşıp tüm algısını doldurduğunda artık o sadece bir posaydı. Bir zamanlar, varoluşu tüm coşkusuyla hissettiği bu bedende nefes almaya, yemeye, uyuyabildiği anlarda uyumaya devam eden bir posa. İlk defa müzik duymuyordu, tek bir nota bile yoktu. İçinde her şey solmuştu.

İçindeki boşluğun bir gün dünyayı değiştirecek bir şeye gebe olacağını bilmeden kızgın güneşin altında ince, uzun müzisyen parmakları, toprağın bereketini kutlarcasına çıkmış yabani otları tek tek yolmaya devam ederken aklında tek bir düşünce vardı: Yalın ayak çalışmaktan dolayı kaynaklanan lanet olası yara daha ne kadar acıyabilirdi?

2. Can & Duru

Can, suratına yayılan mutluluğun tuhaf görüntüsünü umursamadan kafasını yasladı koltuğa. İşe gitmek üzere yoldaydı. Aracının lüks deri koltukları hissettiği bu duyguya yatak olmuşçasına kendini bıraktı. Gözleri, önünde uzanan yoldaydı ama aklı sadece Duru'da. Gözlerini de kapatıp beynine akan anlamsız görüntüleri kesti çünkü artık bu evrende sadece Duru vardı sanki. Duru'nun gülümsemesinin aralığında beliren güzel dişlerinin şekli, o gülümsemeyle şekillenen yanağındaki çıkıntı, güneş ışığıyla renk değiştiren saçları, şaşırdığında suratına, özellikle de gözlerinin içine yayılan ifade, o gözlerin orgazm yaşarkenki kısıklıkları, o gülümseyen ağzın sevişirkenki dolgun pembeliği, o pembeliği emmenin lezzeti, o beyaz tene ancak dokunulduğunda hissedilen pürüzsüzlükteki haz, o avuca sığmayacak büyüklükte dolgun ama büyük olmayan memelerin küçük, sivri uçlarının tahriki... Ona dokunabilmek, öpebilmek, etini avuçlayabilmek, içine girebilmek, hazla kıvranan vücudunu seyredebilmek... Can neredeyse boşalmak üzereydi! Erkekliğinin sertliği öyle bir gerginlik vermişti ki, Ali'ye hemen eve geri dönmeleri gerektiğini telaşla haykırdı. Can'ın buyurmasıyla yolun ortasında aniden durmak zorunda kalan Ali, etrafındaki araçların küfürlü kornasına aldırış etmeden hemen arabayı döndürdü. Can'ın unuttuğu şeyin çok önemli olduğunun bilincinde bir saniye bile kaybetmeden araçları sollayarak malikâneye geri döndüler. Can Manay'ın polis merkezindeki tanıdıkları sayesinde paparazzileri uzaklaştırmak için verilen polis ekibinin yanından hızla geçerken elini kaldırarak her şeyin yolunda olduğunu işaret etmek zorunda hissetti Ali, daha önce hiç bu kadar acele etmemişti. Acele etmesinin çok önemli olduğunu, Can'ın unuttuğu şeye ulaşmasının acil olduğunu düşünerek vardı eve.

Can, arabadan inmeden çıkardığı ceketiyle ereksiyonunu gizleyerek fırladı araçtan, güvenliği hızla geçip kapıya vardı, içeri girer girmez durmaksızın ayakkabılarını fırlattı, salona çıkan merdivenlerde kravattan kurtuldu, yatak odasına uzanan koridorda gömleğin düğmelerini yırtarcasına açtı. Duru'nun evde olduğunu, çıkmadığını biliyordu, emindi, çünkü kokusunu alıyordu. Yatak odasının kapısı aralıktı ve Can içindeki coşkuyu kontrol altına alarak yavaşça açtı kapıyı.

Duru, Can'ın ısrarıyla girdiği küvette gecenin tüm yorgunluğunu atarken kapıda dikilen Can'ı görünce şaşırmadı bile. Yarı çıplak, erekte, istekli, âşık Can Manay.

Can kendisine doğru huzurlu adımlar atarken Duru sakince kalktı küvetten, üzerinden akan suyun Can'ı çıldırtacağını bilerek. Bir kadını en tahrik eden şey erkeğin üzerinde yarattığı etkiydi. Ona hissettirdiği her duyguda kendini buldu Duru, kendi güzelliğinin aksini Can'ın gözlerinden gördü, Deniz'in uyuşmuş gözlerinde çok uzun zamandır göremediği kendini...

Duru'nun küvetten yükselen çıplak bedenine bakarken adımlarını durdurdu Can, bu anı diğerleri gibi aklına kazımak istiyordu. Duru'nun küvetten çıkması, havluya uzanıp acele etmeden kendini kurulaması, önce havluyu, sonra kafasının üstünde topladığı saçlarından çıkardığı tokayı umursamaz bir şekilde yere bırakması, yatağa gitmek için adım adım yavaşça yanından geçmesi kafasına kazındı anbean.

Sabırsızlıkla Duru'ya uzanması ve onu yakalamışçasına kendine çekip dudaklarına gömülmesi... Dudaklarını emerken Duru'yu, kendi pantolonunu çıkarması için yönlendirmesi, kalçalarından düşen pantolonu bacaklarından fırlatırken Duru'nun benzersiz lezzetteki dudaklarını emmeye devam etmesi, eliyle memelerini kavraması, kavradığı şeyin sadece ve sadece kendisine ait olduğunu mırıldanması... Bir hamlede Duru'yu baldırlarından tutup kucağına alması ve içine girerken ona "Sen benimsin" diye art arda buyurması... İçinde gidip gelirken yaptıkları şeyi bir tek kendisinin ona yapabileceğini haykırması... Duru'yu kucağından indirip arkasını çevirmesi, karşıdaki duvara dayayıp içine girmesi ve ensesini, boynunu içine çeke çeke öptükten sonra içinde gidip gelirken kulağına yaklaşıp "Duru... Duru... Duru... Duru" diye inlemesi... Duru'nun kafasını ona çevirip dudaklarını ağzına vermesi, Can'ın o dudakları iştahla emerken bir eliyle Duru'yu avuçlaması,

diğer eliyle bir memesini kavraması ve içine akarken iniltiyle bir
tek kendisinin Duru'ya sahip olacağını tekrar söylemesi...

Can ve Duru böyle başladılar günlerine, daha önce başladıkları
birçok gün gibi.

3. Bilge

Eti'nin suratındaki öfke o kadar belirgindi ki Bilge, "Can Bey
gecikecek, dilerseniz biz başlayalım" dedikten sonra açıklama bile
yapamadı. Can Manay'ın kaçırdığı dördüncü toplantılarıydı bu.
Eti'nin umursamaz hali öncekileri önemsizleştirmişti ama bugün
bir farklılık vardı. Umursuyordu. Bilge ancak çok sonraları, bu-
günkü farklılığın Eti'nin kamuflaj becerisindeki azalmadan kay-
naklandığını, aslında her ekildiğinde içinde kopan öfke fırtınasını
kamufle etmek için umursamıyor görünmeyi seçtiğini anlayacaktı.
Eti hiç konuşmadı, gözlüklerini takıp önündeki dosyayı açtı he-
men. Bilge de hemen karşısındaki sandalyeye oturup onu takip
etti. Çalışmaya başlamaları en iyisiydi. Bilge dosyayı kastederek,
"Önümüzdeki ay son seansı sizinle. Sonra test için bir seans da biz
alacağız. Can Bey, sonuçları sizin değerlendirmenizi not düşmüş
buraya" dedi. Eti'den hiç ses çıkmayınca ona baktı. Eti, gözlüğü
elinde, geriye yaslanmış, kulağındaki telefonu dinliyordu dikkatle.
Can yine cevap vermiyordu.

Bilge bir an bekleyip yineledi: "Ahmet Bey'in analizini önü-
müzdeki hafta siz değerlendirirsiniz, değil mi?"

Eti, telefonu masanın üzerine bırakıp dümdüz baktı Bilge'ye.
Ahmet Bey falan umurunda değildi. "Can nerede?" dedi. Bilge
cevabını bilmediği bu soru karşısında ezilerek, "Bilmiyorum..." di-
yebildi. Başkası olsa bir sürü bahane uydurabilirdi ama Eti, Can
Manay'ı koruması gereken en son kişiydi. Ayrıca Can'ın sahteliği-

ne anlam katan bir duruşu vardı. Ona yalan söylemeyecekti. Eti, Bilge'ye eliyle yanındaki sandalyeyi göstererek onu yanına istedi. Bilge hemen yaklaştı. Eti, "Biraz endişeliyim... Anlamışsındır. Toplantıları kaçıracak biri değildir Can. Bu dördüncü, daha önce hiç olmamıştı. Fazla ses çıkarmadan nerede olduğunu öğrenir misin?" dedi.

Bilge evet anlamında kafasını salladı. Can Manay'ı bir kez daha araması anlamasızdı. Evinin güvenliğini arayıp Can'ın eve geri döndüğünü öğrendi. Bir şey unutmuş olmalıydı. Telefonu kapatıp Eti'ye durumu açıkladı.

Eti, Bilge'nin elini tutup sıktı ve gülümsedi. Geriye yaslanırken, "Can çok değerli. Onu gözetmek hep görevim oldu. Bu hastalık olmasa çok daha yararlı olabilirdim ama artık yaşlandım, yorgunum" derken Bilge bu özel sohbeti Eti'yle paylaştığına inanamayarak heyecanlandı. Eti devam etti: "Yardıma ihtiyacım var galiba, kabul etmek istemesem de... Diğer toplantılarına da geç kalıyor mu?"

Bilge, "Henüz çok bir toplantımız olmadı, sezon yeni başlıyor" diye cevap verdi. Eti başını sallayıp sordu: "Duru ofise gelir mi?" Bilge, hayır anlamında başını salladı. Eti gülümseyip tekrar dosyalara döndü. Tek tek dosyaları incelerlerken Bilge Eti'nin büyüyen endişesinin kaynağını düşündü. İkisinin arasındaki bağın farkındaydı ve Eti'nin yöntemlerinde birinin, hiçbir şeyi nedensiz yapmayacağını bilecek kadar analitik çalışıyordu beyni. Kendisine yapılan testlerin aslında göstermelik olduğunu, asıl testin bekleme salonundaki o sohbetleri olduğunu anlayacak kadar da yaklaşmıştı Eti'ye. Yöntemlerini analiz ettikçe ondan öğrenmeye başlamıştı. Can Manay bir hiçti bu kapalı kutu analiz mekanizmasının yanında. Nedensiz asla konuşmayan, her hareketiyle bir amaca hizmet eden güdümlü bir sistem gibiydi Eti. Sizi sizden çok daha iyi yönetecek bir sistem. Böyle bir annesi olmasının ne kadar muazzam olacağını düşünür olmuştu Bilge, ancak böyle annelerin tanrılar doğurduğunu hayal ederek. Ama Can Manay'ın bir gözetmene ih-tiyacı neden olsundu? Eti'yi hep Can Manay'ın mentoru olarak görmüştü ancak şimdi anlıyordu, aralarında birbirlerini tedirgin edecek bir durum vardı. Daha önce hep kendi tedirginliğinin yan-sıması sanmıştı bu durumu çünkü hiç rahat hissetmiyordu Can Manay'ın yanında. Eti'nin varlığı huzur verse de Can Manay'ın Eti'nin karşısında hazır ola geçen enerjisi şimdi sislerin arasından çıkıp iyice kendini göstermişti. Topu topu 2 kere görmüştü onları birlikte ama şimdi teşhisinden emindi.

Bilge, Eti'nin konuşmasıyla düşüncelerinden sıyrıldı. "Uzun yıllar önce bir hastam vardı, duygularını hissetmekle ilgili cid-di sorunları olan bir çocuktu. Yoğun olarak hissettiği her duygu, kontrol edilmesi zor bir travmaya yol açıyordu, heyecanlandığın-da, korktuğunda, üzüldüğünde, hatta sevindiğinde bile mantıklı tepkiler vermek yerine o an hissettiği duygunun yoğunluğunda kayboluyor ve bu duygu yoğunluğundan ancak kendine zarar ve-rerek çıkabiliyordu. Bildiğin üzere sınırda kişilik bozukluğunun genel bir semptomudur da bu ama sanki onun duygu duyum eşiği bizlerden daha farklıydı, daha hassastı. Sevdiği kızın başka bir er-kekle konuşmasında hissettiği kıskançlığı bacağına sapladığı çata-lın verdiği acıyla dindirebildiğini anlatmıştı bana, ana damardan birkaç milim sağa sapladığı çatalın kırılan ucu bugün hâlâ kemi-ğine saplı durumdadır. Ahmet Bey de böyle bir vaka. İnsan, insan olarak doğar ama bu insanlık hali hayatının ilk 5 yılında, ancak içindeki insanı koruyabilirse devam eder, ilk 5 yılda yaşadıkların insanlığa ters düşen şeylerse hayvana dönüşürsün. Düşünen, plan-layan bir hayvana. İnsan hayvanlaşırsa bilinen en vahşi hayvan olur. Ahmet Bey'in yaşadığı travma bizi aşar. İçindeki hayvan o kadar derine işlemiş ki benim analizime gerek olduğunu sanmıyorum. Bu Can'ın işi."

Bilge, "Veteriner psikolog Can Manay" diye düşündü, bir an kıkırdadı, sonra kendi ilk 5 yılını düşündü, hatırlayamadığı bir sürü travması olduğuna emindi. İlk 5 yılda sadece annesi tarafından korunabilen yaratıklardık biz. Annenin koruması olmadan sahipsizdik. Kendini hayvan gibi de hissetmiyordu aslında. Abisi Doğru'nun etkisi olmuş olmalıydı. Doğru'ya bakmak zorunda kalmak içindeki insanı beslemiş olmalıydı. Ne tuhaftı, yaşadığımız zorlukların karakterimizin en kuvvetli yanlarını oluşturuyordu.

Eti'yle tüm dosyaların üzerinden geçtiler. Her dosyada ondan bir şey öğrenerek, hayatı analiz ederek dinledi. Hayatı Eti'yle analiz etmek ne kadar başka, ne kadar taze, nasıl da heyecan vericiydi! Ama stüdyodaki toplantının başlamasına çok az kalmıştı. Can Manay direkt stüdyoya gitmiş olmalıydı. Bilge çıkması gerektiğini söylediğinde Eti gülümseyip Can'ın bugün ve yarınki programını sordu. Programı başkasıyla paylaşmasının yasak olduğunu bilen Bilge tedirgin, öylece baktı. Eti'nin anlamasını istedi. Eti gülümseyerek, "Can'ın programı her zaman bana açık olmuştur, buradasın diye sana sordum, yoksa Zeynep'ten de öğrenirim" dedi. Bilge günlük programı detaylarıyla anlattı. Tokalaşarak vedalaştılar.

Bilge'nin stüdyoya varması 18 dakika sürdü. Telaşla otoparka girer girmez Can Manay'ın arabasına baktı, yoktu. Binadan içeri girince sakinleşti, emin adımlarla yürüdü. Burada kabul görmüş, saygı duyulan biriydi artık. Kaya'nın gidişi kesinleşince kendisi için işler yoluna girmişti. Hâlâ arada kendisine dik dik bakanlar oluyordu ama Bilge kendisine dik bakanlara ancak dik bakılması gerektiğini nihayet öğrenmişti. Her dik bakışa bir meydan okumayla cevap vermek artık neredeyse zevkli gelmeye başlamıştı. Durumdan tam zevk almaya başlamıştı ki dik bakışlar yok olmuştu. İnsanlığımıza rağmen hayvanlığımız kadar etrafımızda saygı uyandırabilmemiz ne acıydı.

Can Manay'ın odasına doğru ilerlerken, kapının karşısındaki koltukta oturmuş bekleyen biri olduğunu fark etmeden kartını aradı. Kartı bulduğunda duyduğu ses tüylerini diken diken etti. İmkânsızdı! Kucağındaki koca çantayı kenara koyan Murat şimdi ayaklanmış kendisine doğru gelirken ona nasıl olduğunu soruyordu, bu "Nasılsın Bilge?" ne güzel bir soruydu.

Bilge, gözlüklerinin arkasında kendini saklanıyormuş gibi hissederek gözlerindeki şaşkınlığı engelleyemeden "Murat!" diyebildi sadece. Ağzından belki Murat çıkmıştı ama asıl söylemek istediği "Artık çok iyiyim" idi. Kendisine uzatılan eli sıkmaya cesaret edemedi, hissettiği duyguların o tene dokunduğunda yine canlanabilme ihtimali çok tehlikeli geldi. Kapıyı açması gerektiğini söyleyip kartı yuvasına soktu. Murat yaklaştı, şimdi dibinde, bir nefes uzaklığındaydı. Bilge hemen kapıyı açıp, aceleyle attığı bir adımla aralarındaki mesafeyi korudu. Murat bir an Bilge'nin uzaklaşmasına bakıp hemen yerde bıraktığı ödevleri toparlayıp içeri girdi. Ödevleri sehpanın üstüne, kendisini de koltuğa bıraktı. Bilge, Murat'ın suratına bakmamaya dikkat ederek ödevlerden alabildiği kadarını toplayıp kendi masasına taşıdı. İkinci partiyi taşıyacaktı ki döndüğünde Murat ödevlerin geri kalanıyla yine dibindeydi. Yüz yüze, göz göze geldiler. Bilge hemen kafasını eğip durumdan sıyrılmak için adım attı ama Murat önce davranıp Bilge'nin adımının önünü kesti. Bilge kafasını kaldırmadan diğer tarafa hamle yaptı ama Murat yine karşıladı. Bilge Murat'a bakmadan "Lütfen... rahatsız oluyorum" dedi ve dümdüz bekledi. Murat birkaç saniye sonra kenara çekilip Bilge'ye yol verdi. Kızın üzerindeki etkisinin ne kadar fazla olduğunu deneyimlemek çok eğlenceliydi. Hoşlanıyordu bu kızdan. Akıllı olmasından, hislerine teslim olmamasından. Neredeyse bir fanteziye dönüşecek kadar eşsiz biriydi Bilge.

Murat, "Can Manay'la nasıl gidiyor?" dedi. Suratındaki yaramaz bir çocuğu andıran tebessüm çok çekici ve samimiydi. Bilge kısık sesle "İyi" derken odanın diğer köşesine ilerledi. Asla olamayacak bir hayale kapılıp küçük düşmek istemiyordu ve Murat'tan uzak durmalıydı. Dönüp Murat'a baktı. Sakince, "Ben ödevleri Can Bey'e iletirim. İyi günler" deyip bekledi. Artık Murat'ın gitmesi gerekirdi. Murat birkaç adım atmıştı ki aniden acıyla iki büklüm olup bağırdı, ayağını vurmuş olmalıydı. Bilge, Murat'a yaklaşıp doğrulmasına yardımcı olmak için onu kolundan tuttu, Murat acı içinde doğruldu ve Bilge'nin dudaklarına yapıştı. Bilge hemen kendini çekmese daha da uzun öpüşeceklerdi. Bilge şaşkınlıkla Murat'ın gülmesini izledi. Ayağını falan çarpmamıştı, hepsi numaraydı! "N'apıyorsun!" dedi hırçın olmaya çalışarak.

Murat eğleniyordu, Bilge'ye yaklaşıp "Sana yaklaşmaya çalışıyorum. Niye kaçıyorsun?" dedi ses tonunun ne kadar etkileyici olduğunun farkındalığında. Bilge suratına gelen bir topu karşılar gibi, "Kaçmıyorum. Sevmiyorum böyle alay edilmeyi. Yapma!" dedi. Huysuzca kapıya yürüdü. Hissettiği onur kırıklığını kamufle ederek kapının yanında öylece dikildi. Murat ciddileşti. "Asla alay etmem seninle! Asla. En saygı duyduğum kişisin sen" dedi. Doğruyu söylüyordu, Bilge kadar saygı uyandıran kimseyi tanımamıştı. Güzel olup olmadığını önemsizleştirecek kadar değerliydi Bilge. Çok akıllıydı, iyiydi, sakindi... Sanki bu dünyadan değildi. Bilge çok heyecanlandı, o kadar ki Murat kendisine doğru ilerlerken kıpırdayamadı. Murat, Bilge'ye bir nefes kadar yaklaşıp, "Sakın böyle düşünme bir daha! Sen tanıdığım en düzgün insansın. Asla

seni incitmek istemem" dedi. Bilge'nin kuru dudaklarına kısa ve
ıslak bir öpücük kondurdu ve odadan çıktı gitti.

Can Manay'ın iç hat telefonu çalana kadar, yaşadığı şeye ina-
namayan herkes gibi orada öylece dikilip salise salise olanları dü-
şündü, hesapladı, nedenini merak etti. Arayan reji yardımcısıydı,
Bilge'yle muhatap olmaktan hoşnut olmayan bir tonda ama saygı-
lı, toplantı için daha ne kadar beklemeleri gerektiğini soruyordu,
Can Manay yine geç kalmıştı.

4. Özge

Bilgisayar ekranının karşısında sinir krizi geçirmesine ramak
kala okuduğu şeye inanamayarak bakıyordu İrem Billur. İnternet-
te dolanan bu iğrenç, *Darbe* adındaki dergi, kendisiyle ilgili bir
sürü mide bulandırıcı şey yazmıştı. Yazı, fahişelik yıllarında yattığı
adamların isimlerini, adamların yaptıkları işlerle birlikte sıralaya-
rak başlıyor, bu sıralamayı İrem'in sektörde yükselişini sağlayan iş-
lerle eşleştiriyor ve herkesin kız kardeşi olarak bildiği Halime'nin
aslında kızı olduğunu, doğum yaptığı ebenin noterden tasdikli ya-
zılı ifadesini de ekleyerek açıklıyordu. Olamaz, diye düşündü İrem,
olmamalıydı! Bunca yıldan sonra, tüm bu saçmalıklar böylesine
ortaya çıkmamalıydı.

Avukatını aramakla, Murat Kolhan'ın sağ kolu Apo'yu ara-
mak arasında bir an tereddüt edip hemen Apo'yu aradı. Apo,
bu işe muhabirlikten girmiş ve yıllar içinde susması gereken yer-
de susup, taraf tutması gereken yerde doğru taraf tutarak şim-
di genel müdürlüğe yükselmişti. İrem'in, işi düştüğünde yattığı
adamlardan sadece biriydi. Apo'yu ararken içini bir korku sardı.
Medya patronları, canları bir şeylere sıkıldığında emirleri altın-
dakilere, canlarını sıkan şeyi yok etmeleri için emir verirler ve

o hafta içinde dergilerde ya da televizyonlarda dönemin parlak yıldızlarından birinin kabul edilemez bir skandalı halka sunulur ve bu parlak yıldız bir daha asla parlamayacak şekilde halkın gözünde söndürülürdü. Acaba kendisine olan da bu muydu?! Kimseye kötülük yapmamıştı İrem, sadece talebe cevap vermiş ve marifetlerini paylaşmıştı.

Hayatı boyunca kıskanılmıştı bu kadın, ona sahip olamayanlar onu hep aşağılamışlar ya da sektörde yükselmek isteyen diğer kıskanç kadınların gazıyla bazıları ona tuzak kurmaya kalkmışlardı ama kimse başaramamıştı. Erkeklerin dünyasıydı burası. İyi bir muamele yeterliydi bu dünyada yararlı arkadaşlıklar kurmaya. Köşe kapmakta ustaydı İrem, ustalaşmıştı. Her köşeyi tutan adamın yatağına girmiş, gösterdiği muameleyle bu adamları değerli hissettirmişti. Bu ülkenin kadınları çok kısırdı İrem'e göre, doğuramadıkları için değil, içlerindeki kadını besleyip yaşatamadıkları için. İrem içindeki kadını yaşatmış, bu kadının özgürlükle gelişmesi ve var olması için onu güçlü erkeklerden oluşan bir korunma kalkanının içine koymuştu. Bir erkeğin sizi korumasını sağlamak kolay şey değildi, erkekler sadece sahip oldukları şeye karşı koruma güden yaratıklardı, İrem akıllıydı, yattığı her erkeğe sanki kendisine sadece o sahipmiş gibi hissettirecek kadar akıllı.

Apo, konunun asla kendilerinden kaynaklanmadığını, kendilerinin de çok şaşkın olduğunu, konuyu hemen Murat Kolhan'a iletip durumla ilgili önlem alacaklarını söyledi. İrem biraz rahatlamıştı, telefonu kapatır kapatmaz, olası tüm diğer küçük baş medya patronlarıyla irtibata geçti. Kimsenin bir ilgisi, bilgisi yoktu ve herkes şoktaydı. Kim böyle bir şeye cesaret edebilirdi, edebilmişti? Birlikte olduğu adamların sıralanması önemli değildi, fahişelik suçlamalarıysa umurunda bile değildi ama Halime'nin kızı olduğunu kanıtlamak amacıyla yazılanlar acı vericiydi. Yıllarca korumaya çalıştığı itibarı, saklamaya çalıştığı sırları, yaşlanmaya başladığı anda nasıl da saldırıya uğramıştı, kendisini koruyan tüm erkekleri de yaşlanmış, yerlerine gelen yenilerse daha genç kadınları tercih eder olmuştu. Çaptan düşmüştü İrem, artık hiçbir gazetenin ön sayfasında yer alamayacak kadar çaptan düşmüştü. Emindi, bu yapılan saldırı kendi çaptan düşmüşlüğünün, yaşlanmışlığının sonucuydu.

Halime'yi arayana kadar içindeki karamsarlık o kadar büyümüştü ki, Halime'nin verdiği fikir olmasa bir daha evden çıkmayı bile aklına getirmezdi. Halime'nin söylediği gibi, önce en seksi geceliğini giydi, sonra güzel ama yaşlı yüzünü hafif bir makyajla elden geçirdi. Hâlâ çekici bir kadındı, hâlâ dişiydi. Halime geldiğinde henüz hapları içmemişti, her zaman hazırlıkları uzun süren bir kadındı İrem. Halime, İrem'in içtiği ilaçların kana karışması için yarım saatten biraz fazla bekledi yanı başında, İrem ağır şekilde uykusunun geldiğini söylediğinde Halime, sitenin güvenlik görevlilerini telaşla çağırdı ve yaşadığı hakaret, aşağılanma ve iftiradan sonra kendi canını almaya kalkan sözde ablasının hemen hastaneye yetiştirilmesi gerektiğini söylerken ağlamaklı olmaya özen gösterdi.

İrem yıllardan sonra ilk defa hem manşetlerde hem de ana haberdeydi. Ülkenin dört bir yanındaki haber kaynakları, en değerli sanatçılardan birinin nasıl da haksızlığa uğradığını anlatıyordu halka ve o geceden sonra herkes bu haksızlığa neden olmasıyla ünlenen *Darbe*'yi okudu, konuştu, paylaştı. Ne Özge'nin geceler boyunca verdiği emeği, ne dergileri dağıtırken katlandığı zahmet, ne derginin nasıl yok edilmeye çalıştığını anlatan kapak tasarımı, ne de ilgi çekici içeriği... bunlardan hiçbiri derginin reklamı için İrem Billur'un numaradan intihar teşebbüsünden daha etkili olmamıştı.

Özge, *Darbe*'nin önümüzdeki hafta çıkacak sayısı adına bayilere dağıtılması için hazırlanan kapağı onaylarken düşmanların düşmanlıklarıyla nasıl da güç verebilir olduğunu düşündü, saatine baktı. Sadık Murat Kolhan'la olan randevusuna sadece dört saat kalmıştı, çıkmalıydı. Üzerinde yürümekte zorluk çektiği topuklu ayakkabıları, poposunu sanki vücudundan fırlamak isteyen ayrı bir parça gibi sivri gösteren eteği ve beline oturan ceketiyle kendini kendi gibi hissetmeden çıktı evden. Apartmandan çıkıp yüz metre yürümesi yetmişti özüne dönmezse asla var olamayacağını anlamasına. Eve geri döndü, ayağındaki mantık dışı ayakkabıları ve üzerindeki gülünç kıyafeti çıkardı, kendini en rahat hissettiği kot pantolonunu, üzerine de ortaokuldan beri sakladığı beyaz okul gömleğini giydi. Gömleğin kolları artık kısa geliyordu, hemen dirseklerine kadar kıvırdı ve askıda duran kravatı boynuna geçirip öylesine bol bıraktı. İşte şimdi hazırdı. Özge, merdivenleri özgürce hoplaya zıplaya indi, sokağa çıktığında kuş gibi hafifti. Kendisi olma cesareti gösterebilmiş biri gibi.

Yolda, duyduğu mutluluğun, verdiği emeğin etkisiyle hissettiği gururdan mı, yoksa bu etkinin Sadık Murat Kolhan'la tekrar görüşebilmek için haklı bir bahane yaratmasından mı kaynaklandığını düşünmek istemedi. Sadık Murat Kolhan'ın kendisine gönderdiği adrese doğru yola çıktı. Oraya varması üç saatini alacaktı. Ama Özge bu sefer hazırlıklıydı, hem yola hem Sadık Murat Kolhan'a.

5. Ada

Çok para vardı bu işte! Reddedilemeyecek kadar çok para. Parasını almaya giderken kendi kendine söz verdi Ada, bu son olacaktı. Çok para olsa da bu son olmalıydı. İlk ve son.

İlk yaptığı diş fırçası reklamı zaten sayılmazdı, değişik marka diş fırçalarıyla diş fırçalayan bir grup insanın çıkardığı sesi kemanla taklit etmiş, bir sürü diş fırçasının sesi akordu bozuk keman gibi çıkarken, reklam markası diş fırçasının sesini ahenkli bir müzik olarak çıkarmıştı. Çok kolay olmuştu, bir saat içinde işini bitirmişti. Stüdyodan çıkarken reklam yönetmeni olduğunu söyleyen adam, kimsenin istenileni bu kadar çabuk ve net veremeyeceği ve gerçek bir reklam müziği yeteneği olmasıyla ilgili iltifatlarla kafasını ütülemişti. O günden beri, hemen hemen her iki günde bir aranır olmuştu reklam ajansları tarafından ama kabul etmemişti hiçbirini, bugün parasını alacağı iş haricinde.

Bu son yaptığı müzik, ülkenin en büyük telefon servis sağlayıcılarından birinin reklam müziğiydi. İnsanlar daha fazla tüketsin, daha fazla harcasın, daha fazla borçlansınlar diye gereken tüm motivasyon en usta haliyle yerleştirilmiş, Ada'nın müziği de bu amaca ustaca hayat vermişti. Şarkıyı yazması, bestelemesi ve stüdyoya girip oluşturması birkaç saatini almıştı, daha keşfedilmemiş olsa da gerçekten de ülkenin göreceği en yetenekli jingle* yaratıcısıydı.

Ada bizzat ajansa çağrılmıştı parasını almak için. Burada olmaktan hoşnut değildi, yaptığı şeyi bir daha yapmaması gereken herkes gibi, suç mahalline gitmek akıllıca gelmiyordu. Yol boyunca Deniz'in yokluğunun ağırlığıyla küçülen kalbi ajansa gidiyor olma fikriyle iyice kasılmıştı. Suçluydu. Deniz'in kendisine yüklediği her şeye karşıydı müziği böyle satması. Bir daha yapmayacağım, paramı alacağım ve çıkacağım, diye düşündü. Deniz yanında olsa bu para önemli olmazdı ama yoktu. Yaz boyunca her yerde aramıştı onu. Bir yıldır çalıştıkları "Mezuniyet Gecesi"nin muhteşemliğini kanıtlayan çekim kasetlerinin kaybolması, uyuş-

---

* Reklam müziği.

turucu kullandığı şikâyetiyle istenilen testleri Deniz'in reddederek istifa etmesi, Duru'nun psikologun gelini ilan edilmesi... Darbe üstüne darbe almıştı Deniz. Yok olmuştu. Acaba şimdi neredeydi? Nasıldı? Neler yaşamıştı? Neler yaşıyordu?... Yaşıyordu... Önemli olan da buydu aslında. Emin olduğu tek şeydi bu, çünkü ölse hissederdi.

Yolunun üzerindeki bayilerden birinde Duru'yu görene kadar aklı Deniz'deydi. Duru! İnce, uzun, beyaz bedeni havuz başında güneşlenirken nasıl da parlıyordu, paparazzi tarafından gizlice çekilmiş bu resim tuhaf bir magazin dergisinin kapağındaydı ve dergi garip bir şekilde bayiin üstüne asılmış, rüzgârla sallanıyordu. Ne tuhaf bir ismi vardı derginin: *Darbe*. Beyni yürümesini söylerken adımları durdu, Duru hakkında yazılanları okumak için karşı konulamaz bir merak hissetti. Duru'nun o psikolog adamla olan ilişkisi nasıl da patlamıştı. Bir günde gündemdeki en merak edilen konu olmuş, aylarca basından inmemiş, herkes o ilişkiyi takip eder olmuş, Duru ülke çapında tapılan, istenen, en merak edilen kadına dönüşmüştü. Bunun böyle olacağını içinde bir yerlerde hissetmişti Ada ama Deniz'siz olacağını tahmin bile edemezdi.

Bir kâbus gibi Deniz yok olmuş, Duru'ysa her yerdeydi şimdi! Neyse ki televizyon izlemediği ve magazine dikkat etmediği sürece artık okulda görmüyordu onu. Deniz'i bulma çabasında bir kez aramıştı Duru'yu ama Deniz'le ilgili sorular başlayınca Duru kısa kesip kapatmıştı telefonu, o da bilmiyordu.

Duru'nun psikolog adamla olması ilk önce taze bir nefes gibi girmişti Ada'nın içine, rahatlatan, huzur veren bir nefes. Oh, demişti Ada. Hatırlıyordu, ilk tepkisi buydu. Oh! Deniz'i Duru'dan ayıklayan bir "Oh"tu ama ikinci nefeste yüreği sıkışmıştı. Sevdiği tek erkeğin sevdiği kadını böyle kaybetmesi büyük acımasızlıktı, hele Deniz gibi bunu asla hak etmeyen biri için.

Bayiye yürüdü, dergiyi almak istediğini söyledi. Adam derginin satılık olmadığını, ancak internetten okuyabileceğini, her bayiye bir kapak örneğinin reklam için bırakıldığını açıkladı ve Ada'ya bir kart uzattı. Kapağın tasarımında yapılmış küçük kartta derginin web adresi belirgin bir şekilde yazılmıştı. Ada inceledi ve kartı attı. Nefret ediyordu bu kızdan, öldüresiye bir nefret!

Reklam ajansına girdiğinde sabırsızca niye burada olduğunu açıkladı danışmaya, çünkü Duru'nun etkisinden artık kimi görmesi gerektiğini bile hatırlamıyordu. Üstelik biraz erken gelmişti. Danışmadaki kız yukarıya haber verdikten bir dakika sonra müşteri temsilcisi olduğunu söyleyen süslü bir kadın gelip onu yukarı davet etti. Ada kadının elini sıkarken Deniz'e ihanet ediyor olma hali iyice yayıldı bedenine, soğuk, kuru, "Paramı alıp gitmek istiyorum" dedi.

Hiç konuşmadan asansörle en üst kata çıktılar. Önünde modern, büyük sekreter masasının olduğu odaya girdiler, oda boştu ve zenginliğiyle dikkat çekecek kadar iyi döşenmişti. İçinde bir bilardo masası, tilt, büyük bir müzik kutusu vardı. Eğlenceli bir yere benziyordu ve tek kişiye ait olduğu kesindi çünkü diğer köşede tek kişilik kocaman bir masa vardı. Ada kendisine gösterilen rahat koltuğa oturduğunda, önündeki sehpanın üstündeki servisi fark etti. Çok lezzetli görünen bir pasta ve çay seti duruyordu. Bu odanın muhasebeciye ait olmadığı kesindi. Müşteri temsilcisi kız odadan çıkmak üzereyken Ada fırlayıp, "Benim hemen gitmem lazım, bekleyemem" diye belirtti. Kız şaşkınlıkla durakladı yine, ilk defa bu ajansa gelip hemen gitmek isteyen birini görüyordu, insanlar bırak binaya girmeyi, bu kata çıkabilmek için yıllarca kölelik bile yapıyorlardı. Anlamlandıramadığı bir şeye cevap verdiği her mimiğinden belli olacak şekilde, "Tugay Bey gelsin, gidersiniz" dedi.

Kız odadan çıktığında Ada iyice gerildi, Deniz'in, ilhamın ne kadar kutsal olmasıyla, insanlara ilham veren müziğin asla köleleştirilmemesiyle ilgili konuşmaları geldi aklına, müzikle uyandırdığı ilhamı, bir markayı sevdirmek için satmamalıydı! Burada olması her anlamda yanlıştı çünkü Deniz'e tamamen hak veriyordu, tereddüt etmeden çıkış kapısına doğru hızla yürüdü, kapıyı açıp dışarı çıktı. Tugay Bey kapının hemen önünde onu karşıladı, "Beklettiğim için üzgünüm, ben Tugay" diyerek.

Güven veren tebessümü ve sakin gözleriyle dikkatle baktı Ada'ya, saklanmasını buyurduğu yetenek demek buydu diye düşündü: Silik, sıradan. Tokalaştılar.

"Uzun süredir seni bekliyordum" diyerek odasına girdi ve büyük deri koltuğun köşesine oturur oturmaz "Ne içersin?" diye sordu. Ada, hiçbir şey demek istedi ama "Su lütfen" diyebildi. Bu adamda sakinleştiren bir şey vardı. Belki sıradanlığının konforuydu bu. Adını koyamadığı bu şey Ada'yı meraklandırdı. Koltuğun diğer köşesine otururken adam "Uzun süredir senin kadar yetenekli biriyle karşılaşmadım Ada. Bunu herkese söylemem ama tanıştığımıza memnun oldum" dedi. Ada sadece gülümseyebildi. Adam, "Bir tanıdığım sizin okul gösterinizi izlemiş birkaç ay önce, o günden beri hep aklımdaydın. Bu işle kısmet oldu tanışmamız. Neler yapıyorsun?" dediğinde Ada kendisine atılan soruyu karşılamakta birkaç saniye gecikti. Hiçbir şey yaptığı yoktu, dünyayı kurtarıyor bile olsa bunu nasıl ifade edebileceğini bilemeyecek kadar aptal hissetti kendini, "Hiçbir şey yapmıyorum" derken.

Tugay, "Müzik yapıyorsun, bu bayağı bir şey demek" diye atıldı. Ada sadece kafasını evet anlamında sallayabildi. Sessizce bir süre oturdular, su ve kahve getiren kız gidene kadar konuşmadılar.

Sonra Ada direkt konuya girdi: "Benim gitmem lazım, ödemeyi sizden mi alacağım?"

Adam kulağa güzel gelen dolu bir kahkaha attı ve "İlginç birisin sen Ada, kaç yaşındasın?" dedi. "21" diye cevapladı. Adam açıkladı: "Sana hayatının işini teklif edeceğim ve bilmek istedim, reşit misin?" Ada tereddüt etmeden günah çıkarır gibi "Ben reklam için çalışamam" dedi. Adam kaşlarını çatarak "Neden?" diye sordu. Ada, "İnsanlar daha çok tüketsin diye onları motive etmek istemiyorum. Çok sevdiğim bir öğretmenim tükettiğini üretmeyen insanın sadece parazit olduğunu söyler, ben de ona katılıyorum" dedi. Adam kaşlarını ilgiyle kaldırıp *"Tükettiğini üretmeyen insan…* Enteresan bir bakış açısı. Ama biz burada tükettiğimizi üretmek için çalışıyoruz" dedi.

Ada söylenen şeye inanmadığını belirten şekilde kaşlarını kaldırdı, sonuçta bir reklam ajansındaydı.

Adam, "Markalar, bu uygarlığın devamını sağlayan üretimin ta kendisidir. Markaların hepsinin yok olduğunu düşün, uygarlık bir gecede çöker. Televizyonlar, radyolar, gazeteler, tüm yayın kuruluşları kendilerine hayat veren, çalışanlarının maaşlarını ödeyen enerjiyi yani reklamı kaybederler, çalışamaz olurlar. Yararlandığın her şey iyi markaların ürünüdür. Eğer bir markete gidip çok lezzetli bir kutu kurabiyeyi çok az bir para karşılığında alabiliyorsan ya da çok cüzi bir parayla hamburger yiyebiliyorsan, varlığını üretmeye adamış bu markalar sayesinde yapabiliyorsun bunu" dedi, birkaç saniye bekleyip ekledi: "Benim yaptığım işse üretimin temelini oluşturan bu markaların koruyucusu olmak, bir anlamda üretimi koruyorum burada, senden istenense onlara müzikle ses vermen. Müzikle onların kendilerini ifade etmesini sağlaman. Senin öğretmen çok doğru bir şey söylemiş, tükettiğini üretmeyen insan gerçekten de parazittir. Ama bunu bizim yaptığımız işi anlamadan, tartmadan, yanlış anlayarak söylemiş. Senin öğretmenle biz aynı fikirdeyiz yani!" dedi.

Ada söylenenleri düşündü, adam kendini üretimin koruyucusu ilan etmişti, Deniz burada olsa ne derdi? Adamın söylediği şeyler mantıklıydı. Peki ama Deniz'in karşı çıktığı şey neydi burada? Deniz'in haklı olduğuna emindi ama bu düşüncenin bir dinleyicisiydi Ada, bu düşünceyi düşünen kişi değildi, aklına hiçbir kelime gelmedi. Sonuçta Ada kendi şarkısını markaya feda etmiyordu ki, marka için yeni bir müzik yaratıyordu. Keşke Deniz'le konuşabilse, ona bu bakış açısını açabilseydi. Tugay'ın konuşmasıyla aklı Deniz'den uyandı, adam "Konuşacak, paylaşacak çok şeyimiz olduğuna eminim. Acelen olduğu için daha fazla vaktini almayacağım, Arzu Hanım sana binayı gezdirmek istiyordu, umarım kırmazsın onu. Sonra da muhasebeden sana ödeme yapacaklar" dedi, ayağa kalktı, Ada da hemen ayağa fırladı, adam tokalaşmak için elini uzatırken "Cidden memnun oldum" dedi, Ada da elini uzattı, sıkıca tokalaştılar, Ada elini çekmek için gevşettiğinde adam sıkı sıkı tutmaya devam etti ve gözlerinin içine bakarak, "Seninle paylaşacak çok şeyimiz var, bunu hissediyorum. Seni arayacağım" dedi ve ancak sonra elini bıraktı.

Ada istem dışı yüzüne yayılan tebessüm ve kızaran bir suratla iyi günler dileyip çıktı odadan. Kapının önünde bekleyen müşteri temsilcisi kız ona binayı gezdirmeye başladığında hâlâ adamı düşünüyordu. Ofis çok güzel, büyük ve herkesin harıl harıl çalıştığı bir yerdi. Ancak Deniz gibi birinin yaratabileceği bir ortam diye düşündüğünü fark ettiğinde muhasebeye gelmişlerdi, kendisine parası ödenirken, adamın aklına niye takıldığını anladı: Ne yaptığını ve niye yaptığını bilen biriydi bu adam. Aynı Deniz gibi. Tugay... değişik bir isimdi.

6. Can Manay

Bir toplantıyı kaçırmış ve diğerine de geç kalmıştı ama umurunda bile değildi. Zafer sigarasını yakmak üzereydi. Duru'dan ayrı geçen her saniye o kadar gereksiz, o kadar boşunaydı ki. Hayatının amacını gerçekleştirmiş biri gibi hissediyordu Can, hayatının amacına ulaşmış ama gündelik yaşamın gerekleri yüzünden arada da olsa o amaçtan uzakta kalmak zorunda olan biri. Ancak stüdyoya vardığında Bilge'yi aradı, Duru'nun üzerine sinen duygusunu yol boyunca da deneyimlemek için telefonunu açmamıştı. Bilge ilk çalışta cevap verdi, Can hemen konuya girdi: "Nerdesin?"

Bilge cevapladı: "On dördüncü kat, toplantı salonu, tam istediğiniz gibi biz dosyayı incelemeye başladık."

Can hiçbir şey istememişti Bilge'den, onsuz toplantıya başlamış olduklarına inanamadı, tepkiyle "N'aptınız!? Bensiz nasıl başlarsınız?" dedi, bu kızı fazla başı boş bıraktığını düşünerek.

Bilge'den hiç ses çıkmadı. Can, "Hiçbir şeye başlamayın! Geliyorum!" diye haykırdı ve telefonu Bilge'nin suratına kapattı.

Binanın ön kapısından girdi, sadece yöneticilerin kullandığı asansörden hemen 14. kata çıktı. Toplantı odasına yaklaştıkça Bilge'ye siniri iyice artıyordu. Ne sanıyordu bu kız kendini! Toplantı odası karanlıktı, içerideki karanlığı ara ara aydınlatan projektörün ışığından anlaşılıyordu karanlık. Can Manay sinirine hâkim olarak içeri girdiğinde, projektörde geçen sezonun final bölümünden bazı sahneler kolaj olarak akmaktaydı ve kapının ağzında Can Manay'ı gören üst düzey yöneticiler onu alkışlayarak karşıladı.

Bilge, Can Manay'a zaman kazandırmak için daha önce hazırlanan bu kolajı yöneticilere izletmeyi seçmişti, her şey onun fikriydi. Can Manay kendisiyle tokalaşmak için ayağa kalkan coş-

kulu yönetici kitlesine, suratına takındığı yarım tebessüm maske-
siyle karşılık verdi. Herkesle tokalaşması bitince Bilge'yle göz göze
geldiler. İlk defa ne diyeceğini bilemeyen biri gibi göründü Can
Manay Bilge'nin gözüne ve Bilge hafif, sakin bir baş hareketiyle
kafasını yavaşça bir kez aşağı indirirken anlayışlı bir tebessümle
gülümsedi ona, aynı daha zeki birinin zekâsını yargılayan bir apta-
la yapabileceği gibi.

Yöneticiler kolajın son dakikalarını izlemeye devam ederken
Bilge elindeki kâğıdı Can Manay'ın önüne koydu, karanlıkta iyi
görünmese de Can kâğıdı kendine yaklaştırıp okudu: "Karşınızda-
ki koltukta oturan Hüsnü Bey'in geçen hafta bir oğlu oldu, Zehra
Hanım önümüzdeki hafta sonra işten ayrılıyor, program içeriğini
geçiştirmek akıllıca olur çünkü başka bir kanalda başlayabilir, Ab-
dullah Bey Murat Kolhan'ın sağ kolu, Fikri Bey sizi narsist bulu-
yor. Hoş geldiniz."

7. Sadık Murat Kolhan

Sadık, bedenini masaj koltuğuna yatırırken derin bir nefes
alıp nefesi içinde sıkıştırdı. İçinde atan hayatı hissetmek için
çocukluğundan beri yaptığı bir şeydi bu. Pıt... pıt... pıt... Hayatın
ritmi tüm damarlarında akıyordu. Ne muhteşem bir organizmay-
dı insan. Sadık içinde sıkışan nefesi acele etmeden dışarı verdi.
Yenisini sakince içeri aldı. Çi* diye düşündü. Vücudunun üret-
tiği ortalama 0.6 voltluk elektrik Çi'nin her hücresine akmasını
sağlıyordu. Nereden geldiği, niye var olduğu bilinmeyen, değdiği
her şeye hayat veren muhteşem enerji... Sadık Çi'yi ilk fark etti-
ğinde 5 yaşındaydı. Yaşadıkları gecekondunun yanındaki yoldan
geçen kamyonları seyrederken bir gün, bir köpeğin ezilmesini

---

* Tüm canlıları birbirine bağlayan, rejenere eden Yaşam Enerjisi.

izlemiş, yola koşup kamyonun çarptığı köpeği kenara çekmiş, onu kurtarmak için ne yapması gerektiğini düşünürken köpeğin gözlerindeki ışığın kayboluşunu, gözbebeklerinin nasıl da matlaştığını fark etmişti. Köpeğin gözlerindeki donma o kadar net, gerçek ve fark edilir olmuştu ki o gözlerden uçup giden şeyin peşine düşmüştü Sadık. Bu merak onda yaradılışla ilgili bir sürü soru doğurmuş, bu sorular onu dine taşımış, dinle tanışması başta bir sığınma, sonrasında dinle güç kazanan, diğerleriyle ilgili keşfettiği gerçekler doğrultusunda hayal kırıklığı olmuş ama her anlamda ona güç vermişti. Diğerlerini kontrol edebilme gücü. Din ona bir şey öğretmişti: Dini yüreğinde yaşayanlar Yaradan'ın yolunda sessizce var olurken, dini aklında yaşayanlar diğerlerinin üstünde oluşturdukları egemenlikle kitleleri yönetmek için varlardı.

Yıllarca sürmüştü bu din eğitimi, dini aklında yaşayan herkes gibi. Manevi babasıyla tanışması hayatındaki her şeyi değiştirmişti. Etrafında fark yaratan bir adamdı Hoca. Ona Sadık adını veren de oydu. Daha çocukken Hoca'yı tanımış, kanatlarının altına girip onun vizyonu çerçevesinde bugünlere gelmişti. Sadık için, dünyayı ticaretle algılayan bu özde açık fikirli adam, Allah korkusuna ihtiyaç duyan kesimi yönetebilen dini söylemlerinde uzmanlaşmış, özde dinsiz ama söylemleri dinli bir akıldı. İnsanların korkularına nasıl hitap etmesi gerektiğini, kitleleri organize ederek nasıl harekete geçirmesi gerektiğini bilen gerçek bir ustaydı. Gözlerini açtığında düşüncelerinden sıyrılıp ana döndü Sadık, Kirla'nın rahatlık ve samimiyetten başka kendisine hiçbir şey ifade etmeyen vücudu yanı başında masaja başlamak için ondan izin bekliyordu. Sadık başını evet anlamında hafifçe eğdi, gözlerini kapatıp 10 yıldır her ayın ilk pazartesisi deneyimlediği boşalmaya kendini bıraktı.

Neredeyse hücre boyutunda boşalabilir hale gelmişti Kirla sayesinde. İçindeki Çi'ye ivme veren bir boşalmaydı bu, elektrikle yüklenmiş ya da yeterli yüklenememiş bir cihazın ihtiyacı olan akımı içinde dengelemesi, sanki sistemi sıfırlaması gibiydi yaşadığı bu orgazm. Normalde ayda bir kere deneyimlemeyi tercih ettiği bu keyfi, birkaç aydır hissettiği tatminsizlikten beri ayda ikiye çıkartmıştı. Ayın ilk pazartesileri ve ikinci çarşambaları. Hiçbir zaman Kirla'ya dokunmuyor, zaten dokunmak bile istemiyordu. Çirkin denemeyecek kadar şefkat uyandıran, 3 çocuk annesi, Uzakdoğulu bu kadının ellerinin ustalığına kendini bırakmak yaşadığı en rahatlatıcı şeydi. Bir adaya düşse Sadık'ın yanına alacağı 3 şeyden biriydi Kirla, ayda bir gün dışında suratını görmemek şartıyla.

Kirla'nın kısa tırnaklı, güçlü parmakları kasıklarına masaj yaparak önce yumurtalıklarını kavradı, sonra diğer eli erkekliğini avucunun içine alarak sıkıştırdı. Özellikle yoğun bir masajla boşaltılmak istemişti bugün, Özge'yi görmeden önce tamamen gevşemek istiyordu. Kirla her zamanki gibi ritimle başladı, Sadık'ın kendi sıvısını kullanarak kayganlıktan yararlandı, serçeparmağıyla anüse uyguladığı basınçla orgazmı yakalayıp masajı bitirdi. Mükemmeldi. Hiç kıpırdamadan kendini Kirla'nın yağlarla temizlemesine bıraktı Sadık. Baştan aşağı itinayla boşaltılan ılık yağın kafatasından boyna yığılması ve oradan tüm vücuda kaymasıyla gözlerini açtı.

Tahrik edici hiçbir şeyi olmayan, nereye, ne kadar, ne sürede dokunması gerektiğini bilen bu kadın, güvenilir elleri ve asla satın alınamaz ağzıyla Sadık Murat Kolhan'ın en iyi çalışanlarından biriydi.

8. Özge

Metrodan indiğinde kendisine bildirildiği gibi Sadık Murat Kolhan'ın özel aracı caddede bekliyordu. Özge kapıyı açıp bindi, araç hareketlendi. Şehrin büyük ormanının bulunduğu bölüme doğru ilerlediler. Nereye götürüldüğünü bilmiyordu, Sadık'ın noteri görüşmenin şirkette olamayacağını, Sadık Bey'in kendisini beklediğini söylemişti sadece, keşke sorsaydım diye düşündü, şehir trafiğinden uzaklaşıp orman yoluna girerken.

Sadık Murat Kolhan'la iki telefon konuşması dışında görüşmemişti. Kendisine yardım ettiği o geceden sonra geçen onca zamana rağmen sanki hemen yine karşılaşacaklarmış gibi hissetmesinin ne garip olduğunu düşündü. Telefon görüşmeleri de ani olmuştu, birinde akşamüstü aramış ve *Darbe*'de çıkan haberlerden birinin kaynağını öğrenmek istemişti, gergin gibiydi. Diğerindeyse *Darbe*'nin servis sağlayıcısıyla ilgili soru sormak için sabahın köründe aramıştı. Konuşmalar çok resmi geçmişti ve telefonu kapatırken hep tuhaf bir bırukluk hissetmişti Özge. Bu toplantı talebinde bulunmasa belki onu görmeyebileceğini hissediyordu.

Ormanın daha da derinliğine gitmeleri yüklü bir yalnızlık verirken neyse ki 15 dakika sonra güvenlik kulübesinin olduğu bir geçişe geldiler. Etraf ağaçlık olduğundan buradan geçse bile asla böyle bir yerin varlığını fark edemeyeceğini hesaplayıp iyice huzursuz hissetti kendini, çünkü kimseye güvenmiyordu. Babasının annesiyle çizdiği mutlu aile tablosuna rağmen, babasının ikinci hayatını keşfettiğinden beri bu paranoyaklık bir alışkanlığa dönüşmüştü. Zenginliğin sapkınlığı mükemmel bir şekilde kamufle edebildiğini deneyimleyerek büyümüş ve keşfettiği bu zehirli bilgiye rağmen sessiz kalarak bir suç ortağına dönüşmüştü ama bu suç ortaklığı durumu çok da uzun sürmemişti. Babasının ikiyüzlülüğünün aslında annesi tarafından bilindiğini öğrendiğinde onların çirkinliğinden uzaklaşabilmek için ülke değiştirmek zorunda kalmış ve doğduğu topraklara dönmüştü. Başkalarının önemsemediği detayları fark etmek onun için bir alışkanlıktı. Bu alışkanlığın beraberinde getirdiği paranoyanın bir gün hayatını kurtaracağını bilmeden, güvenliğin ardındaki demir kapılar açılırken burada olduğundan kimsenin haberi olmadığını düşündü.

Araç ağaçların arasında uzanan dar yolda ilerlerken Özge yolun asfaltlaşan yapısına dikkat etti, geldikleri toprak yoldan sonra bu yol aniden uygarlığa kavuşmuş gibi bir his yaratıyordu. Yol hafif bir eğimle tepeye doğru çıkarken karışık ağaçların yerini salkım söğütler aldı. Yemyeşil arazi, etrafa yayılan salkım söğütler ve önünde durdukları küçük evle kartpostal gibiydi. Araç tepedeki evin önünde park etti. Özge inmek için hamle yaptığında kapısı aniden açıldı, karşısında dikilen 50 yaşlarındaki adamı görünce rahatladı, adamın eşliğinde eve ilerledi.

Arabayı park ettikleri yerin yukarısında bulunan tek katlı ev taştan yapılmıştı, iki cephedeki pencereler biraz fazla küçüktü. Küçük bir dağ evine benziyordu. Ana girişteki ahşap kapı enteresandı. Kocaman bir çam kozalağı şeklinde dizayn edilmişti. İçeri girdiler, ev parlayan ahşap zemin üzerine öylece bırakılmış gibi duran iki oturma grubu dışında bomboştu. Beş metre ileride, giriş kapısının tam karşısında, bahçeye açılan bir kapı daha vardı. Bu eve göre fazla teknolojik bir kapıydı. Hiç beklemeden, Özge'nin arka bahçe olduğunu düşündüğü yere geçtiler. Otomatik açılan kapıdan geçtikten hemen sonra bir şok dalgası gibi beynine çarpan görüntü nefes kesiciydi. Arka bahçe değildi burası, bu küçük dağ evinin ardına saklanmış, aşağıya inen eğime yayılmış, yemyeşil arazinin ortasında hayatında gördüğü en güzel evdi bu.

Sadık Murat Kolhan'ın evi, bulunduğu yamacın alçalan manzarasını tamamıyla kucaklayacak şekilde yerleştirilmişti. Biraz önce arabayla çıktıkları tepe şimdi az bir eğimle aşağı doğru iniyordu ve evin kenarından gördüğü kadarıyla aşağıda bir göl vardı.

Eve inerken granitten yapılmış bir kemerin altından geçtiler, kemerin üstünde de çam kozalağı motifleri vardı yine ve ancak bir an görebildiği o muhteşem manzara, evin içine girdiklerinde salonun camlarında tüm el değmemişliğiyle kendini gösteriyordu. Özge gözlerini alamadan baktı, eğimin bittiği yerdeki göl, gölün içindeki antik şehrin irili ufaklı sütunlar ve duvarlar şeklinde sudan çıkması, camdan yapılmış evin her köşesiyle kendini bu manzaraya tamamen bırakması, etraftaki her şeyin aşağıdaki gölün suyundan pürüzsüzce yansıması, evin yanından akan derenin göle hayat veren bir şelaleyle son bulması, turuncu pelikanların uyuklayan sakinliği, karşı yamaçta otlayan iki büyük siyah atın sağlıklı görüntüsü... Her şey olağandışıydı.

Yamaca bakan bahçeye çıkması, sanki bir hipnozda gibi kendiliğinden oldu. Sakin adımlarla, salondan ahşapla kaplanmış bahçeye çıktı, havuzun yanından yürüyüp bahçenin ucuna geldi, yerden epeyce yüksekte olduğunu ancak o zaman anladı. Eğim havuzlu bölümün yukarıda kalmasına neden oluyordu. Önündeki parmaklıkları tutup manzarayı izledi. Hayatında ilk defa kendini ait hissettiği, daha doğrusu kendisine ait olmasını istediği bir yere bakıyordu, düşüncesine gülümsedi, bir gün buranın tek sahibi olacağını bilmeden.

Manzaraya o kadar saplanmıştı ki, çiseleyen yağmurla ancak kendine geldiğinde epey zaman geçtiği kesindi. Kimsenin neden kendisini çağırmadığını düşünüp hemen eve girmek için döndü. Sadık Murat Kolhan ayakta, salonun kapı pervazına yaslanmış kendisine bakıyordu. Hastalandığı o gece, evin kapısındaki aynı duruştu bu.

Belli belirsiz göğüs kaslarına değen, V yakalı beyaz ince tişörtü, o tişörtün yakasından kendini gösteren güçlü bir boyun ve Özge'nin bakmakta zorlandığı ve keskin bir şekilde kendisine dikilen o derin gözleri... Belki üç saniye, belki üç dakika... Özge bu gözlerin etkisinden kurtulmak için kıpırdamadan bekledi. Yaklaşması gerekiyordu, konuşması gerekiyordu, aradaki bu garip enerjiyi yok etmesi gerekiyordu... Neyse ki ilk konuşan Sadık Murat Kolhan oldu: "Islanıyorsun."

Özge verandaya ilerlerken elindeki dosyayı nerede bıraktığını düşündü, salonda olmalıydı ama değildi, çünkü Sadık Murat Kolhan'ın elindeydi. Özge yaklaşınca Sadık tokalaşmak için elini uzattı ve Sadık'ın gözlerinin içine bakmadan, tuttuğu eli kavramaktan tedirgin, en nefret ettiği şekilde tokalaştı sanki kendisi değilmiş gibi. Hatta tokalaşırken etrafa bakıp, "Yağmur yağacağı belliydi" bile dedi. İlk elini çeken de Özge olmuştu, kendini iyice acemi hissediyordu. Adamın etrafa yaydığı bu kapsayıcı enerjinin içinde kaybolmak üzere olduğunu düşündü ve hemen kendine hatırlattı, bu adam basit bir koleksiyoncuydu. Hoşuna giden her şeyi biriktirmek isteyen biri, o kadar! "Görüntüsünün gücü, isteyebileceğim bir sürü şeye sahip olması ya da bu kapsayıcı enerjisinin keyif veren zehri umurumda bile değil! diye tekrarladı içinden.

İçinde uyandırmaya çalıştığı özerklik duygusu ifadesine yansıdı, etkilenmeyecekti bu adamdan! Elini çekip dosyasına uzandı, Sadık'tan dosyayı alır almaz, yanlarındaki koltuk grubuna oturdu ve dosyayı açtı, buraya iş için gelmişti ve bu adamla sadece işi vardı, artık onun suratına bakmaması gerektiğini biliyordu. Kim böyle dar bir tişört giyerdi ki!

Sadık ayakta bir an bekledikten sonra Özge'nin karşısına değil, yanına oturdu. Sadık'ın niye yanına oturduğuna bakıp, "Bu şekilde müzakere yapamayız" dedi ve hemen karşısındaki koltuğa geçti. Sadık çıplak ayağını dizkapağının üzerine koyup kaykıldı. Ona çok yakışan güzel bir kaykılıştı bu. Altındaki gri keten pantolonu ve temiz çıplak ayaklarıyla, bu güzel evin bir parçası gibiydi. Özge, Sadık'ın ayaklarına kayan bakışının fazla uzun orada kalmasından kendini deşifre olmuş hissederek "Üşümüyor musunuz?" dedi, sanki ayağın güzelliğine değil de çıplaklığına şaşırmış gibi yapmak rahatlatıcıydı.

Sadık Özge'ye doğru eğildi, eliyle Özge'nin eline uzandı, yumuşak bir şekilde tuttu. Elleri sıcacıktı ama bu da neydi şimdi!

Sadık, kızın ellerinin ne kadar narin olduğunu ve bu elleri kavramanın tuhaf bir keyif verdiğini düşündü, kız garip davranıyordu ama zaten ilginç olan da bu garipliği değil miydi! Sakince "Üşümüyorum" dedi, Özge elini çekti.

Sadık gözlerini Özge'ninkilerden ayırmadan onu son gördüğü zamanda hissettiği duyguların hâlâ etkili olup olmadığını tarttı... Etkiliydi, o etki kızın yemyeşil gözlerinde sanki kendisini bekliyordu.

Özge, onun kendi gözlerine sabitlenmiş gözlerine bakarken adamın bu kapsayan enerjisinin saldırgan olup olmadığını tarttı... Saldırgandı, izin verildiği anda bir çatlaktan içeri sızıp fethetmeyi bekliyordu.

Özge hemen dosyaya odaklanıp ona kâğıtları uzattı. Sadık alıp incelemeye başladı. İnternet üzerinde yayılan derginin kaç kişiye ulaştığını, hangi lokasyonlardan ve hangi saatlerde en çok ziyaret edildiğini anlatan rapor, derginin daha büyük bir servis sağlayıcı şirketten hizmet alabilmesi için gerekli olan ekstra yatırımın açıklamasıyla sonlanıyordu. Sadık son sayfaya hızla göz gezdirip kâğıtları masaya koyduğunda Özge, yine para istemek zorunda olmanın sıkıntısı içindeydi. Sadık aynı ilk toplantıda yaptığı gibi öne eğilip iki elini birleştirdi ve işaretparmaklarını dudağına dayayıp bir süre kâğıtlara baktı, sonra bakışını Özge'ye çevirdi. Çok ciddiydi, Özge huzursuz sessizliği bozmak için konuşmaya karar vermişti ki Sadık önce davrandı: "Yapmak istediğin ne?"

Özge şaşkınlığının suratına yansımasını engellemeden cevap verdi: "... Ne demek istiyorsunuz?"

Sadık suratındaki ciddiliği silmeden geriye yaslandı, tek kolunu koltuğun dirsekliğine yaslayıp, "Bu dergiyle varmak istediğin yeri bana anlatmanı istiyorum. Ne istiyorsun!" dedi.

Özge, Sadık'ın ciddiyetini inceledi, klişe lafların asla hayatta kalamayacağı sakinlikte ve tehlikeli bir ciddilikteydi. Dergiyi çıkarırken içinde hissettiği duyguların en temelindeki şeyi söyledi: "Adalet. Çok basit gelebilir ama bir tek adalet istiyorum."

Sadık yapay bir gülümsemeyle, "Adalet hiçbir zaman basit gelmemiştir" dedi ve devam etti: "Dünyayı altüst edebilecek kadar güçlü, asla var olamayacak kadar da güçsüz bir duygudur. Gelmesiyse bir mucize kadar nadirdir. Sana adalet dağıtabileceğini düşündüren şey ne?"

Özge düşünmeden cevap verdi: "Siz."

Sadık, işte şimdi ne söyleyecek ne de düşünecek kelime bulamadı. "Siz"... Ne kadar da naif bir inanç vardı karşısında, naifliği bıçak kadar keskin. Sağlam. Samimi.

Sadık sorabileceği tek şeyi sordu: "Neden?"

Özge verebileceği tek cevabı verdi: "Sizin gücünüz ve benim motivasyonum... Bu tesadüf olamaz. İnsanlar magazinin gücünü kavramış değiller, izledikleri, çocuklarına izlettikleri şeyin ruhlarını nasıl şekillendirdiğini analiz edecek kadar ayık değiller. Magazin basını tarafından abartılmış her insanın, diğerleri üzerinde çok etkileyici bir gücü var. Sürüleri yöneten bir güç bu. Hak etmeyene parlasın diye ışık tutmayı bırakırsak, o zaman gerçek yıldızları görebiliriz."

Sadık düşündü, bu kelimeleri başkasından duysa güler geçer, kendi şirketlerinde çalışan biriyse de kesin kovardı. Ama Özge'nin naifliği o kadar içtendi ki, güzelliğine derinlik katıyordu. Sistemi değiştirebileceğini sanan, bunun için ne pahasına olursa olsun karşılık beklemeden çalışan, muhteşem yeşil gözleriyle içe işleyen biriydi bu. Ona anlatmak istedi, bu sistemin çok daha büyük bir sistemin küçük bir parçası olduğunu, yıkılamaz şekilde inşa edildiğini, uygarlık çökse bile sistemin kendini yenileyecek şekilde tasarlandığını, sürüyü yönetmek için yine yönetilebilir aptal sürü başları oluşturmak gerektiğini, insanları gönüllü kölelere çevirmeyle savaşılamayacağını, sadece bu gönüllü kölelik sisteminin içinde kendine sıcak ve tepede bir köşe bulmak için çaba harcamanın akıllıca olacağını, herkesin sadece kendisinden sorumlu olduğunu anlatmak istedi, aynı Hoca'nın kendisine anlattığı gibi ama anlatamazdı. Değirmenlere karşı atağa geçen Don Kişot gibiydi Özge, kendi gücünü abartılı yaşayan, bireyselliğini fazla ciddiye alan biri... Ne kadar da parlaktı bronz teni, boynunda atan damardaki hayat nasıl da gözlerinden fışkırıyordu... İçindeki ateşin, hatta güzelliğinin kaynağıydı bu ihtiras hali. Yaşamın hayat bulduğu bir bedende, bu Çi'ye en çok yakışan şey amaçlandırılmış bir ihtirastan başka ne olabilirdi ki! Sadık sadece tebessüm edebildi.

Sadık'ın gözlerinin üstünde gezinmesi Özge'nin kanını harekete geçirdi. Suratı kesin kızarmıştı ama bu bakışı anladığını belli edemezdi, aniden ayağa fırladı, "Sürüleri uyandırıp her birini kendi çobanı yapabiliriz, izlediğimiz şeyleri taklit eden basit yaratıklarız biz. Programlanıyoruz. Eğer siz kıçını sallayıp adamların altına yatan birinin zenginliğini örnek gösterirseniz, izleyenler de kıçlarını sallayıp altlarına yatacakları adam aramaya başlarlar; eğer siz top oynadığı için ve özellikle o topu bir yerlere sokabildiği için teknolojimize hizmet edenlere vermemiz gereken ilgiyi, değeri bir topçuya yöneltirseniz, herkes topçu olmak ister; eğer siz güzellik yarışmalarında kızların vücutlarını puanlayıp en yüksek puanı alan kızın kafasına taç takarsanız, izleyen kızlar da vücutlarını gösterip taç takılmasını beklerler. Televizyonla kitleleri programlıyorsunuz. Güneş enerjisiyle çalışan arabaların yapıldığı, rüzgâr enerjisiyle elektrik üretildiği, bakın!" Özge Sadık'a manzarayı göstererek, "Böyle bir dünyada yaşıyoruz! Bize hayat veren nefes kaynağımız ağaçları kesmeden, en saf halleriyle doğan bebekleri onlara yedirdiğimiz suni şekerle zehirlemeden, orospuluğu, salaklığı değil, bilgiyi magazine taşıyıp izleyenlere olmaya değecek örnekler vererek başarabiliriz! Yapılması gerekeni biz yapabiliriz. Kazanabiliriz! Güçlü olmak lazım! Gücümüz olursa başarabiliriz" dedi.

Sadık'ın kalbi hızlandı, Özge bir anda Don Kişot'tan, Fransız ordusunu harekete geçiren Jean D'arc'a dönüşmüştü sanki. Kızın bu Jean D'arc halinin kokusunu önceden aldığı için konteynırı kaybettirmişti ve nasılsa başaramayacağını düşündüğü için de naiflik yaparak buldurmuştu ona. Ama şimdi içinde hissettiği tedirginliğin derinlerinde Özge'nin başarabileceğini görebiliyordu. Tedirginliği, başarabilme olasılığından değil, bu olasılığı diğerlerinin de görebilmesindendi. Diğerleri asla izin vermezlerdi. Sadık Murat Kolhan bu sistemin en büyük parçalarından biriydi ve tabii ki bunun olmasına asıl kendisi izin vermemeliydi.

Kendine kim olduğunu hatırlattı ve bu kız gibi onlarcasının ışığının bir anda nasıl da yok olduğunu düşündü. Ama beyni ona Özge'de bir başkalık olduğunu mırıldanıp duruyordu, bu başkalık, çok güçlü, güzel ya da akıllı olmasından değil, sanki sadece başarmak için var olduğunu hissettirmesindeydi. Adandığı bir amacı olmasındaydı. İçindeki savaşçının kendisini ihtirasla göstermesinden daha etkileyici bir şey olamazdı. Çi'nin bir amaçla var olması tahrik ediciydi. Tanrısaldı.

Sadık kendi düşüncelerinden sıyrılıp derin bir nefes alırken artık sıkıntılıydı. Bu kız da nereden çıkmıştı... İçinde hissettiği duygudan arınmak için gözlerini kapattı, gerindi, derin bir nefes daha aldı, Hoca'yı düşündü. Kafasını oynatarak boyun kaslarını yumuşattı. Gözlerini açtığında Özge'ye bakmamasının iyi olacağına karar verdi. Ama gözü kaydı yine... Karşısında, umutla bekleyen, iyiliğe inanan bu taze canı görmenin etkisinden çıkmalıydı. Kızın suratına bakarak güldü. Gülmesi kahkahaya dönüşürken çıkardığı tok ses samimiydi: "Güçle ilgili eski bir Tibet hikâyesi var, çok hoşuma gider" dedi.

Özge'nin dinlemeye hazır olduğunu görünce anlattı: "Bir gün bir rahip, tapınakları eşkıyalar tarafından basılıp birçok arkadaşı öldürüldükten sonra dikildiği meydanda etrafındaki karmaşaya bakarken niçin yaratıldığını, etrafındaki bu kötülüğün niçin var olduğunu düşünüyormuş. Elinde kılıcıyla rahibin yanına gelen bir eşkıya onun korkusuz, dingin halini görünce onu hemen öldürmek yerine ona ne düşündüğünü sormuş. Rahip sakince varoluşu anlamaya çalıştığını söylemiş. Eşkıya, 'Çok basit. Güçlü olmak için yaşıyoruz, dünya güçsüzlere göre bir yer değil. Güçsüzlük kabul edilemez, görmüyor musun güçsüzler her zaman ezilir, öldürülürler' demiş.

Ama rahip aslolanın güç olmadığını biliyormuş. Başını önüne eğip düşünmeye başlamış. Rahibin sessizliği eşkıyayı kızdırmış. Karşısında sakince duran ve söylediklerine katılmadığı ifadesinden belli olan turuncular içindeki bu adama bir ders vermek istemiş: 'Eğer dünya senin inandığın şekilde yaratılmış olsaydı o zaman kimsenin öldürülmediği, haksızlığın, suçun olmadığı bir yer olması gerekmez miydi? Bunca ibadetin sonunda korunman gerekmez miydi! Ben 6 yaşındayken tüm ailem gözlerimin önünde öldürüldü ve beni bir kampa alıp yetiştirdiler, bana güçlü olmayı öğretmiş olmasalardı ben de şimdi onlar gibi yok olup gitmiştim. Sevgi insanı güçsüzleştiriyor. Tapınağınıza girdiğimizde bize karşı koyup sizin için değerli olanı korumak yerine önümüzde eğilip kafalarınızı kesmemizi beklediniz. Çünkü yaratılan herkesi seviyorsunuz Yaradan'dan ötürü. Görmüyor musun, sevginiz sizi yok ediyor' demiş.

Rahibin suratında beliren gülümseme eşkıyayı iyice çileden çıkarmış. Eşkıya elindeki kılıcı rahibin kalbine sokmak için kaldırmış ama rahibin gülümsemesindeki samimiyet o kadar gerçekmiş ki kılıcı saplamadan önce neye güldüğünü sormuş. Rahip eşkıyaya teşekkür edip, 'Ancak şimdi anlayabildiğim için gülümsüyorum' demiş ve açıklamış: 'Hep dünyanın, insanın içindeki iyiliği bulması için tasarlanmış bir bahçe olduğunu düşünürdüm ama bugün olanlar ve sen, bana şunu anlattınız: İyi olmak aslında sadece bir detaymış. Ne deneyimlemiş olursa olsun, yaşadığı kötülüğe rağmen insanın kendini iyiye çevirecek gücü olmasındaymış tüm mesele. Güç, birinden üstün gelmek ya da istediğinde birinin canını almak değil, biri senin canını aldığında bile kötüleşmemek, onun düştüğü tuzağa düşüp canavara dönüşmemektir. Sana vurana el kaldırmamak, sana vurana el kaldırmaktan çok daha zordur. Asıl, doğruda durmak güç ister.' Dinlediği sözlerden bir an etkilenen eşkıya önce kılıcını indirmiş ama hemen ardından, 'Hayatını bile koruyamadıktan sonra güçlü olsan ne yazar' deyip kılıcını rahibin kalbine saplamış."

Hem hikâye hem Sadık'ın söyledikleri fazla geldi Özge'ye.

Kendi yaptığı konuşmadan sonra nasıl olmuştu da buraya gelmişlerdi? Düşünmeye ihtiyacı vardı.

Sadık gözlerini Özge'nin şaşkın suratında itinayla gezdirip, "Rahip gibi hem güçte hem de iyide olamazsın! Çünkü kaynakları farklıdır" dedi, dümdüz Özge'nin yeşil gözlerine baktı, ne kadar da parlaktılar.

Sadık öne eğildi, Özge'nin gözlerinde anlamın yaşadığı noktaya bakıp konuştu: "Anlamıyor musun, güce asla sahip olamazsın, ancak ait olabilirsin. Eğer yeterince cesaretin varsa seni seçmesini sağlayabilirsin. Gücün istediği bu cesaret; korkusuzluk, ataklık, inisiyatif kullanma hali gibi bir şey değildir. Kalbinde duygu yaratan ne varsa, güç için hepsini feda edebilme cesaretinden bahsediyorum. Evet, güçlü olmak lazım! Peki, feda etmeye hazır mısın?"

Sadık'ın suratı çekilmeseydi ayağa kalkacaktı Özge, üzerinde hissettiği basınç katlanılamazdı. Ne yani hem güçlü hem de iyi olunmuyor muydu? Anlamadı. Güçte olmak ve güce hizmet etmek... Bu ikisi bu kadar farklı mıydı? Gerçek güçlüler güçsüz durumlara düşerken, kendi güçsüzlüklerini örtbas edebilmek için gücün kölesi olanlar güçlü mü görünüyorlardı! Zıtlık bu kadar net miydi? Bu adam ne anlatmak istiyordu şimdi? İçinde yaşadığı karmaşa kaşlarının çatılmasına sebep olurken sordu: "Siz neyi feda ettiniz?"

Sadık gülümsedi. Gülümsemesinin kararlılığında tane tane cevap verdi: "Birçoğunuzun asla feda edemeyeceği şeyleri Özge Hanım."

Özge dehşete düştü, Sadık'ın söylediği cümleden değil, feda ettiklerinden gurur duyan biri olmasındandı dehşeti. Yıllar sonra bu anı hatırladığında, içinde bulunduğu hain sistemin yıkılmasındaki katkısına bu hikâyenin nasıl da ilham kaynağı olduğunu anlayıp şaşıracaktı. Ancak yıllar sonra anlayacaktı ama bugün,

Özge için mabedinden çıkmaya karar verdiği gündü. Eşkıyaların, kendisine gelip değer verdiği her şeyi yağmalamalarını izlemek yerine, gücün kölesi olmuşlarla savaşmak için mabedinden çıkacaktı Özge.

Kızın yüzündeki ifade o kadar kuvvetliydi ki zamanı durdurabilse, şimdi zamanı durdurur, onun hayat dolu yüzünü, ışıklı gözlerini bir resim gibi saatlerce seyredebilirdi Sadık. Bu kız ilk defa yüce bir şeylerin insan bedeninde de var olabileceğini hissettiriyordu ona. Hissini analiz eder etmez düşünceyi kovdu kafasından. Baş belası Can Manay yüzünden durum nerelere gelmişti. Keşke Özge'nin varlığını hiç bilmeseydi. Kızın, sisteme savaş açtığını hatırlattı kendine. *Darbe!* Sadece bir kıvılcımdı. Resmen kendi kuyusunu kazıyordu Sadık ama neden böyle hissetmiyordu? Kızın varlığı, hatta yaptığı şey, onu yok edecek bir savaşa sürüklemek bile olsa huzur veriyordu. Huzurla kendini sabote ediyordu. Kocaman yeşil gözlerini kendisine dikmiş karmaşa yaşayan Özge'ye kızmak istedi ama bir insan gördüğü en samimi şeye nasıl kızabilirdi ki! Bu yoğunluktan çıkmalıydı yoksa kalkıp kızı yine öpmeye kalkabilirdi! Nereden gelmişlerdi buralara... Can Manay'dan.

Sadık Murat Kolhan soruyu patlattığında, Özge resmen diklendiği koltuğa gömüldü. Sadık "Can Manay'a ne yaptın?" demişti.

Aylardır beklediği soruyu şimdi duyunca cevap vermek zorunda olduğunu biliyordu, anlaşmaları böyleydi. Bu süre içinde Sadık'la yaptığı her iki telefon konuşmasında konunun Can Manay'dan açılacağını düşünmüştü ama Sadık sormamıştı, şimdiyse sanki bu görüşme bir tek bu sorunun cevabı için ayarlanmış gibiydi. Özge bir an dikkatle baktı Sadık Murat Kolhan'a ve konuştu: "Can Manay söylediği kişi değil."

Özge'nin tek bir cümle edip susması Sadık'ı gerdi: "Anlatacak mısın?" Zaten kimse söylediği kişi değildi!

Özge, "Söylediği gibi üniversitede okumuş ama üniversiteden öncesi muamma. Lisede kaydı var ama yıllık içindeki toplu fotoğraflar dahil hiçbirinde onu göremedim, açıkçası gereken şekilde araştırmadım da" dedi.

Sadık, "Bunlar hiçbir şey ifade etmiyor, adamın lisede fotoğrafı yok diye söylediği kişi olmadığını düşünemezsin. Benim de fotoğrafımı bulamazsın!" diye çıkıştı geriye yaslanırken. Eğleniyordu, bu kızla bir arada olmak gerçekten de keyifliydi.

Özge, "Siz söylediğiniz kişi misiniz?" diye sorduğunda Sadık sadece sırıttı. Liseden beri çok şey değişmişti, soyadı da buna dahildi ama bunun konuyla ne ilgisi vardı? "Bu kadar mı? Nereye varmaya çalışıyorsun, oyaladığını hissediyorum" diye kurcaladı.

Özge, "Her şey 2 yıl önce intihar eden bir haber spikerini araştırırken başladı. Duygu Narslı."

Sadık hatırlamıştı, suçluluk hissetmesi gereken ama hiçbir şey hissedemediği bir sürü konudan biriydi Duygu. Evet anlamında başını sallarken Özge'nin bilip bilmediğini düşündü.

Özge, "Onun ruh ve sinir hastalıkları hastanesindeki kayıtlarına ulaştığımda, beni arşiv odasına saldılar ve kutuların arasında kayıtlara bakarken çok enteresan bir kutu buldum. Bu kutuda, hastane bünyesinde olan kazaların belgeleri vardı. Hastanede son 20 yılda ölen, intihar eden herkesin olayları depolanmıştı. İlgimi çekti, hepsini tek tek okudum. Kendini hastanenin çatısından atarak intihar eden Utku adında bir gencin dosyasında Can Manay'ın adını görene kadar... İsim benzerliği diye düşündüm, biraz daha araştırdım. Bundan 19 yıl önce Can Manay adlı biri 4 yıl boyunca arada sırada hastanede tutulmuş ve bir çocuğun intiharına da tanık olmuştu."

Sadık etkilenmemiş görünerek, "İsim benzerliği olabilir" dedi.

Özge, "Tabii olabilir, anne adı, baba adı dahil olmak üzere tüm ailesinin isim benzerliği olması imkânlı mı sizce?" diye sordu.

Sadık umursamazca kaşlarını kaldırdı. "Niye hastanede yatmış?" diye sordu.

Özge daha fazlasını bilmiyordu, bilse de anlatmazdı zaten. Bu, güçlendiğinde Can Manay'la arasındaki hesaplaşma için sakladığı bir bilgiydi. Her bilginin ancak doğru zamanda, doğru yerde, doğru koşullarda hayata geçebileceğini biliyordu. O zamanı, yeri, koşulları yaratmak için buradaydı. "O kısmını henüz araştırmadım" derken içindeki intikam duygusunun fark edilmemesine özen gösterdi. Kocaman bir file takıntılı küçük, deli bir fare gibi gözükmek istemiyordu.

Sadık, "Araştırmana gerek yok. Bu kadarı yeterli" dedi konunun budaklanmasını istemiyordu.

Özge, içinde hissettiği çaresizliği örtbas etmeye çalışarak aniden sehpanın üstündeki dosyaları toplamaya başladığında, Sadık kızın gitmek üzere harekete geçtiğini anladı. Keşke biraz daha konuşabilselerdi. Zengin ama sıkıcı hayatındaki en ilginç şeydi bu kız. Özge dosyanın son sayfasını koparıp Sadık'a uzatırken, "Vaktiniz için teşekkür ederim. Üzerine düşünün, isterseniz sizindir, istemezseniz kendi payıma ortak alacağım" dedi.

Sadık kâğıdı eline alırken sırıtarak, "Bunu yapamazsın, anlaşmamız böyle değil" diye karşılık verdi.

Özge ayağa kalkarken, "Yapabilirim. Anlaşmayı sizin gönderdiğiniz şartlarda imzalamadık, revize etmiştik, sizin onayınızla. Eşitiz. Ne istersem onu yaparım ama sizin de isteyeceğiniz bir şeyi yapmayı tercih ederim" dedi, kocaman, yapmacık bir gülümsemeyle iyi günler diledi ve tokalaşmak için elini uzattığında Sadık hâlâ kaykıldığı yerde oturuyordu. Kızın gidiyor olması can sıkıcıydı. Yavaşça kalktı, elini uzattı, Özge'nin elini avucunun içine alıp,

"Bir kahve içseydik..." dedi ama Özge hemen lafa girdi: "İş dışında konuşabileceğimiz hiçbir ortak yanımız yok, yanılıp birbirimizi meşgul etmeyelim" dedi ve elini çekip kapıya doğru ilerledi. Takip etmedi Sadık, dikildiği yerden Özge'nin güzel, sağlıklı vücudunu kendinden emin, sağlam taşımasını izledi. Özge bir an döndü, kocaman bir gülümsemeyle kapıdan çıkarken küçük bir kız çocuğuna benziyordu, ne kadar da hayat doluydu. İçindeki Çi gözlerinden fışkırıyordu. Peşinden gidip onunla biraz daha konuşmak ne keyifli olurdu. Keşke onunla Sadık Murat Kolhan olmadan önce tanışmış olsaydı... Kafasını topladı, çünkü *Darbe*'nin kapatılmasıyla ilgili birkaç telefon işi vardı.

9. Bilge

"Çok saçma değil mi! Tarih kitapları insanlığın 3.500 yıldır var olduğunu söylüyor ama Göbekli Tepe'de yapılan kazıda ortaya çıkan şehrin milattan önce 10.500'lere ait olduğu ispatlandı." diyen Ali tartışmaya son noktayı koymaya çalışırken Can Manay pes etmeyecekti, lafa girdi: "Dünyanın ücra köşelerinde çok daha eskilere dayanan yerleşim yerleri bulmak uygarlık olduklarını göstermez. Bilinen en eski piramit Djoser bile milattan önce 2700'lerde yapıldı" derken Bilge, bu kadar zeki bir adamın, böylesi ortada bir konuda bu kadar bilgisiz, daha doğrusu umursamaz olmasının hayret verici ve Ali'nin kesinlikle haklı olduğunu düşünürken kendini istem dışı konuşur buldu. "Dünyayla ilgili anlatılan her şeyin uydurulmuş hikâyelerden oluştuğunu anlamak için süper zekâ olmaya gerek yok. Hesap yapabiliyorsanız her şey ortada."

Can Manay, okuldaki derslerine giderken uygarlık üzerine ara ara yaptıkları geyiğe bir anda katılan Bilge'ye bir an baktı ve küçümseyerek: "Madem bu kadar ortada. Hesabını dinleyelim" dedi.

Bilge, "Peki. Dünyanın en büyük yalanlarından birini birlikte hesaplayalım" dedi.

Ali, Bilge'yi dikiz aynasından göremiyordu ama dinlemesi bu kadar zevkli olan birini görmemesi rahatlatıcıydı. Daha fazla etkilenmek istemiyordu. Bilge konuşmaya başladığında ikisi de dikkatle dinlediler.

Bilge, "Keops Mısır piramidi, 6.000 hektar büyüklüğünde bir alan temizlenerek, her biri en az bir araba kadar ağır olan taşlarla oluşturulan temelin üzerine yapılmıştır."

Can kafasını sallayarak devam etmesini onayladı.

Bilge, önündeki koltuğun deri kaplamasından gözlerini ayırmadan devam etti: "Uygarlığımızın tarih kitaplarının bize söylediğine göre 4700 yıl önce, gezegende yaşayanlar daha hayvan derileri içinde ilkelce gezinirken bu eski Mısırlılar, 6 futbol sahası büyüklüğünde çukur kazıp tabanını kusursuz bir dengede düzleştirmiş, boyutları birbirinden farklı 2 milyon dev taş bloku 42 katlı bir bina yüksekliğinde üst üste koymuş, sonra da piramidin içinde muhteşem bir denge ve eğimde bir yol açmış, 91 metre uzunluğunda ve 91 cm genişliğinde kusursuzca tasarladıkları bu yolları odalara bağlamış ve odaların içine yine muhteşem dengede duvarlar yapmış ve üstelik piramidin dışını da depreme dayanıklı olsun diye 4 yerine 8 kenarlı şekilde dizayn etmiş, piramidi manyetik kuzeyi kusursuz bir biçimde gösterecek şekilde konumlandırmıştır. Hem de tüm bunları, söylenene göre 20 yılda, sadece bakırdan oyma bir alet, taş ve ip kullanarak becerebilmişlerdi, üstelik tekerleğin bile keşfedilmediği bir dönemde. Bu duyduklarınızın saçmalığı size hâlâ inandırıcı geliyorsa basit bir parmak hesabı yapmanızı öneririm. İnşaatta çalışan kölelerin, ki tarih kitaplarında bunların İsrailoğulları olduğu söylenmektedir, günde 12 saat çalıştığını varsayalım, 2 milyondan fazla bloku günde 12 saat çalışarak 365 gün boyunca hiç tatil yapmadan yerleştirmiş olsalardı, bir blokun kesilmesi, yontulması, taşınması ve yerine yerleştirilmesi için her 2,5 dakikada bir blokun yerine yerleştirilmiş olması lazımdı. Her biri 12 ila 70 ton ağırlığında olan 130 granit blokun 800 km uzaktan taşınmış olmasını ve bu blokların üst üste yaklaşık 70 metre yükseklikte yığılmış olmalarını söylemiyorum bile. Güya milattan binlerce yıl önce yapılan bu piramit kesin bir hatla manyetik kuzeyi gösterirken insanlık 17. yüzyıla kadar kuzey kutbunun tam yerini gösterecek teknolojiye bile sahip değildi."

Bilge gerilmişti, konuşurken içinde yaşadığı dünyanın ne kadar saçma bir yer olduğunu kemiklerine kadar hisseder olmak öfkelendiriciydi. Derin bir nefes alıp içinde hissettiği rahatsızlığın Can Manay ve Ali tarafından yargılanmamasını diledi. Daha önce indirildiği bu arabada, yine böyle konulara girmesi tam bir salaklıktı. Bu dakikadan sonra tek bir kelime dahi etmemesi gerektiğini kendine söyleyerek pencereden dışarıyı izledi ama Can Manay buna izin vermeyecekti çünkü kimse böyle konuşamazdı Can Manay'la, yaptıkları parmak hesabı olsa bile. Ama Bilge'nin ukalalıktan uzak, hatta söylediklerinin gerçekliğini hafifleten bu silik hali Can'ı sakinleştirdi. Kıza haddini bildirmek isteyip istemediğini düşündü, hesap çok ortadaydı. Tartışmayı uzatırsa kendisine haddinin bildirilmesi büyük olasılıktı. Ama son sözü Bilge'nin söylemesine de izin veremezdi. Onu köşeye sıkıştırırcasına kurcaladı: "Niye heyecanlandın? Bu kadar gerilmeden de konuşabilirsin!"

Bilge, konuşurken sesinin yumuşak çıkmasına özen gösterdi: "Siz, size söylenene inanmakta özgürsünüz ama ben gelişmiş bir mühendislik bilgim olmamasına rağmen yaptığım parmak hesabıyla dahi net bir şekilde bize yalan söylendiğine eminim. Bırakın elektrik enerjisini, bu sözde ilkel uygarlıkların günümüzde, bizim henüz yeni yeni fark ettiğimiz manyetik enerjiyi kullanmakta usta ve bizim yeni yeni kavramaya başladığımız ses ve frekans gücünün temel prensiplerini manipüle edebilecek düzeyde gelişmiş olduklarını düşünüyorum. Heyecanlanmamın sebebiyse, daha önce bu arabadan yine böyle inanarak yaptığım bir konuşma yüzünden indirilmiştim, şimdi yine indirilmek istemiyorum" dedi ve kafasını hiç camdan çevirmeden yola bakmaya devam etti.

Can Manay kıza sinir olmaktansa böylesi bir zekânın kendi emrinde olmasına odaklanmayı seçti. Kaya'nın gitmesiyle hayatı ne kadar hafiflemiş hatta değişmişti. Bunu ilk defa bugün fark etmişti. Sabahki toplantıyı organize ediş şekli, kanaldaki yöneticilerle ilgili kendisini bilgilendirmesi, neden geç kaldığını sorgulamadan yokluğunda dırdır edip başını ağrıtmak yerine çözüm üretip inisiyatif kullanması, evine gelmemesi... Bu kalın gözlüklerin gerisine gizlenmiş gözlere bakıp, o gelişmiş beynin içinde daha ne hesaplar olduğunu öğrenmek istedi Can Manay, ilgisi birkaç saniye sürse de. Bilge'nin itiraz edeceğinden emin olmasa kesin yakardı zafer sigarasını. Geçtikleri bir binanın üstünde gelecek programın yeni afişini gördüğündeyse unutuverdi kafasından geçenleri, kendine döndü, şimdi yine sadece kendisi ve Duru vardı düşüncelerinde, dünyasında.

10. Duru

Can Manay'ın sevgilisi olmak... O muhteşem adamın kadını olmak. Onun tarafından böylesine tapılmak, diğerleri tarafından çılgınlıkla merak edilmek... Uzun süredir gittiği her yerde o konuşuluyordu. İnsanlar birbirlerine kendisini gösterip, kalabalıklar dikkatle ona bakıyorlardı. Sanki sürekli onu izleyen, merak eden, takip eden biri, birileri vardı peşinde, belki de tüm ülke... Hayat verircesine.

Duru, etrafındaki herkesin onu izlediğini bilerek indi arabadan. Ayağında ten rengi babetler, üstünde sanki 70'lerden gelmiş gibi etki bırakan ve güzel, beyaz bacaklarını kendisine merakla bakanlara sergileyen kısa, yakası dantelli, mürdüm rengi elbisesiyle sadelik içinde resmen parlıyordu. Can burada olsa parçalardı bu elbiseyi.

Arabadan uzaklaşırken şoföre kafasıyla basitçe selam verdi. Ülkede bayan şoförü olan belki de tek kişiydi. Direksiyondaki kadın, Duru'nun alışveriş merkezine girdiğinden emin olduktan sonra onu bekleyeceği köşeye çekti arabayı.

Bu kadar ünlü olmak ne tuhaftı... doyurucu. Her zaman insanlar onu fark etmişlerdi ama şimdi yaşadığı fark edilmekten de öteydi, sanki herkesin tanıdığı ve sevdiği biriydi. Yürüyen merdivenlerle üst kata çıktı, hak ettiği ilgiyi bir madalyon gibi taşırken dikleşti, bugün sadece ayakkabı alacaktı. Can'ın ricasıydı. Aralarında bu kadar boy farkı varken düz ayakkabılar almalıydı. Koridorda ilerlerken donakaldı... Mağazalardan birinin vitrininde, elinde gitarıyla günbatımının önünde poz veren Deniz'in diagonal çekilmiş bir fotoğrafı vardı!

Donduğu yerde nabzının yavaşlamasını bekledi, delirmişçesine çarpan kalbi en küçük bir harekette sanki durabilirdi. Birkaç adım daha atabildi, fotoğrafa yaklaştı ve içindeki nefesi nihayet bırakırken anladı: Deniz değildi bu, ona çok benzeyen yakışıklı bir adamın fotoğrafıydı. İlk bakıştaki bu benzerlik, fotoğrafa yaklaştıkça kayboldu ama Deniz, Duru'nun içinde büyüdü.

Biraz önce kendinde hissettiği güç içinde kurudu, omuzları düştü... Nefretini hatırlattı kendine... ve bir kez daha nefret etti. Beynini dağlayan düşünceler bedenine yayıldı, artık daha fazla duramazdı burada, çıkmalıydı. Şoförü araması gerekirdi ama çantasından telefonu çıkaracak kadar kendinde değildi, yürümeye devam etti. Neydi kendisini böyle acizleştiren! Hissettiği acizliğin kaynağını suçluluk duygusundan aldığını inkâr etti hemen beyni, insan ancak kendini kandırdığında huzur bulan bir organizmaydı. Alışveriş merkezinden çıkıp daha yürüyeli 100 metre olmuştu ki arabası yanına yaklaşıp küçük bir kornayla kendini fark ettirdi. Arabaya bindiğinde mendile ihtiyacı vardı, tutmayı başardığı lanet olası gözyaşları burnunun içinden akmaya başlamıştı. Mendile sümkürürken kendisine iyi olup olmadığını soran şoför Ayla'ya eve geri döneceklerini söyledi.

Kafasını koltuğa yasladığında, hayatın onu nereye getirdiğini düşündü. Deniz'i düşünmek istemiyordu, kalbi ağrıyordu ama aklı dinlemiyor, onu düşünüyordu. Nefret ediyordu ondan, orası kesindi ama nefretin yanında hissettiği bu duygu da neydi! Aklına "özlem" kelimesi gelir gelmez kendine itiraz etti. Pozisyonunu değiştirip, doğrulup cama yaklaştı, dışarı bakmaya başladı. O haini niye özlesindi ki! Bu duygunun büyümesini engellemek için o geceyi düşündü. Deniz'in Göksel'e sarılmasını, peşinden gelmemesini, eve geldiğinde Duru'ya ulaşmak için hiç çaba göstermemesini, yukarıda onu beklerken gelmemesini, nasıl da umarsızca aşağıda o keş koltuğunda uyuduğunu... Onu terk etmekten başka ne yapabilirdi ki! Ama aslında giden değildi terk eden, kalandı. Nasılsa kesindi, ayrılacaklardı. Onun ihanetine ihanetle cevap vermek istemezdi ama her şey kendiliğinden gelişivermişti. Deniz'in umurunda olsa, en azından bir kez arardı. Eşyalarını toplamış, İsviçre'ye gitmişti hemen. Birlikte kurdukları hayali umursamaz, utanmazca gerçekleştirmişti. Okulu bile bırakmıştı, demek aslında her şey onun için bu kadar önemsizdi. Her zamanki gibi kaçacak, saklanacak bir yer bulduğunu düşündü. Gidip başka bir kıza yapışır, onun enerjisini sömürürdü bundan sonra! İsviçreli, uzun bacaklı, güzel bir kız!

İçinde yükselen öfke acısını dindirdi, ruhunun derinlerinde bir yerlerde kendini yapayalnız hissettiği ve sadece Deniz'in girebildiği bir yerdeki yaranın acısıydı bu. O yeri, o acıyı, Deniz'i sonsuza kadar kapatmalı ve bir daha asla aynı hataya düşmemeliydi! Onu asla düşünmemeliydi! Keşke beyninden silebilseydi. Can Manay kendisi için ölmeye bile hazırken, Deniz birlikte geçirdikleri yıllara rağmen kendisi için savaşmaya bile tenezzül etmemiş aşağılık herifin tekiydi!

11. Özge

Artık en çok gördüğü kişiydi Muammer Bey Ömer'den sonra. *Darbe*'nin tasarımıyla ilgili bile ondan fikir alır olmuştu. Akşamki randevusuna gitmeden önce yine uğradı Muammer Bey'in yanına. Sadık Murat Kolhan'la belirsiz sonuçlanan toplantı içini biraz sıksa da, *Darbe* için Ömer'in iletişime geçtiği yabancı bir servis sağlayıcısıyla anlaşmak üzere olmaları hafifleticiydi. Aldıkları iyi fiyatla *Darbe*'yi kimsenin dokunamayacağı, bu ülkeden uzaklarda bir yere taşıyabileceklerdi.

Muammer Bey'in bayiinin her köşesine asılmış *Darbe*'nin ilan kapağına baktı. Sanki gururla asılmıştı. Eski gazeteleri istiflemeye çalışan Muammer Bey, arkadan sessizce yaklaşan Özge'ye, "Hınzırlığı bırak da yardım et" dediğinde Özge durakladı. Sonra uyarının kendisine yapılmadığını düşünüp küçük adımlarla sinsice yaklaşmaya devam etti, onu korkutmaya kararlıydı ama Muammer Bey, "Şuradaki istifi yukarı kaldırır mısın?" deyip elindeki gazeteleri iki adım öteye yere yığdı. Özge emindi, Muammer Bey onu görmüştü, "Nerden bildin?" diye sordu, Muammer Bey ona dönüp gülümseyerek, "Altıncı his" dedi ve gülerek, "Arabadan indiğinden beri camdan izliyorum seni. Nerde kaldı bizim Darbeci derken sen geldin" diye açıkladı.

Özge, "Bakıyorum *Darbe*'yi her tarafa yapıştırmışsın" diye çıkıştı. Muammer Bey gülerek, "Salaklık işte! Satışı olmayan bir dergiyi satıyoruz bayide. Bu ilk" dedi. Özge, "Sana önümüzdeki sayıyı getirdim" dediğinde Muammer Bey ciddileşip gözlüklerini taktı. Merakla Özge'nin çantasındaki dosyadan yeni sayının kapağını çıkarmasını bekledi. Kapağa baktı, istem dışı dudaklarını ısırdı. Suratını endişeyle buruşturup, "Bu bastığın kuyrukların ucunda dişler olduğunu unutma, dönüp ısırabilirler" dedi.

Özge hiç endişelenmeden, "Benim de güçlü tanıdıklarım var, onların dişleri varsa benim de kerpetenlerim var" dedi. Muammer Bey gülmedi, ciddi bir şekilde, "Burada eski devlet bakanından bahsediyorsun. Bu fotoğrafı da nerden buldun?" diye sorguladı. Özge iki eliyle Muammer Bey'i omuzlarından kavrayıp, "Kendin dedin 'eski'. Bakanlar işi bitmiş şarkıcılar gibi, bir kere merkezden uzaklaştılar mı kimse onları hatırlamaz, ilgilenmez. Asıl vurucu fotoğraf bu değil, siteye girince çok şaşıracaksın" dedi. Muammer Bey: "Ben de bundan korkuyorum işte. Her şeyin bir dozajı olmalı, ha bire kuyruklara basıp hoplaya zıplaya yürüyemezsin." Özge, "Ben bir kahve içmeye geldim, nasihati kahveden sonra alsam olur mu?" dedi gülerek ama Muammer Bey gülmeden homurdandı: "Yemek yiyelim önce."

Özge, "Ben bir yere davetliyim, 10-15 dakika laflayalım, sonra gideceğim" diye açıkladı suratına yayılan gülümsemeyle. Muammer Bey durdu, dönüp gülümseyerek, "Oh be! Normal bir tarafın olsun, biraz hayatını yaşa, kim bu şanslı adam?" dedi keyifle. Özge sırıtarak, "Niye hemen erkek olduğunu düşündün?" diye sorguladı. Bayiin yanındaki küçük taburelere oturup kumda pişen kahvelerini söylediler.

Özge'nin Muammer Bey'e aldığı ortopedik terliklerin ne kadar rahat olduğundan, daha önce en sıcak havada bile ayakkabı giymesindeki inadından, Özge'nin kısa saçlarının biraz uzaması gerektiğinden, böyle oğlan çocuğuna benzediğinden, çıkarılması planlanan yasa tasarılarından, *Darbe*'nin servis sağlayıcılarının hukukun işlediği bir ülkede olmasının öneminden, yatırım için gerekli olan paradan konuştular. Kahve bittiğinde Özge, nadiren gördüğü ve görmekten büyük keyif aldığı bir arkadaşıyla buluşacağını, heyecanlı olduğunu söyleyip randevusuna gitmek için kalktı. Bir babanın büyüyen kızına baktığı gibi baktı Muammer Bey onun ardından, kendi kızının yaşıyor olmasını dileyerek.

12. Göksel

Kaslı vücudu, üzerine geçirdiği atletin altında çelik gibi parlıyordu. Elindeki kâğıt toplama arabasına, üstünün kirine ve yüzündeki tehlikeli ifadeye rağmen, hatta belki de en çok bu ifade yüzünden, gece kulübünün dışına sigara içmek için çıkan kadınlar nefeslerini tuttular. Bir yerlerden hatırladıkları bu aygır görünümlü adamın, şu fotoğrafçının burnunu kıran balet çocuk olduğunu hatırlayamadan, Göksel'in önlerinden geçmesini izlediler. O ise fark etmedi bile kendisine saplanan bakışları, Ada'nın evine varmak için çıktığı yolda, her zamanki güzergâhta topladı çöpleri.

Okulun gösterisinden sonra kendisine gelen tekliflerden bazılarını değerlendirmiş, birkaç dergiye yaptığı çekimlerden iyi de kazanmış, bir reklam çekimi sırasında sürekli kendisine dokunan ve gülümsemesini söyleyen fotoğrafçının suratını dağıtana kadar da her şey yolunda gitmişti aslında. Görüntüsünün kadınlarda uyandırdığı ilgiye rağmen hiçbir fotoğrafçı çalışmamıştı bir daha onunla. O dönemde bile, iyi kazanmasına rağmen bırakamamıştı çöp toplayıcılığını. Bırakamazdı. Onu Ada'ya götürdüğünü düşündüğü hiçbir yol bırakılamazdı.

Ada'yla aralarında geçen o tatsız olaydan sonra bile bu rutini sürdürmeye devam etmişti Göksel. Kendi batıl inancına sarılmış, hayatı dondurmaya çalışırcasına her gece aynı eski noktadan başlıyor, kâğıtları aynı konteynırlardan toplayarak, aynı yoldan Ada'nın evine ulaşıyordu. Ada onu artık görmek istemese de...

Ada'nın evi göründüğünde Göksel gülümsediğini fark etti. Çekim sırasında suratını dağıttığı adama veremediği bu gülümseme şimdi ne kadar doğallıkla belirmişti yüzünde... O kaskatı ifade aslında korkuydu. Göksel'in insanların arasındayken hissettiği rahatsızlık duygusunun kontrol edilemez hale gelip, her an birilerine zarar verebileceğini bilmesinin korkusu. İnsanların arasında, nehirden geçen antilopları yutmamak için kendini her an kontrol etmeye çalışan bir timsah gibi hissediyordu. Ada haricinde herkes onun yanında tehlikedeydi, bunu biliyordu, emindi.

Ada'nın penceresi kapalıydı ama ışık vardı. Göksel çöp arabasını evin önündeki kutuya sıkıştırıp arka bahçeye giden dar arsaya girdi. Bahçeye atlamadan önce dikkatle baktı, Ada yoktu. Bahçeye atladı ve her geceki gibi belki Ada gelir diye divanın üstüne oturdu. Her sabah güneş doğarken uyandığı bu divan kendini evde hissettiği tek yerdi. Uyandığında Ada'nın parmaklarını burnunun ucunda hissetmek muhteşemdi. O olay olmadan önce, Ada'nın kendisini nasıl uyandırdığını düşündü, burnunu sıkıp uyandırırdı Göksel'i. O yaptığı sürece her şey güzeldi.

13. Ada

"Yarın akşam yemek? Tugay."

Bir saat önce gelen mesaj hâlâ bakılasıydı. Ada bir cevap yazmamıştı, mesajı yaklaşık 100 kere okuduktan sonra hâlâ ne yazacağını düşünüyordu. İlk defa yemeğe davet ediliyordu.

Adamın kendisinden hoşlanmış olması imkânsızdı, Göksel gibi tuhaf erkekler dışında kolay hoşlanılacak biri olmadığının farkındaydı Ada. Niye yemeğe çağırıyordu? Yemekte ne konuşabilirlerdi ki?

Heyecanın sıkıntıyla harmanlandığı bir psikolojide pencereyi açmaya karar verdi. Göksel'in arabası orada, her zamanki yerinde öylece sıkıştırılmıştı. Şaşırmadı ama bu sefer gerildi. Hışımla pencereyi kapattı ve çıkardığı gürültüyü umursamadan paldır küldür indi merdivenlerden, bahçe kapısını açtığında Göksel ayakta dikilmiş bahçenin ortasında şaşkın ona bakıyordu. Yalın ayak bahçeye fırladı Ada, Göksel'in karşısına dikildiğinde küçücüktü ama umurunda değildi, ne kadar küçük, güçsüz olsa da onun yanında kendini hep en güçlü, en büyük hissediyordu, dişlerini sıkarak, "Ne istiyorsun?" diye hırladı.

Göksel "Özür dilerim" diye mırıldanarak hemen bahçenin derinliğine yürüdü, duvardan atlayıp çıkacaktı. Ama Ada kolundan yakalayarak durdurdu onu, kendine çekip, "Sana bir soru sordum! Hayvan mı var karşında! Ne istiyorsun?" diye sordu tekrar.

Göksel, Ada'nın karşısında onu sinirlendiği için sancı içinde, neredeyse canı acıyarak cevapladı: "Özür dilerim!... Yaptığım şey kötüydü..." Göksel susmuştu ama söyleyecek şeyleri varmış gibiydi, Ada sabırsızlanarak "Eeee?" dedi. Göksel generaline hesap veren, sadakati hayatından daha değerli bir er gibi, "Seni üzmek istemiyorum" dedi ama bu cevap Ada'yı daha da sinirlendirdi. "Üzemezsin zaten! Sinirlendirdin!" diye hırladı Ada, sonra arkasını dönüp eve girdi.

Ada'nın arkasından bakakalan Göksel bahçe kapısının çarpılmasıyla sıçradı. Aylardır yaşadığı bu ıstırabı dindirmenin bir yolu olmalıydı. Deniz'i her yerde arayıp bulamadıkları ve ortadan kaybolduğuna artık emin oldukları o lanetli gece olan olmuştu. Eve gelmişlerdi. Göksel'in eve girmesi Ada'nın anneannesi için de artık doğal bir şeydi. Ada'nın odasında, Ada hıçkırıklarla ağlarken, ne yapacağını bilemeden ona ancak sarılabilmişti Göksel ve karşılığında Ada'nın sıkı sıkı sarılışını bulmuştu kollarının arasında. Veda gecesindeki danstan sonra ilk defa birbirlerine bu kadar yaklaşmışlardı. Ada hayatının acısını çekerken Göksel hayatının huzurundaydı o an.

Ada'nın Göksel'in suratını kendisininkine çekmesi, dudaklarına dudaklarıyla kenetlenmesi bir hayal gibiydi, ta ki o eşsiz, narin parmaklarının pantolonu üzerinden Göksel'in erkekliğinde gezinmeye başlamasına kadar. Ada'nın kendisini acemice öpmesini kıpırtısız bekleyen Göksel, erkekliğini okşayan narin ellerini aklından çıkarmaya çalıştı birazdan çekilmelerini umarak. Ama Ada elini beceriksizce Göksel'in pantolonuna soktu, sertleşen erkekliğini kavradı.

Böyle dokunulmaktan nefret ederdi Göksel, yaşadığı ilk cinsel deneyimi, daha doğrusu ilk tacizi hatırlamamak için nefesini tutmuş, kafasından düşünceleri uzaklaştırmıştı ama pantolonunun içindeki el sanki geçmişten gelmişti, dayanamayıp refleksle kendini geriye çekmişti. Göksel'in geriye çekilmesine rağmen sertleşen erkekliğini bırakmamıştı Ada, fark etmemişti Göksel'de yarattığı dehşeti. Ada bile olsa kimse ona böyle dokunamazdı! Geçmişi hatırlatamazdı.

Göksel'in pantolonunun içindeki eli tutup çıkarması, Ada'yı kendinden uzaklaştırması bir andı ama hissettiği aşağılanmışlıktan doğan Ada'nın kızgınlığıysa aylar sürecekti. Göksel'in hayatı boyunca yaşadığı travmalardan habersiz, reddedilmenin verdiği utançla kendine geldi Ada, önce kolunu kurtardı Göksel'den, sonra gözyaşlarını sildi, bir an toparlandıktan sonra iyice ayılmıştı. Kadınlığı henüz deneyimlememiş ve Deniz'in aşkıyla içi yanan

biri için Göksel gibi kendisine tapan bir ucube tarafından isten-
memek çok ağırdı. Dehşet dolu gözlerini Göksel'e dikip ondan
uzaklaşırken içindeki son nefese kadar bağırmıştı onu kovarken:
"Siktir git buradan!"

Bahçenin ortasında duran Göksel, hatırladıklarıyla iyice ir-
kildi. Keşke daha güçlü olabilseydi ve Ada'nın dokunuşuna da-
yanabilseydi. Duvardan bir hamlede atlayıp dışarı çıktı ve hızla
çöp arabasını alıp yoluna koyuldu, Ada'nın kendisini izlediğinden
habersiz.

14. Özge

Samimiyet. İki kişinin paylaşabileceği en muhteşem, en ra-
hatlatıcı ve en tahrik edici duygu... Samimiyet, cinselliği anlam-
lı kılan tek şeydi Özge için. Hormonları yüzünden bedeninde
biriken şeyin ancak samimiyetle boşaltılabileceğini bilecek ka-
dar farkındaydı kendi bedeninin. Becerilmek, becermek değildi
cinsellik. Ya da beğenilmek, beğenilmeyi deneyimlemek de de-
ğildi artık. Samimiyeti çırılçıplak deneyimleyebilmekti. Yargıla-
madan, yargılanmadan boşalabilmek. Bu kadarına her ihtiyacı
olduğunda, gittiği tek kişiye gitti. Mahizar'a. Tanıdığı tek gerçek
kadına...

Bahçeye girdi, bahçe kapısı açıktı. İçeri girip kapıyı kapattı.
Ayakkabılarını, çoraplarını çıkardı. Alt kattaki eski odasına geçti.
Mahizar'la tanışmak nasıl da hayatını, algısını değiştirmişti. Top-
lumun kurguladığı hayat senaryosundan sıyrılıp kendi yaşam ver-
siyonunu yapabilme cesareti vermişti. Hiçbir şey tesadüf değildi.
Onunla yan yana uçmuşlardı ülkeye, ilk defa o zaman tanışmışlar-
dı. Özge geride bıraktığı virane hayattan sıyrılmak umuduyla bin-
mişti o uçağa ve hayatının uyanışına açılan bir tanışmayla inmişti

uçaktan Mahizar sayesinde. Kadın olmayı öğretmişti ona Mahizar, kendi bedenini tanımayı, kendini bilmeyi ve sevebilmeyi. Üstündekileri özenle çıkarıp yatağın üstüne bıraktı, çırılçıplaktı. Banyoya girdi, önce vücudunu yıkadı özenle, sonra saçlarını şampuanladı. Kurulandı. Kısa saçlarını geriye taradı. Odadan çıktığında üzerinde sadece havlusu ve karşısında Mahizar vardı.

O banyodayken Mahizar odanın kapısını açmış, taze bahçe havasının içeri girmesini sağlamıştı. Özge'yi görünce sakince önce kapıyı kapattı. Sonra sıkıca ona sarıldı. Özge kafasını Mahizar'ın boynuna soktuğunda kendini evde hissediyordu artık. Çok özlemişti. Onu yılda sadece birkaç kez görmesi ne kadar da kötüydü ama kendini eğitmişti, bağımlılık aralarındaki her şeyi lanetleyen tek şey olabilirdi. Mahizar'ın kendisine dediği gibi eksikliklerimizde eşittik sadece. Bu eksiklikler birliktelikleri doğuruyor, bu birliktelikler bağımlılıklara dönüşüyordu. Asla tamamlanamadan birbirimize sığınarak yaşamak zorunda kalıyorduk. İnsanlık artık birbirini sevdiği, istediği için değil, birbirine sığındığı için birlikteydi, lanetlenmişler gibi.

Mahizar, Özge'nin yüzünü avuçlarının arasına alıp gözlerinin içine baktı. Sanki değişip değişmediklerini kontrol etti. Aynı ateşle yanan yeşil gözler, diye düşündü ve içinde hissettiği sabırsızlığı bastırarak sakince öptü onu kıvrımlı dudaklarından. Özge hemen cevap verdi bu öpücüğe. Mahizar dudaklarını ayırmadan Özge'nin üstündeki havluyu çekti, kendi vücudundaki sabahlığı açıp yere bıraktı ve vücudunu onunkine yapıştırdı. Bir kadını diğerinde tahrik eden şey görüntü değil, verdiği histi. Bedenleri birbirine yapıştığında birbirlerinin vücut sıcaklıklarında buluştular. Yumuşak göğüsleri birbirine değerken Mahizar'ın elleri Özge'nin pürüzsüz buğday rengi teninde dolandı, dokunduğu her noktada farkındalık ve istek uyandırarak.

Özge'nin elleri Mahizar'ın boynuna ve saçlarına kenetlendi. O saçların yaydığı kokunun içinde gezindi. Atan damarın nabzını hissederek kavradı boynu. Mahizar kafasını hafifçe geriye çekip Özge'nin gözlerinin içine baktı yine, hazırdı. Tereddüt etmeden, hadsizce birbirlerini deneyimlediler.

Hassas, göz göze, narin, farkındalığın içinde ayık. Ne istediğini bilen ve isteyen. Düşüncede birleşmiş, neyin nasıl yapılması gerektiğinin bilindiği bir sevişme. Hedefe gider gibi değil, yolculuğun tadını çıkaran bir sevişme... Arsız ama nazik.

Özge'nin sessize alınmış telefonunun ısrarlı çalışı ayırdı onları. Bir terslik vardı, bu saatte kim, niye bu kadar ısrarla arardı?

Özge'nin kalkıp gayriihtiyari telefona bakması, Ömer'den gelen 6 aramayı görmesi ve tam onu arayacakken Ömer'in yine araması, Özge'nin telefonu açması, *Darbe*'nin sunucularına polis tarafından el koyulduğunu bir solukta dinlemesi, biraz önce yaşadığı huzurlu cennetten kalkıp hemen giyinerek huzursuz bir cehenneme fırlaması...

Mahkeme emri olmalıydı! Yoksa, bu karar kimden çıktıysa bir sonraki sayıyı ona adayacaktı! Parazit olmaktan daha kötüsü bu parazitleri korumaktı! Özge savaş açtığı her şeye doğru yola koyulduğunda kalbinde Mahizar'ın sevgisi, aklında *Darbe* vardı. O an bilmediğiyse bu, savaşarak asla kazanılmayacak bir savaştı.

15. Can & Duru

Can eve vardığında kalbi o kadar hızlı atıyordu ki, Duru'ya ulaşma fikri aklını başından almıştı. 350 öğrenciyle geçen iki saatten sonra nihayet birkaç saniye sonra onun tenine dokunabilecek, kokusuna gömülebilecekti. Yaşadığı şeyin normal olmadığını, beyninin derinliklerinde bilerek ama oraya hiç inmeyerek girdi eve sessizce. Duru'yu kendi halinde izlemek muhteşemdi, evin bazı köşelerine yerleştirdiği gizli kameralar teknolojileri ne kadar yüksek olursa olsun kendi gözleri kadar netlikte değillerdi. Duru'nun haberi yoktu bu kameralardan, onun doğallığını bozacak hiçbir şeyle kafasını karıştırmak istemiyordu. Hissettiği şey o kadar derindi ki, kendi varoluşunun temeline kadar iniyordu ve bu şeyin tüm uçları artık Duru'ya bağlanmıştı, onun bedeninden besleniyordu. Sadece ona dokunduğu anlarda yaşamaya değer oluyordu hayatı. Her sevişmede yeniden doğuyordu Can Manay Duru'nun bedeninde, her boşalmada yeniden ölürken.

Duru salonda yoktu, yatak odasında da, banyoda da... Bahçeye bakana kadar şoförün verdiği bilgiyi düşündü. Bugün biraz gergin olduğunu söylemişti Ayla. Odalarda Duru'yu bulamayınca, içindeki heyecan saniyede dehşete dönüştü. Heyecanlı adımları telaşla etrafta aranmaya başladılar. Nerede olabilirdi? Evden çıkmış olsa, güvenlik ya da şoför kesin bilirdi. Burada olmalıydı, delirecek gibi hissediyordu, kan basıncı yükselmiş, beynine giden kan boyun damarlarına baskı yapar olmuştu. Duru neredeydi? Can çıldırabilirdi! Elinde bir bardak suyla Duru bahçe kapısından sakince, esneyerek içeri girdiğinde Can ona hissettiği ihtiras tarafından ele geçirilmişti. İçinde tutamadığı korkuyla, boyun damarları çıkacak ve suratı kızaracak kadar haykırdı: "Nerdesin!"

Duru, Can haykırana kadar onu görmemişti, sesle birlikte sıçradı, elindeki bardak yere düşüp parçalandı. Can suratından fışkıran şiddetin nasıl göründüğünü bilmeden, düşünmeden, hayatında tek ihtiyaç duyduğu şeye koştu, Duru'ya... Duru ne olduğunu, Can'ın neden böyle saldırganca ona doğru geldiğini anlamadı, korkuyla iki adım geri attı ve mırıldanabildi sadece: "N'oldu?"

Can, Duru'ya ulaşınca ona sıkıca sarıldı, onun kendisine sarılıp sarılmadığını umursamadan. Duru, Can'ın kolları arasında bir an öylece kalakaldı, sonra yaralı bir aslana sarılıyormuş gibi yavaş, temkinli, o da kollarını doladı Can'ın bedenine, anlamamıştı... Dudaklarının ucundaki Can'ın kulağına fısıldadı: "N'oldu?"

Can kocaman bir nefesle içine çekti Duru'nun kokusunu, onun bedenini saran ellerini etine geçirircesine kavradı, kollarını sıkıştırıp kendi bedeniyle Duru'nun arasında hiç boşluk kalmayana kadar ona sarıldı. Suratını gömdüğü boynu öptü, kokladı, yine öptü, Duru konuşmaya çalışıyordu, ne olduğunu öğrenmek istiyordu. Ama cevaplanacak bir şey yoktu. Duru konuşmak için vücudunu sakince Can'dan uzaklaştırmak istedi ama Can buna izin vermedi. Duru'nun ince, narin kollarını kavradı, geriye çekilen suratına bir an baktı, istediği her şey o suratta, bu bedende kendisini bekliyordu, ihtiyaç duyduğu her şey... Duru'nun kollarını onun bedeninin arkasında birleştirdi, ne kadar savunmasız ve narindi. Göğüsleri giydiği saten gömleğin altından nasıl da öne çıkmıştı şimdi, kendi gördüğü bu güzelliği diğerlerinin de görebileceği çaktı beyninde bir şimşek gibi, onu tek eliyle sabitledi, diğer eliyle üstündeki gömleği bir hamlede yırttı. Bu gömleği giydiğini bir daha görmek istemiyordu. Dantelle süslenmiş sutyeni çekiştirdi, Duru'nun kıvranmasını engelleyerek altındaki eteği kavradı, kaldırdı, külotu çekiştirdi, yırtılıp yırtılmadığından emin değildi. Duru şimdi kollarını kurtarmak için kendini iyice geriye atmıştı, gerisindeki masaya çarptı, Can onu bırakmadı ama Duru bir kolunu kurtarabildi. Can'ı bir an ittirdi, göz göze geldiler... Bir an bir ömür gibi geçti, o bir an birbirlerini gördüler.

Duru'nun ittiren eli Can'ın aslan yelesini andıran saçlarının arasına kaydı, o narin eller sıkıca Can'ın kafasını tutup kendi kadınlığına indirdi. Can tereddüt etmeden itaat edip Duru'nun kasıklarına diz çöktü. Duru poposunu masanın ucuna kaydırıp Can'ın kafasını, araladığı bacaklarının arasına aldı. Yırtılan çamaşırının arasından Can nihayet mabedine ulaşmıştı, mabede gömülmeden önce kafasını bir an kaldırıp taptığı varlığın suratına baktı. Duru yukarıda dümdüz ona bakıyordu kendisini almasını emreder gibi. Can gömüldü, daha önce kimseye hissetmediği bir itaatkârlıkla Duru'yu öptü, kokladı. Burası dünyada sadece ve sadece kendisine ait olan tek yerdi. Zonklayan penisi bir sancıya dönüşmek üzereydi ki doğruldu, pantolonunu yarım indirip Duru'nun içine girdi. Bu seremoniye öyle teslim olmuştu ki gözleri kapalıydı, Duru'nun ellerini kendi yüzünde hissedince gözlerini açtı, içinde gidip gelirken Duru'nun kendisine bakan, izleyen gözlerinin içinde kayboldu. Gözlerini birbirlerinden ayırmadan çiftleştiler, anda ve anların beyinlerine kazınmasına izin vererek. Bakışlarını hiç kaçırmadan, hiç utanmadan...

Can boşalmadan birkaç saniye önce Duru mırıldandı: "N'oldu sana?" Gözlerini Duru'nunkilerden ayırmadan içinde gidip gelirken eliyle Duru'nun boynunu kavrayıp gülümsedi. Duru'nun dudaklarına sakince yapıştı, onun nefesini içine çekti. Bilinçaltında uykuya yatmış takıntılı bağımlılığının tüm duygularına bulaşan uyanışını yaşadı Can, taşıyıcısının bedenine yayılan bir parazit gibi Duru'dan beslenerek huzurlu, Duru kendisine hissedilen bu ihtirasın içinde tedirgin, birleştiler.

16. Özge

Sunucuların bulunduğu servis sağlayıcısının ofisine vardığında Ömer binanın merdivenlerinde oturmuş kendisini bekliyordu. Aceleyle Özge'yi durdurup yukarıda hiçbir şeyin olmadığını, her şeye el koyduklarını söyledi. Özge yine de yukarı çıkıp kendi gözleriyle bakmak istedi ama bu iyi bir fikir değildi, servis sağlayıcısı olarak hizmet veren şirketin ortakları yukardaydılar ve hepsi çok sinirliydi. Özge telaşla Sadık Murat Kolhan'ın adamını aradı, telefona cevap veren olmadı. Sadık Murat Kolhan'ı arayabilirdi, eğer numarasını bilseydi. Onun evine gitmeyi düşündü ama bu çok ters tepebilirdi. Merdivenlere çöktüğünde Ömer onu hemen kaldırdı, yukarıdakilerin aşağıya inip Özge'yi orada bulması hiç de hoş olmazdı.

Özge ve Ömer yine yollara düştüler, bu sefer aradıkları şeye ulaşamayacaklarını bilerek sokaklarda yürüdüler. Ömer, Özge'nin ne suratına baktı ne de ağlamasına tepki verdi. İyi bir dostun yapması gerektiği gibi sadece yanında yürüdü nereye gittiklerini dahi sormadan. Bu kıza hissettiği bağlılık yaşadığı boktan hayatı değerli kılan tek şeydi. Özge'nin dergiye verdiği bu değer ve yaşadığı bu acı Ömer'in içindeki bağlılığı kamçıladı. Amacı olan birinin yakınında olmak, amaçsız biri için sahip olunabilecek en büyük lükstü. Hizmet etmeye hazırdı Ömer, onunla her yere yürümeye, varmaya, her koşulda Özge'nin yanında olmaya, o amacın bir parçası olmaya hazırdı. Amaçsızlık içinde yitip gidecek bir hayattansa bir amaca ait olmak daha yaşanasıydı.

Muammer Bey'in merkezdeki bayiine vardıklarında gece yarısıydı. Muammer Bey'le tanışması böyle oldu Ömer'in. Özge, vaktin geç olmasına rağmen onu aramış ve bayide olup olmadığını sormuştu. Muammer Bey, bayide olmadığı ve hatta o gece gitmeyi de planlamadığı halde, Özge'nin sesindeki telaşı algılayıp her dostun yapması gerektiği gibi onun yanında olmak için yalan söylemişti: "Buradayım, geliyor musun?" diyerek.

Gece boyunca oturup ne yapılması gerektiğini konuşmuşlar, gece yarısı nöbetçi savcıya gitmenin hiçbir şey ifade etmediğinde karar birliğine varmışlardı. Orduda albay olduğu dönemlerde yapılması planlanan darbeye karşı geldiği için ordu tarafından hapse atılan Muammer Bey, iki yılını işkenceyle geçirdikten ve sahip olduğu her şeyi kaybettikten sonra serbest bırakılmış, kara listeye alındığı için yıllarca ne bir iş bulabilmiş ne de yeni bir hayat kurabilmişti. Solcuydu Muammer Bey, sağcıların haklarını korumak için sahip olduğu her şeyi feda edecek kadar solcu ve insan. Her solcu gibi adalet ve hak için savaşmaya hazır, eşitlik rüyasında kaybolmuş, sistemi iyi niyetle değiştireceği halüsinasyonundan çıkamamış, kendi ve çocuklarının geleceği pahasına değerleri korumaya adanmış biriydi. Kanlarına para bulaşmış emperyalistlerle savaşılarak değil, ancak kendini en üst düzeyde geliştirerek baş edilebileceğini anlamıştı ama bu anlayışın aklına yerleşmesi ona kızının hayatına mal olmuştu. Sohbetlerinin sonunda, Muammer Bey'in geçmiş deneyimleri ve haksızlıklarla savaşarak geçen koca 50 senede emin olduğu iki şeyi kafalarına kazıdılar:

1- Bu ülkede arkan sağlam değilse, peygamber olsan bile iyilik yaptırmazlar!

2- Aklın yönetemediği iyi niyet, iyi niyet değildir.

Özge, sabah ilk iş Sadık Murat Kolhan'ın yardımcısını araması gerektiğinden emin, Ömer tüm krizlere, risklere rağmen ilk defa kendini işe yarar hissederek Özge'yle çalıştığından memnun ayrıldılar Muammer Bey'in yanından. Muammer Bey ise bu iki genç insanın inandıkları şeyi yapabilmek için ne kadar güçsüz gözükseler de içlerinde doğruyu yapmak için var olan inançla aslında ne kadar güçlü olduklarını düşünerek umutla döndü evine. Hayat ona çok güçlülerin nasıl bir darbede yenildiğini ve çok güçsüz gözükenlerin darbelere yıllarca nasıl dayanabildiğini göstermişti. Asıl önemli olan darbe almak değil, alınan darbeye rağmen hep ayağa kalkabilmekti.

17. Ada

Gecenin bir yarısıydı ve uyuyamıyordu Ada. Göksel'in gidişini izlerken iyice kendini yalnız, daha kötüsü kimsesiz hissetmişti. O his içine iyice yayılmış, uykusunu kaçırmıştı. Lanet olsun bu hayvana, diye düşündü Göksel için. O gece hissettiği buhrandan çıkmak için nasıl da doğal gelmişti ona dokunmak, o an yaptığı şey düşündükçe nasıl da canını sıkıyordu. Hissettiği duygu yoğunluğunu Göksel'e yüklemeye çalışması ve reddedilmesi büyük bir aşağılanmaydı. Ona sarıldığında ereksiyon olduğunu hissetmişti, emin olmasa asla harekete geçmezdi. Bu bir taciz değildi! Kendisine tapan birini nasıl taciz edebilirdi bir kadın? Edemezdi. Suçlu hissetmiyordu, hepsi onun suçuydu. Deniz'in yokluğu olmasa bu duruma düşmezdi. Şimdi yattığı yerde, aylardır düşünmemek için kendini eğittiği tüm düşüncelerin artık işgali altındaydı.

Aralarındaki o olaya kadar Göksel'in arka bahçedeki varlığı, bağlılığı, kendisini değerli ve güvende hissettiren bir duyguydu, zaten sadece istediğinde iniyordu aşağıya. Kontrolün tamamen kendisinde olması rahatlatıcı ama kendi egemenliğinin sınırlarını deneme isteği yüzünden de tehlikeliydi. Her sabah bahçedeki divanda buluyordu onu. Anneannesi fark etmeden Göksel'i uyandırmak görev olmuştu, bunun için sabahları saat bile kurduğu olmuştu. Bir keresinde saçından ağırca çekerek uyandırmıştı onu, başka bir zaman su sıçratarak, sonra bazen dürterek ve tabii sıklıkla burnunu sıkarak. Her seferinde, bir darbe durumunda geriye sıçramak için gardını almıştı Ada. Tepkilerini analiz etmekten hoşlandığı bu hayvan adamsa başlarda sıçramış ama karşısında Ada'yı görünce her defasında sadece gülümsemişti.

Kendini aptal ama güçlü bir tepegöze sahipmiş gibi hissediyordu Ada. Bu düşünceye gülümsedi. Diğer kızların gözlerini ayıramadığı bir oyuncağı vardı sanki, ne derse yapmaya hazır, sadece müzikle beslenen, ehlileşmemiş ve sadece Ada'dan komut alan bir bahçe hayvanı. Eve alırsan uyum sağlayabilir mi, etrafı kirletir mi diye düşündüğün cinsten bir hayvan. Ama o hayvanın nasıl da kendisini reddetme cüretini gösterdiği geldi tekrar aklına, gülümsemesi çattığı kaşlarının altında ezildi.

Beynindeki düşünceleri durdurmanın, bir gece olsun dümdüz uyuyabilmenin keşke bir çaresi olsaydı. Her an kâbusa uyanır gibi durmaksızın yaşamak bezdiriciydi. Duru karşısına çıkabilir tedirginliğinde televizyonla bile uyuşturamıyordu artık kendini. Düşüncelerini kapatmasına yarayacak bir şeyler bulmazsa huzursuzluktan zehirleneceğini düşündü, uyumayacağını bildiği halde sıkı sıkı gözlerini kapatırken. Gözleri sanki otomatik açılıyordu. Bir daha kapattı ama böyle kapalı tutmaya çalışmak cidden yorucuydu. Yatakta dönüp sehpanın üstündeki telefona baktı. Telefonu aldı, Tugay'ın gönderdiği mesajı açtı, yine okudu. Kendini dinledi, bunca sıkıcı şeyden sonra bu durum heyecan vericiydi. İçinde hissettiği heyecana sarılıp uyumaya karar verdi... Uyuyamadı. Telefonu yine eline aldığında saat sabahın 4.00'üydü ve uzaklarda çalan bir oto alarmın eşliğinde mesajı cevapladı: "Olur. Ada"

18. Göksel

Günün doğmasına birkaç saatten az vardı. Göksel çektiği çöp arabasının hâlâ boş olmasına aldırmadan yanından geçti çöplerin. Sahile inen büyük yokuşun başında bedenini fren olarak kullanıp kıyıya ulaştı. Araba boş olmasına rağmen büyüklüğü kontrol edilmesini zorlaştırıyordu. Sahile vardığında etrafta insanların olmaması rahatlatıcıydı. İleride, çöp konteynırına iki ayağının üstünde yükselmiş yemek bulmaya çalışan zayıf, çelimsiz bir köpek gördü. Köpek yere indiğinde memelerinin süt dolu olduğunu fark etti. Bir yerlerde yavruları olmalıydı. Köpeğin birkaç metre önde olmasına aldırmadan sahil boyunca yürümeye başladı. Önde yürüyen çelimsiz köpeğin hayatını düşündü, tek başına sokakta hayatta kalması yetmiyormuş gibi bir de yavruları vardı. Köpek başka bir çöp konteynırına yaklaştığında hemen yine iki ayağının üstüne kalktı, konteynırın kapağı kapalıydı. İnsanlar bıraktıkları artıklardan bile diğer canlıların beslenmemesini garantilemişlerdi artık. Köpek konteynırın etrafında dolanırken Göksel gidip kapağı kaldırdı ve eline ilk gelen torbaları çekip yola attı, yürümeye devam etti. Köpeğin torbaların içinden yiyecek bir şey bulup bulmadığına bakmadı bile. Açlık nasıl bir şeydi iyi bilirdi ve bir zamanlar kendisi için yapılan şeyi şimdi başka bir canlı için yapmak gayet doğal gelmişti. Epey ilerlemişti ve geriye dönmeye de niyeti yoktu, ta ki sıkılan bir el silah sesini duyana kadar.

19. Can & Duru

Deniz'in ince uzun parmakları, çıplak bedenine yerleştirdiği gitarı ustaca çalarken Duru uyandı. Her yer kapkaranlıktı ama aralık bırakılan kapıdan sızan ışık ve kapının ardından duyulan müzik rahatlatıcıydı. Duru karanlıkta kalktı, adım adım kapıya ulaştı, kapıyı açtığında yemyeşil, güneşli bir ovanın ortasında gitarın tellerine basan Deniz'i gördü, mutlu oldu. Sakince karanlıktan aydınlığa bir adım attı. Çıplak ayağı yeşil yumuşak çimene bastı. Diğer adımı da attığında Deniz kafasını kaldırıp ona baktı. Deniz'in bakışındaki huzur Duru'nun içine yayıldı ve suratındaki gülümsemede kendini gösterdi. Deniz de gülümsedi ama gülümsemesi bir anda dondu, kaşları çatıldı, ağzını açıp bağırdı ama

Deniz'in ağzından hiç ses çıkmadı. Duru anlamadı ne olduğunu, ta ki karanlıktan kendisine uzanan el kolunu yakalayıp kendisini karanlığa çekene ve güneşe açılan kapı karanlığa kapanana kadar. Her yer karardığında Duru uyandı.

Can Manay'ın evindeydi. Can Manay'ın sürekli burası senin evin, bizim evimiz dediği yerde. Yanında huzurla uyuyan Can'a baktı. Hemen yataktan kalktı, nedense o an buraya ait hissetmiyordu, gitmek istedi. Ardına bakmadan odadan çıktı, salonda da huzursuzdu, bahçe kapısını açtı. Dışarı çıktı. Şehri tepeden gören bu bahçe yaşadıkları tepedeki evin en üst katındaydı. Ulaşılamaz, kaçılamaz diye düşündü etrafındaki çatılara bakarken. Manzarayı süzüp gözlerini kapattı, Deniz'in müziğini duymak istedi. Şehrin sesinden başka bir şey yoktu. Buraya nasıl gelmişti? Niye gelmişti? Deniz'den nefret etmek istedi. Acaba neredeydi? Zihninde gösteri gecesine gidip Deniz'in kendisine nasıl ihanet ettiğini kafasında canlandırarak sığınabileceği tek düşünceye sığındı ve gözlerinden akmak üzere olan yaşlar içindeki öfkenin ateşiyle kurudu. Buranın olması gereken yer olduğunu düşünerek gözlerini açtı. Üşümeye başlamıştı. Geriye döndüğünde bahçe kapısında kendisini bekleyen Can'ı gördü. Gözlerinde endişe vardı. Can sakince "Niye uyandın?" diye sordu. Duru nedenini bilmediği bir kızgınlıkla "Nasıl bir soru bu şimdi! Uyandım işte" dedi ve onu geçip içeri girdi. Can bahçe kapısını kapatırken "İyi misin?" diye mırıldandı, Duru yatak odasına giderken "Evet" diye bıkkınlıkla cevap verdi. Can telaşla peşinden gitti. Duru yatağa uzanmıştı yine. Güzel vücudu örtünün altından bile nasıl da narince belirgindi. Can yatağa uzanıp ona arkasından sokuldu ama Duru sırtüstü yatıp kolunu aralarına koyarak bedenini ondan uzaklaştırdı. Can'a ne zaman bu kadar yakınlaşsa ne olduğunu anlamadan sevişiyorlardı ve şimdi hiç sevişecek durumda değildi. Gözlerini kapatıp, "Uyuyalım artık, gece yarısı" dedi. Can dikkatle onun yüzüne baktı, karanlıkta bile ne kadar güzeldi. Doğrulup, "Yemeğe gitmedik diye mi bozuldun?" diye sordu. Duru hiç gözlerini açmadan "Uyumak istiyorum" dedi, arkasını döndü ve Can'ın yine sokulacağından emin olup hemen sırtüstü geri yattı. Kıpır kıpır, huzursuzdu.

Can kendini yatağa bıraktı ama uyumasına imkân yoktu, doğruldu, Duru'ya dönüp, "Konuşur musun benimle?" dedi. Duru gözlerini yarım açtı, yatakta oturan Can'ı görüp sıkıldı, ne diyebilirdi ki, sürekli beynine girmeye çalışan biri vardı karşısında, ne düşündüğünü, ne yaptığını soran, sürekli bir kontrolde, her zaman dibinde biri vardı karşısında! Bu evde kendini kapana kısılmış gibi hissettiğini, işsiz güçsüz, amaçsız geçen günlerde kendinden uzaklaştığını, sürekli sevişmekten artık bıktığını mı anlatsaydı! Deniz'in kafasında dolanmasının yarattığı karmaşayı mı anlatsaydı! Bunu düşünür düşünmez kendine itiraz etti, Deniz umurunda değildi, olmamalıydı! Can'ın duymak istediği şeye sığındı, "Hep böyle oluyor, eve geliyorsun, sevişiyoruz ve gün bitiyor" diyerek. Can hemen Duru'nun tüm sınırlarını geçip sıkı sıkı sarıldı, birazdan sevişecekleri için heyecanlıydı ama Duru önce davrandı, "Midem de ağrıyor, uyumam lazım" diyerek Can'ın yanağına kuru bir öpücük kondurup onu tahrik edecek tüm bölgeleri ondan uzaklaştırıp yüzünü ona döndü, yan yattı, çarşafa iyice sarılıp kamufle oldu. Kendisine duyulan bu ihtiras yorucu olmaya başlamıştı. Her gün sevişmekten başka hiçbir şey yapmayan, sürekli planların iptal edildiği, evde geçen günlere, gecelere dönüşmüştü hayatı. Konuşur musun benimle diyordu Can ama biliyordu Duru, konuşması önemli değildi. Can dinlemek değil, her şeyi bilmek istiyordu. Aralarındaki bu tuhaf çekim bir araya getirmişti onları, kelimelere, düşüncelere yer olmayan, sadece bedenlerin birleşmesiyle hayat bulan bir çekimdi bu. Başka hiçbir şeye yer bırakamayan.

Can yılmadı, yavaşça sokulup dudaklarından küçük bir öpücük almaya kalktı ama Duru kafasını hemen geriye çekip gözlerini açmadan, "Misafir odasında mı uyumamı istersin? Uykuya ihtiyacım var, yoksa hasta olacağım" dedi.

Can derin bir nefes alıp Duru'nun varlığıyla ona dokunmadan yetinmenin sancısının tadını çıkarmaya karar verdi. Bir süre ona baktıktan ve Duru'nun uyumaya kararlı olduğunu iyice anladıktan sonra sırtüstü yattı, kollarını başının altına sokup gözlerini tavana dikti. Tavandaki aynanın yansımasından Duru'yu seyretti. Uyuyamıyordu, Duru'ysa çoktan uykuya dalmıştı. Düzene girmiş derin nefes alışları ne kadar da huzurluydu. Yüzünden başka hiçbir yeri görünmüyordu. Dudaklarının kıvrımı bu karanlıkta bile fark ediliyordu. O dudakların erkekliğini kavradığını düşündü. Anında bedeninde hızlanan kanı hissetti ve yataktan kalktı. Duru'nun yanında olup ona dokunamamak ondan uzakta olmaktan bile zordu. Beyninde neler dönüyordu, öğrenmeliydi.

Salona gitti, koltuğa oturdu, kafasını geriye yasladı, rahat değildi. İçinde kontrolsüz büyüyen bu tehlikeli duygu onu ele geçirirken nasıl rahatlayabilirdi! Kalktı. "Bir daha asla" dediği bu duygunun şimdi tam ortasındaydı. Aklını Duru'nun düşüncesinden uzaklaştırmalıydı, yoksa... Kafasını ellerinin arasına alıp beyninden bu düşünceyi uzaklaştırmak istercesine saçlarını karıştırdı, kafasını silkeleyip koltuktan kalktı. Kendine gelmeliydi. Alt tarafı bu gece sevişmeyeceklerdi. Bu o kadar da önemli değildi. İçeri gidecek, Duru'nun varlığına kilitlenmeden yatağa uzanıp uyuyacaktı. Çiçek'le yaşadıklarını bir daha yaşayamazdı! Yaşamamalıydı. Duru'yu uyandırmamalıydı!

Bedenini bu karara alıştırmak için salonu adımladı. Aklını temizleyip kendini uykuya hazırladı. Masanın üstünde duran Duru'nun telefonunu gördü, şarja takılmamıştı. Ondan uzakta olduğunda ona ulaşmasını sağlayan bu kutsal aleti alıp şarja taktı. Takarken kısaca, mesajlarına, mail'lerine, telefonun içinde kullanıcısına ait özel ne varsa hepsine baktı. Aslında bakmasa da olurdu, telefona yüklettiği program zaten sistemli bir şekilde Duru'nun tüm işlemlerini ona rapor veriyordu. İstediği her yerden girebiliyordu onun telefonuna. Duru'nun telefonuyla işi bittikten sonra aniden aklına bir fikir geldi. Kendi telefonundan Zeynep'e mesaj atıp hafta sonu Maldivler'e gitmek için jeti ayarlamasını ve Duru'nun pasaport işlemlerini halletmesini bildirdi. İstediği kadar sevişmelerini kolaylaştıracak bir fikir olduğunu düşünüp kendi kendine gülümsedi. Bir bardak su içti. Artık uykuya hazırdı, kararlı, yatak odasına geri döndü.

Gözleri odanın karanlığına alışır alışmaz uymasının imkânsız olduğunu anladı! Duru sırtını diğer tarafa dönmüş, yan yatıyordu ve vücudunun kıvrımları, kalçasının yuvarlaklığı ve çıplak kolunun beyazlığı en karşı konulmaz şekliyle fark ediliyordu. Can sakince yatağa girdi, elini hafifçe Duru'nun kalçasına uzattı, dokunmadı, Duru'nun bedeniyle eli arasında bir santimetreden az mesafe kalana kadar yaklaştırdı ve elini sanki kalçanın üstünde gezdiriyormuş gibi gezdirdi...

Kan basıncı bir sancı gibi kasıklarına toplanmıştı bile. Duru'nun çıplak koluna bakarken erkekliğini avucunun arasına aldı. Onu dokunabildiği anların ne kadar da kıymetli olduğunu düşündü, dayanamayıp eliyle Duru'nun kolunu tuttu, bu tene bu kadar yakınken dokunmamak imkânsızdı. Duru hemen kolunu çekip çarşafın içine koydu, uyanmış mıydı? Hayır, hâlâ derin derin uyuyordu. Uyandırmayı geçirdi aklından ama Duru'nun bu gece kendisiyle sevişmeyeceğini biliyordu. Avucunun içindeki erkekli-

ğini daha da bir kavradı ve Duru'nun yuvarlak kalçasına odakla-
nıp mastürbasyon yapmaya başladı.

Can'ın gelmesi sadece iki dakika sürmüştü. Duru gözlerini sıkı
sıkı kapadığı ve nefes ritmini bozmamak için dikkat ettiği bu da-
kikaların her saniyesinde uyanıktı. Can'ın işi bittiğinde yıkanmak
için kalkmasına şaşırdı, seviştikleri zaman Can asla yıkanmazdı.
Herhangi bir sevişmeyi tetiklememek için yatağın diğer ucunda
kıpırtısız durmaya çalıştı.

Banyonun kapısını kapattığında kendini yere bıraktı Can. Üze-
rine bulaşan sperme baktı. Kontrolsüzlüğünün kanıtıydı! Hınçla
kafasına vururken beyninde tek bir ses vardı: "Aptal Umut! Geri
zekâlısın sen! Değersiz pislik!" Kafasını pençelerinin arasına alıp
parçalarcasına sıktı. Vücudu bu sıkışla kasılmaya başlayınca vaz-
geçip bedenini tamamen yere bıraktı. Kendinden nefret ediyordu.
Beyninde bu düşünceyi düzeltti: Umut'tan nefret ediyordu. Suyun
altına girip Umut'un kontrolsüz varlığının bedeninden akıp git-
mesini bekledi.

Can yatağa döndüğünde Duru hâlâ uyanıktı. Bizi tahrik eden
şeyle tiksindiren şeyin aynı olabilmesinin çelişkisi içinde Can'ın
kolunun ağırlığını üstünden atmamak için kendini zor tuttu.
Kendini kapana kısılmış hissetmekten gelen, doğal olmayan ve
Deniz'le asla yaşamadığı bir ağırlık içine yayılmaya başlamıştı ya
da içinde gömdüğü yerden dışarı çıkmaya. Burada ne işi vardı!

20. Göksel

Beladan uzak durmanın en önemli kuralının merakını kontrol
altına almak olduğunu, arkasına dönmemesi gerektiğini bile bile
ateş sesinin geldiği yöne döndü. Biraz önce Göksel'in dağıttığı tor-
balardan kendine yemek arayan köpeğin başında duran iki adam

köpeği konteynırın kenarına sıkıştırmışlardı. Göksel ne olduğunu anlayana kadar adam elindeki silahı yine kaldırdı, Göksel çocukluğu boyunca hayatta kalmakla ilgili öğrendiği her şeyi unutup onlara doğru tereddüt etmeden koşarken bağırdı: "Polis!"

Adamlardan daha geride duranı hemen kaçmaya başladı, köpeğe ateş edense birkaç adım geriledikten sonra durdu, gelenin gerçekten polis olup olmadığına baktı. Konteynırın yanına vardığında köpeğin kanlar içinde konteynırın alt kısmına girmeye çalıştığını gördü. Annesini bekleyen yavruları düşündü, dünyada kendini yakın hissettiği bir duygu varsa o da buydu, annesizlik... Ancak kafasını kaldırdığında silahlı adamın hâlâ birkaç metre ileride dikildiğini gördü, köpeğe yardım edebilmek için onu önce konteynırın altında çekerek çıkardı. Hayvan, boynunun ön bacağıyla birleştiği yerden vurulmuştu, ikinci kurşunun nereye isabet ettiğini göremedi çünkü köpek ağır yaralı olmasına rağmen bir anda kalkıp sallanarak da olsa yürümeye başladı. Köpeğin peşinden gitmek için kalkan Göksel, silahlı adam arkadaşına seslenene kadar onların kendisine doğru geldiğini fark etmedi. Şimdi ayakta dikilince birkaç metre ileride elinde plastik mermi atan silahla kendisine doğru yürüyen adamı ve silahlı adamın birkaç metre gerisinden yaklaşan arkadaşının suratlarını net bir şekilde görebiliyordu. Çocukluğundan beri görmeye, görmezlikten gelmeye alışık olduğu aynı kötülük şimdi karşısındaydı ama Göksel artık çocuk değildi. Bir an dönüp köpeğin nasıl da yalpalayarak uzaklaştığına baktı. Birkaç salise adamların neden bu köpeği vurmuş olduklarını düşündü ama sonra insanların neden kötülük yaptıklarını düşünmenin anlamsızlığı kapladı beynini. Düşünecek ne vardı ki! Kötülük karşısında yapılabilecek iki şey vardı. Birincisi uzaklaşmak ki bu en ilkeliydi, ikincisi savaşmak ki bu en zoruydu. Göksel hayatında ilk defa zor yolu seçti.

Eli silahlı adam iyice yaklaşmıştı ve diğeri de artık onlara doğru koşmaya başlamıştı. Göksel bir hamlede konteynırın kenarındaki kolundan tutup öne doğru çekti ve adamla arasına konteynırı aldı. Adamdan korktuğundan değildi ama plastik mermiden kendini koruyabileceği bir alana ihtiyacı vardı. Hemen yaklaşan adamın silahlı olup olmadığına baktı. Adam silahsızdı. Öndeki adam "Siktir lan sen polis falan değilsin!" diye bağırdı. Göksel konuşmadı. Bu noktadan sonra kelimelere ihtiyaç yoktu. Adam elindeki silahı kaldırıp Göksel'in suratını hedef aldı ama Göksel tek hamlede konteynırın kapağını kaldırıp eğilerek kendini sakladı. Plastik kurşun kapağa çarptı. Adam ikinci kurşunu isabet ettirmek için Göksel'in eğildiği tarafa dolandı, silahı ateşlenmeye hazırdı ama Göksel'i bulamadı bir an için. Göksel konteynırın etrafından dolanıp zikzak yaparak eğildi ve sanki bir çuvalın üstüne atlarcasına adamın gövdesine daldı. Adam bir ağaç gibi devrilirken silah havaya patladı. Göksel adamın üstündeydi şimdi ama sırtına inen tekme diğerinin de geldiğini anlattı. Darbelere aldırmadan dizini yerdeki adamın suratına indirip elindeki silahı aldı ve bir hamlede kendini geriye atıp elinde silahla ayağa kalktı. Silahı iki adama doğrultarak aralarındaki mesafeyi korudu. Yerdeki adam temkinli bir şekilde kalkarken diğerinin suratındaki korku belirgindi. Göksel anladı, yerden kalkan bu kötülüğün başı, diğeriyse kuyruğuydu. Temkinli bir şekilde birbirlerine bakan adamlarla oyun oynarcasına silahı arkasındaki denize fırlattı. Adamlar şok içinde sadece bir an silahın uçuşunu seyrettikten sonra akılları o an başlarına gelmiş gibi silkelendiler, suratlarındaki korkunun yerini hayata olan nefret ve kendilerinin iki, karşılarındakinin tek kişi olmasından kaynaklanan güven duygusu kapladı. Kendine güvenen nefretten daha tehlikeli ne vardı bu hayatta!

Adamlar Göksel'e doğru atağa geçerken Göksel bacaklarını hafifçe araladı, omurgasını eğdi ve kollarını iki yana açıp vücudunu dengeledi. Bir pumanın avcısını karşılaması gibi onların kendisine gelmesini bekledi. İkisi aynı anda ulaştılar Göksel'e. Kötülüğün başı Göksel'in üstüne atlarken kuyruk tekme attı. Göksel üzerine atlayan adamı biraz daha eğilerek omuzladı, hafifçe havaya kaldırıp diğerinin tekmesini tek eliyle karşıladı, tekmenin atıldığı yöne savrulması için eliyle biraz daha yön verdi. Tekme atan, tekmeyi savurduğu yöne doğru şiddetle düşerken Göksel sırtındaki adamı bir dönüşte fırlattı, adam yerde defalarca yuvarlanıp ancak durabildi. Sürtünmeden dolayı suratı yara içindeydi. Göksel hemen birkaç adım geri atıp adamların karşısında olması için pozisyon aldı. Tekmeyi atan ayağını burkmuş olmalıydı, yerden kalkarken ayağının üzerine zor basıyordu. Diğeri suratındaki çiziklere rağmen hemen toparlandı, etrafında Göksel'e karşı kullanabileceği bir şeyler aradı ama yere saçılan çöplerden başka hiçbir şey yoktu. Arkadaşına seslendi: "Arkasına geç!"

Kuyruk, temkinli bir şekilde topallayarak Göksel'in arkasına geçmek için kenardan döndü. Göksel hiç kıpırdamadan kuyruğun yaklaşmasını bekledi, sanki dikkati tamamen diğerindeydi. Kuyruk birazdan Göksel'in arkasına geçecekti, şimdi neredeyse aynı hizadaydılar ve işte o an Göksel bir hamlede kuyruğun yanına sıçradı. Kuyruk ne olduğunu anlamadan kolunu kuyruğun sağ kulağına uzatıp sağ eliyle kuyruğun kafasını kavradı ve sert bir hareketle kuyruğun kafasını kolunun altından geçirip kendine çekti, sol eliyle tek bir hamlede boynu ters tarafa döndürdü. Kuyruğun boynundan gelen ses ve adamın anında yere yığılması sanki aynı anda oldu. Kafasını çevirdiğinde diğer adam dibindeydi ve elinde kırık cam tencere kapağı vardı. Çöpten bulmuş olmalıydı. Adam çıldırmış gibi bağırmaya başlamıştı "Öldürdün! Melih! Melih! Öldürdün onu! Melih!" Göksel hemen etrafına baktı, neyse ki kimse yoktu. Adamın kendisine doğrulttuğu kolunu tek bir hamlede tutup eğildi, adam diğer elindeki camı Göksel'in sırtına sapladı ama Göksel durmadı, adamın kolunun altından dönüp arkasına geçti, elinde tuttuğu kolu iyice gerip adamı yere eğdi. Kendisi de adamın üzerine eğilip, adamın sırtındaki büktüğü kolu sağ eline aldı ve parmaklarını baskılayarak bileğini kıvırdı, acıyla kıvranan adamın kıpırdamasına izin vermeden sol eliyle adamın sağ elini yakaladı ve hâlâ arkasında dururken kolu çekti iyice. Sağ elini bir hamlede yukarı çıkarıp adamın öne çıkan sağ omzunun köprücük kemiğine indirdi darbeyi ve kemiği kırar kırmaz adamın sağ elini bıraktı. Geride kıvırdığı ve adamın sırtıyla kendi vücudu arasına sıkıştırdığı sol kolunu yakaladı, kolu bırakmadan adamın önüne geçip sol elini adamın sol köprücük kemiğine kenetledi ve diziyle adamı kendisinden uzak tutarken kolunun tüm gücüyle kenetlediği kemiği kendine çekti ve adamı bıraktı. Onu saatlerce bu acı içinde bırakmayı çok isterdi ama adamın çığlıkları o kadar yükselmişti ki birileri gelmeden önce yapılması gereken şeyi yapmak zorundaydı. Çığlık içindeki adamın gırtlağına tek bir hamleyle yumruğunu geçirdi, gırtlağı kırılan adamın önce sesi, sonra nefesi kesildi. Cansız bedeni yere yığıldı, köpekten akan kanın olduğu yere. O gece dünya, çocuk tecavüzcüsü/hayvan katili/sosyopat bir kötülük başı ve emir komuta zinciri dışında kimlik bulamayan bir yalaka kuyruk kaybetti ama cana saygısı olan bir katil kazandı.

Adamın yere yığılmasıyla sakin adımlar atarak uzaklaştı oradan Göksel. Hiçbir şey hissetmiyordu. Nabzı bile tamamen normal atıyordu. Bu kaosun içine doğmuş, hayatta kalmayı başarmış ve bugünlere gelebilmiş her canlı gibi, sakince olay yerinden uzaklaştı, geride bıraktığı iki bedeni hiç umursamadan. Sırtına saplanan cam parçasınıysa ancak bir saat sonra çıkardı çünkü yaralı köpeğin kanını takip edip ölüsünü bulmak 10 dakikasını, mıyıklayan 4 yavruyu alıp almamaya karar vermekse yaklaşık bir saatini almıştı.

Göksel, sırtında cam parçası ve elinde, yaklaşık 3 haftalık olduklarını düşündüğü 4 yavru köpekle evine döndüğünde artık bambaşka biriydi. İlk defa şefkat hisseden bir katildi.

21. Bilge & Doğru

Kendisinden sadece 3 yaş büyüktü Duru ve fotojenik değildi. Elindeki pasaportu incelerken bir fotoğrafın, sahibinin güzelliğini anlatmakta nasıl da aciz kalabildiğini düşündü. Kendisinde bir zırnık bile var olmayan bir şeydi, Duru'da bolca bulunan bu şey: Güzelliğin, ışıkla birleşip enteresanlıkla tütsülenmesi gibi... Baktıkça bakmak isteyen bir duygu yaratıyordu.

Önünde 8 kişi vardı ve konsolosluk hâlâ açılmamıştı, derken ilk kişiyi aldılar, sonra ikinci ve üçüncüsünü. İnsanları üçer üçer alırlarsa ve bir terslik çıkmazsa bir saat sonra sıra kendisindeydi. Zeynep'in gece yarısı telefonundan sonra güneş doğmadan yola koyulmuşlardı, Ali pasaportu getirene kadar stresle beklemişti Bilge. Doğru, sallanmaya başladığında Bilge sinir küpünün tamamlanmış olduğunu anladı. Renkleri birbirine karışmış olarak çantasında duran ikinci sinir küpünü çıkarıp Doğru'ya uzattı. Doğru sallanırken bakışlarını odakladığı sinir küpünü sanki kasları boşalmış gibi yere bırakıp Bilge'nin kendisine uzattığı küpe uzandı ve renkleri bir araya getirmek için doğmuş biri gibi sallanmayı bırakıp küpü çevirmeye başladı. Bilge Doğru'yu bu şekilde oyalamanın iyi olmadığını biliyordu ama okul henüz açılmadan konsolosluk sırasına girmek zorunda kalmıştı ve Doğru'yu yanına almaktan başka çaresi, onu bu şekilde oyalamaktan başka seçeneği kalmamıştı. Birinci küp normal bir sinir küpüydü. Doğru'nun yapması bir dakika kadar sürmüştü. Ne kadar karıştırılırsa karıştırılsın bir dakikadan birkaç saniye sonra sinir küpündeki her renk kendi eşlerine kovuşuyordu.

İkinci küp Bilge tarafından deforme edilmiş, renklerin gruplanması imkânsızlaştırılmış bir küptü. Doğru bu imkânsızlık içinde en az yarım saat oyalanacak, tam bir paradoksun içine girdiğinde Bilge ustaca diğer küpü ona verip renkleri gruplandırmasına izin vererek onu bu paradokstan çıkaracaktı. Küpten sonra iPad onu en az 40 dakika daha oyalardı. Beklerken, bilgisayarını açtı, psikopatoloji dersi için hazırlaması gereken ödevi gözden geçirmeye başladı.

22. Özge

Sonbahar yağmurları... İçindeki boşluğun sanki suyla dolması gibiydi. 20 mesaj ve onlarca aramadan sonra bile Sadık Murat Kolhan'ın yardımcısından bir haber yoktu. Muammer Bey'i dinleyip tanıdığı en yetkili kişiyi aramıştı Özge ama niye kendisine geri dönülmüyordu? Sabahın köründe dayanamayıp savcıya gitmiş, aldığı dandik tutanakla avukata gitmiş, gittiği avukatın ne kadar pasif ve bıktırıcı biri olduğunu anladığı anda oradan ayrılmıştı. Avukat bozuntusu yasaların ne kadar zor işlediğini, böyle bir durumda sunuculara ulaşabilmenin, dergiyi temize çıkarmanın bile yıllarca süreceğini ki bunun da garantisi olmadığını anlatıp durmuş, Özge'ye daha savaşmadan kaybettiğini açıklamıştı kısaca. Üstelik ne kadar şanslı olduğunu söylemişti "Sizin de tutuklamanızı çıkartabilirlerdi, çok şanslısınız!" diyerek. Böyle avukatlar olduğu sürece yasalar işleyemezdi. İşlemeyecekti! Nefret ederek kaçarcasına çıktı avukatın ofisinden, hayatlarında inandıkları tek bir şey bile bulunmayan bu inançsız çöpler, adalet kalkanı olabileceklerini düşünerek nasıl avukat olmuşlardı! Bir gladyatörün özelliklerine sahip olanlar için yaratılmış bu meslek parazitlerin eline düşmüştü. Herkes paranın peşindeydi, nereden geldiği önemli olmayan, gelmesi için ne kadar alçalınması gerekirse alçalınan para! Hedefleri olmayan para avcıları satabildikleri ne varsa satarak kazanıyorlardı bu lanetli değiş tokuş aracını, ruhları dahil.

Sadık Murat Kolhan'a danışmadan avukat arayışına düşmesi aptalca olmuştu aslında. Belki polisle olan durum, bir telefonla halledilecek bir şeydi, tabii Sadık Murat Kolhan için. Sadık'ın ofisine vardığında, işe yeni gelen çalışanların arasında girdi binaya ama güvenlik onu danışmaya yönlendirdi. Danışma da randevusuz binaya sokulmasının imkânsız olduğunu açıkladı. Gidebileceği hiçbir yer ve kimse yoktu. Kolhan'ın evine gitmeyi düşündü yine ama bu kadarı fazla saygısızlık olabilirdi. Adamın bir sır gibi saklanan evine başı sıkışır sıkışmaz gidemezdi ki. Binanın önüne çıktı, avluda oturup yağmurun dinmesini bekledi. Aradan geçen bir saat sonra umutsuz bir şekilde son bir kez aradı Kolhan'ın yardımcısını, yine kimse cevap vermedi. Yağan yağmurun çoğalmasına aldırmadan yürümeye başladı. Tekrar savcılığa gidip işi kendisi halletmeye çalışmaktan başka çaresi kalmamıştı. Metroya kadar 10 dakika daha yürüdü. Metronun merdivenlerine vardığında sırılsıklamdı. Yürüyen merdivenlerden inerken telefonu çaldı. Arayan Kolhan'ın yardımcısıydı. Aşağı indiği merdivenlerden koşarak yukarı çıktı. Konuşma sırasında telefonun kesilebileceğinde tedirgin, telaşlı, basamaklarda geçtiği insanların homurdanmasına aldırış etmeden ulaştı yüzeye.

Yağmurun altında yaptığı iki dakikalık konuşmada olanları anlattı. Adam sessizce dinleyip Özge'nin lafı bittiğinde, ona Kolhan'ı en yakın ne zaman görebileceğini sordu. Özge hemen diye cevap verdi. Kolhan şirketteydi, şirketin önünde elinde sarı şemsiyesiyle bekleyen Burcu Hanım onu Kolhan'a götürecekti.

Özge her adımda yerden kalkan suyun kendisini daha da ıslatmasına aldırmadan, yanından geçtiği insanların şemsiyelerinden sıyrılarak sıçrayıp atlayarak hızla koştu. Şirketin önüne geldiğinde elinde sarı şemsiyeli kimse beklemiyordu. Telaşlanıp adamı bir kez daha aradı, telefon açılmadı. Avlunun altına sığınıp saçlarından damlayan suyu eliyle alırken gördü sarı şemsiyeyi. Lacivert elbiseli güzel bir kadın, yüksek topuklu ayakkabıların üstünde usta adımlarla yaklaştı. Bir dişiyi gerçek bir kadın yapan, gelişmesini, hatta kendini aşmasını sağlayan ama ehlileşmezse zehir saçan bir kıskançlık hali vardı kızda, buna rağmen kızı sakince selamladı, bir gün bu kızın ettiği tek bir cümleyle hayatını kurtaracağından habersiz, onu takibe koyuldu.

23. Can Manay

Can uyandığında Duru yanında yoktu. Odada da değildi. Tek hamlede yataktan fırladı, banyoya baktı, yoktu. Hemen salona gitti, adımlarını atarken suratındaki dehşet ifadesini kontrol altına almaya çalıştı. Salonda da yoktu, bahçeye çıktı, yoktu. Yine içeri girdi, çalışma odasına, Duru için yaptırdığı dans odasına, saunaya, alt kattaki egzersiz odasına, her yere baktı. Güvenliği arayıp Duru'nun çıktığını öğrendi. Nereye gittiğini sormadı, bilmediklerine emindi. Tekrar yatak odasına döndü, yatağın arkasındaki büyük aynanın kenarına elini sokup gizli kapıyı açtı, aceleyle kayıt odasına girdi. Çalışma odasındaki bilgisayardan kayıtlara ulaşılabilirdi ama bilgisayarı açacak sabrı yoktu. Kayıtların arasında hızla geri gitti, Duru'nun kapıdan çıkışını gördüğünde durdu. Ama devam edemedi çünkü yandaki monitörde Duru'nun o an eve geri döndüğünü fark etti ve odadan dışarı fırladı, kimsenin bilmediği bu gizli kapıyı ses çıkarmadan kapatmaya özen göstererek yavaşça kapadı ve kendini yatağa bıraktı. Yüzükoyun uzandığı yerde, Duru'nun adımlarının sesini dinledi. Rahatlamıştı. Gözlerini açmadı, Duru'nun gelip onu uyandırmasını bekledi ama Duru yatak odasından soyunma odasına geçti. Can gözleri kapalı, sabırla bekledi. Duru'nun ayak sesleri yine yaklaştı, Can derin nefes alarak uyuma numarasına devam etti. Duru şimdi komodinin çekmecesinden bir şeyler alıyordu, neden Can'ın yanına gelmiyor, onu öpmüyor, uyandırmıyordu? Dans kıyafetlerini giymiş, yatak odasından çıkmak üzereyken Can dayanamadı, telaşla doğrulup seslendi: "Duru!" Duru kapının ağzında durdu, yavaşça döndü, suratındaki ifade keskindi. Çağrılmak, konuşulmak istemeyen bir ifadeyle Can'a bakıyordu. Can yatakta doğrularak, "Hayatımın kadınısın" dedi.

Keşke hiç konuşmasaydı, hiç uyanmasaydı diye düşündü Duru arkasına saklandığı samimiyetsiz tebessümle "Günaydın" derken. Sevişirken büyük bir motivasyona yol açan Can'ın bu saplantılı hali şimdi resmen midesini bulandırıyordu. Kendisine yapışmış, kısa boylu, tıfıl ve aklı sürekli çiftleşmekte olan bir maymun gibiydi sanki.

Can'ın yataktan doğrulmasıyla Duru atağa geçti, kendisine ulaşmasına izin vermeyecekti. Can'a "Çok geç kaldım. Akşama görüşürüz!' dedi ve uzun güzel bacaklarıyla büyük adımlar atarak uzaklaştı Can'dan. Can yataktan kalkıp onun peşinden gitmek için hızla harekete geçmişti ki kapanan kapının sesi ona geç kalmış olduğunu anlattı. Duru'nun evden çıkmış olduğunu ancak birkaç saniye içinde algılayabildi ama yine de salona doğru ilerledi. Kapanan kapının kolunda asılı olan nazar boncuğu sallanıyordu.

Can Manay hedefe kilitlenmiş bir robot gibi dümdüz ilerledi, kapıya o kadar odaklanmıştı ki ayağını sehpaya çarptığını hissetmedi bile. Nazarlığın sallanışının yavaşlamasını izlerken, boynunda ve şakaklarında damarları belirmeye başlamıştı.

Ne olmuştu? Aklından neler geçiyordu? Duru resmen kaçarcasına çıkmıştı evden. Her şeye katlanabilirdi, her şeye, Duru'nun kendinden uzaklaşması dışında her şeye. Can biraz önce ayağını vurduğu sehpaya baktı, ayak parmağı acımış olmalıydı ama hissetmiyordu, hissedebildiği tek duygu bedenine yayılan korkuydu.

İçinde hissettiği şeyin korku olduğunu algıladığı anda antika sehpayı alıp yere vurması, vurarak parçalaması, masanın yanındaki sandalyeyi kavrayıp savurması...

Duru'nun kenara atılmış şalına denk gelene kadar Can içindeki çaresizlikle dövdü etrafındaki objeleri. Şalı eline alınca ancak ana dönebildi. Duru onundu. Ona aitti. Onu aramaya karar verdi. Telefonu eline alınca vazgeçti. Fazla gitmişti üstüne, belki de gerçekten sadece geç kalıyordu. Onu bu kadar sıkboğaz etmesi Duru'ya iyi gelmiyordu ama ne yapabilirdi ki, elinde değildi, bu Can Manay'dan daha üstün bir duyguydu. Şaldan bir nefes daha alırken irkildi. Aklına doğan şey sanki onu bir rüyadan uyandırmışçasına şal elinden sarkarken sakince yatak odasına yürüdü, telefonu yatağın üzerine attı ama şalı bırakamadı. Gizli kapıyı açıp yine kayıt odasına girdi.

Burası Can Manay'ın mabediydi. Sahip olduğu en değerli şeylerin kontrolüydü bu oda. Kenardaki büyük kasayı önce parmak iziyle, sonra şifreleri girerek açtı. İçinde bir tomar kâğıt ve küçük paketler vardı. Duru'nun şalını yere bırakıp kasanın en alt bölümündeki çekmeceyi çekip plastik bir saklama torbası çıkardı. Torbayı köşesinden açıp burnunu dayadı. Çiçek'in başörtüsüne sinen kokusu hâlâ ordaydı. Torbaya koyduğundan beri çıkarmamıştı bu başörtüsünü, kendisine hissettirdiği her şeyin kokusunu taşıyordu bu başörtü hâlâ. Örtüyü çıkarmaya karar verdi ama çıkaramadı, elleri titredi, torbaya yine burnunu dayayıp kokladı... Sadece ucunu çıkardı, parmaklarının arasında hissetti... Sevgiyle inceledi... Krem rengi pamuklu yumuşak kumaş üzerine yayılan yeşil dallar ve dalların ucundaki kırmızı elmalar... Örtünün kenar oyalarına bulaşan Çiçek'in kanı...

Örtünün kenarına bulaşmış kan lekesi gözünden akmak üzere olan yaşı durdurdu. Kendine gelmeliydi. Bu duygudan gidilecek tek yer asla varmak istemediği yerdi. Ne yapıyordu burada böyle! Bu torbayı hiç açmamalıydı! Bu torbayı hiç saklamamalıydı! Ama atamadı. Hızla torbanın ağzını kapatıp yerine koydu, kasayı kapattı. Kasadan uzaklaşırken yerde bıraktığı şalı gördü. Eğilip almak istedi ama eğilirse doğrulamayacak gibi hissediyordu. Odadan çıktı. Yatağa oturup nefesindeki düzensizliği kontrol altına almaya çalıştı. Sol kolundaki ağrı fazlalaştı. Üzerindeki tişörtü çıkarıp çıplak vücudunu yatağın üzerine bıraktı. Kollarını iki yana açıp derin nefeslerle kan dolaşımını rahatlattı. Kolundaki ağrının geçmesini dinledi. Koluna bakarken parmaklarının ucunda duran telefonu fark etti. Küçük bir hamleyle uzanıp en çok sesini duymak istediği ve hiç aramak istemediği kişiyi aradı. Eti'nin "Alo"su Can'ın sessizliğiyle cevap buldu sanki.

Eti "Can..." dedi sanki ona kim olduğunu hatırlatırcasına. Can sessizdi. Eti "Nefes al, derin derin nefes al. Nerdesin?" Can "Evde" diye cevap verdi neredeyse fısıltıyla. Eti tane tane "Sakinleştin mi?" dedi. Can, "Evet, iyiyim" diye cevap verdi. Eti, "Bilmem gereken bir şey var mı?" diye sorguladı, Can Eti'nin sorusundan rahatsız, hemen doğruldu uzandığı yerden ve "Çok iyiyim, bir sesini duyayım dedim" diyerek biraz önceki o ihtiyaçtaki halini kamufle etmeye çalıştı. Eti, "Aradığına sevindim o zaman" dedi Can'ın oynadığı oyuna bir an katılarak ve sonra ekledi: "Hep yanındayım."

Can, "Biliyorum" dedi ve telefonu kapattı. Tavandaki aynadan kendi yansımasına odaklandı. Ait olduğu şeye sahip olamayan bir adam gördü yansımasında ve kalkıp kendisinden uzaklaşırcasına yansımasından uzaklaştı.

24. *Özge & Sadık*

Sadık, tamamıyla kendine ait katın ortasında, etrafı camla çevrilmiş toplantı odasında, büyük masanın başında, kendi koltuğunda oturmuş önündeki dosyaları incelerken kafasını dosyadan kaldırdığında nefesi kesildi. Özge ıslanmışlığını kontrol altına almaya çalışırken önünde yürüyen Burcu'yu takip ederek toplantı odasına doğru yaklaşıyordu. Islak suratından silmeye çalıştığı stres çatık kaşlarının altında kısılmış yeşil gözlerindeydi. Sadık oturduğu yerden göremiyordu o gözlerdeki çabayı ama hissediyordu. Saçlarından damlayan sular, sırılsıklam olmuş kıyafetleriyle ne kadar da uyumluydu. Bir kahraman gibi dimdik durmaya çalışarak, yanında yürüdüğü süslü kızın güzelliğini yavan bırakacak gerçeklikte bir etkiyle ve bu etkinin varlığından zırnık kadar haberi olmadan girdi toplantı odasına Özge. Sadık, Özge'ye kitlenmiş gözlerinin algıladıklarının etkisiyle gözlüklerini çıkarmaya bile fırsat bulamadan izledi onun yaklaşmasını.

Özge suratında olma olasılığı olan damlaları elinin tersiyle silip, saçlarını hızlıca geriye attı ve kocaman masanın bir ucunda dosyaların arasındaki Sadık'la göz göze geldi. Onu gördüğüne gerçekten sevinmişti ama bu sevinç yüreğine oturan sıkıntının altından çıkıp suratına ulaşamadı, çünkü Sadık'ın ifadesinde bir tuhaflık vardı. Adam donmuş gibiydi. Tüm gizlilik anlaşmalarına rağmen buraya böyle gelmekteki ısrarı yüzünden olmalıydı ama gidecek başka bir yeri yoktu. Özge'nin adımları tereddütle yavaşlarken Sadık sert bir hareketle ayağa kalktı. Eliyle Burcu'ya küçük bir hareket yapıp Özge'nin suratına bakmadan yanından geçip gitti. Özge ne yapması gerektiğini anlamadan bir an durdu. Böyle ısrarla arayıp buraya gelmesi çok aptalcaydı. Sadık'ın salondan hızla çıkmasını yavaşça izledi. Buradan hemen gitmeliydi, artık biliyordu, kimse ona yardım edemezdi. Özge, bazı dosyaları seçen Burcu'ya bir an bakıp hoşça kal deyip dememeye karar veremeden arkasını döndü. Bir şey demesi anlamsızdı, koşup buradan uzaklaşmak isteyen duygusunu bastırıp sakince çıkış kapısına doğru ilerlemeye başladı. Birkaç saniye sonra Burcu giydiği o yüksek ve sivri topuklu ayakkabıların üstünde kendisine yetişerek, "Özge Hanım, ben size yolu göstereceğim, lütfen beni takip edin" dedi. Özge, Burcu'nun kendisini çıkışa yönlendireceğini düşünerek onu takip etti, asansörü geçene kadar uğurlandığından emindi.

Burcu, koridorun sonundaki siyah kapıyı parmak iziyle açtı, Özge açılan küçük asansöre bindiğinde yine sırılsıklam olduğunu hatırladı çünkü asansörün siyah parlak zeminine attığı her adım sulu bir iz bırakmıştı. Burcu Hanım iyi günler dileyip asansörün dışında kapıların kapanmasını bekledi. Asansör aşağı inmek yerine yukarı çıktı. Kapılar Kolhan'ın muhteşem odasına açıldı.

25. Bilge & Doğru & Can Manay

Konsolosluk işlemleri hızlı gitmişti, Can Manay'ın adına bir işlem yaptırmak ne kadar da rahattı. Adı bir anahtar gibi açıyordu gerekli her hizmeti. Sıra beklemeden, vakit kaybetmeden, koca ülkede yaşayan diğeriyle kıyaslanmayacak bir serilikte alabilmişti Bilge vizeleri. Dışarıda yağan sağanak yağmura rağmen tuttuğu direksiyona baktı sevgiyle. Doğru'nun rahatsız olmayacağını bilse şu an müziği bile açardı. Keyif böyle bir şey olmalıydı. Kliniğe vardıklarında hemen Can Manay'ın aracının henüz gelip gelmediğine baktı. Can Manay'ın otoparktaki yeri boştu, şükürler olsundu.

Güvenlikten geçerken Doğru'nun kim olduğunu açıklamak biraz tuhaf olmuştu çünkü insanların özürlülere karşı yapmacık ilgisi her zaman rahatsız etmişti Bilge'yi. Doğru'nun daha hızlı yürümesini dileyerek asansöre geçti.

Can Manay'ın katına çıktıklarında Zeynep her zamanki gibi yerindeydi, dosyaları grupluyordu. Bilge'nin yaklaştığını duyup bir an kafasını kaldırmış, yine dosyalara dönmüştü ki Bilge'nin yanında bir yabancı olduğunu algılayıp dikkatle onlara baktı. Genetik bozukluklar karşısında neydi bu insanları bu kadar şaşkınlığa düşüren şey diye düşünerek sakin yaklaştı Bilge, her zaman yaptığı gibi Doğru'nun adımlarına adımlarını uydurarak.

Zeynep ciddiyetle onların yaklaşmalarını bekledi. Bilge, "Konsolosluğa yetişmek için Doğru'yu da yanıma almak zorunda kaldım. Pasaportları size hemen teslim edebilmek için onu okula bırakamadım. Belki öğleden sonra uçacaklarını söylemiştiniz" dedi ve pasaportları Zeynep'e uzattı.

Zeynep şaşkınlığını suratına yayılan belli belirsiz gülümsemenin arkasına saklamaya çalışarak ayağa kalktı. Acemilikle elini Doğru'nun omzuna uzatırken ona "Hoş geldin" dedi ama Doğru bir hamlede geri çekildi. Kendisine dokunulmasından hoşlanmıyordu. Bilge, yıllardır bir psikologun kliniğinde çalışan birinin nasıl olur da yeni tanıştığı otistik bir çocuğa dokunmaya kalkışmasına şaşırdı ama sadece bir an, çünkü hemen sonra hatırladı: Can Manay'ın daha önce hiç otistik bir hastası olmamıştı. Kendi küçük sorunlarının içinde zenginlikle kaybolanların geldiği bir klinikti burası. Zeynep hemen bir adım gerileyip Bilge'ye baktığında, Bilge yavaşça Doğru'ya döndü ve sakince fısıldadı: "Burayı adımlayabilirsin."

Doğru hafifçe kafasını kaldırdı. Bilge evet anlamında başını salladı ve Doğru koridorun köşesine gidip adım adım tabanı adımlamaya başladı. Bilge bir an Doğru'nun ardından baktıktan sonra hemen aceleyle Zeynep'e döndü, açıkladı: "Şimdi Doğru'yu okula bıraksam iyi olur. Nasılsa vizeler yetişti. Okula gidip gelmem en fazla bir buçuk saatimi alır" dedi ve cevap beklercesine Zeynep'in suratına baktı. Zeynep onaylaması gerektiğini ancak anlayıp hemen "Tabii. Tabii. Acele etme, ne kadar zaman gerekiyorsa hallet işini" dedi Bilge'nin daha önce hiç tanık olmadığı çok yumuşak bir ses tonuyla ve bu ses tonu bundan sonraki ilişkileri boyunca duyacağı tondu. Acımanın sesi inceltmesi hayret vericiydi.

Bilge, "Can Bey'in istediği araştırmayı hem size hem de ona gönderdim. Ama henüz bir cevap alamadım. Siz inceleyebildiniz mi?" dedi. Zeynep anlamamıştı "Hangi araştırma?" diye sorguladı. Bilge, "Kanallardaki yönetici değişiklikleriyle ilgili... Yeni yöneticiler ve daha önce bağlı oldukları kurumlarla ilgili olan" diye açıkladı. Zeynep, "Problem çıkacağını sanmıyorum. Sen istersen şimdi kardeşini okula götür artık, sonra konuşuruz" dedi. Bilge kafasını evet anlamında sallayıp Doğru'yu şimdi nasıl adımlamaktan vazgeçireceğini düşünerek ona yöneldi. Doğru'ya yaklaşıp fısıltıyla, "Asansörün tüm düğmelerine basmamız gerekiyor. Hemen. Yapalım mı?" dedi. Doğru'nun adımlarına yoğunlaşmış dikkati hemen Bilge'ye kaydı ve ikisi asansöre gidip hemen düğmesine bastılar. Bilge her şeyin ne kadar akıcı bir şekilde gittiğinden memnundu, ta ki asansör kapısı açılıp karşısında Can Manay'ı görene kadar.

Can Manay kendisine yol vermeden dikilen Doğru'yu gördü önce, sonra Bilge'yi ve kızın suratına yayılan pembemsi utancı fark etti. Dikkati hemen yine Bilge'nin yanında asansöre binmek için sabırsızlıkla dikilen genç adama kaydı, bir tuhaflık vardı. Çatık kaşları yumuşadı, Bilge "Günaydın" diyerek ona yol verirken Can suratındaki şaşkınlığa hâkim olamadan asansörden çıktı. Bilge ve Doğru hemen asansöre bindiler, Can birkaç adım atmıştı ki kararını değiştirdi. Merakını dinleyecekti, kapanmak üzere olan asansör kapısını eliyle durdurdu ve asansöre geri bindi.

Doğru her katın düğmesine bastığından Can'ın yaşadığı en uzun asansör yolculuğuydu bu. Her katta durdular, bazı katlarda asansöre binmek için bekleyenler içeride Can Manay'ı görünce sadece selam verip geri çekildiler. Bilge'yse içinde bulunduğu bu garip durumun daha da garipleşmemesine dua ederek sessiz, katı, öylece bekledi zemine varmayı. Can Manay bir süre Doğru'yu inceledikten sonra bakışlarını Doğru'dan almadan sordu: "Adı ne?" Bilge hemen cevap verdi: "Doğru." Can, "Kaç yaşında?" diye hemen ekledi. Bilge, "24 olacak" diye cevapladı. Can "Sen kaçsın?" dedi. Bilge "21" dedi. Konunun kendisine gelmesi taşınması çok zor bir ağırlık gibi oturdu Bilge'nin ifadesine. Can "Otistik?" diye sorguladı. Bilge kardeşiyle aynı mekândayken sanki o yokmuş gibi konuşmak istemiyordu, kafasını evet anlamında sallarken konuyu değiştirdi: "Kanal yöneticileriyle ilgili attığım listeyi aldınız mı?"

Can, "Ne zaman teşhis konuldu?" diye sordu hâlâ Doğru'yla ilgileniyordu. Neyse ki giriş katına varmışlardı, asansörün kapısı açılmak üzeydi, Bilge tam "Can Bey" demişti ki Doğru direkt Can Manay'a döndü. Dikkatle ona, gözlerine baktı. Bir adım yaklaştı. Can şimdi göz gözeydi Doğru'yla ve Bilge şoktaydı. Doğru

Can'a yaklaşıp onun suratına bakarak "Can Bey" dedi. Can'ın suratına gülümseme yayılırken Doğru, "Can Bey... kötü" diye ekledi ve asansörün kapısı tamamen açılınca Doğru sanki hiçbir şey olmamış gibi asansörden bir robot gibi çıktı, Bilge biraz önce olan garipliği geçiştirmek için hızla iyi günler dileyip Doğru'yu takip etti. Doğru koridorda yürürken kendi kendine hâlâ "kötü" diye mırıldanıyordu, sanki anlamını bilmediği ama ezbere söylediği bir şey gibi.

Asansör kapıları kapandı. Can Manay'ın suratında askıya alınmış gibi duran sahte tebessüm silindi. Sırtını geriye yaslarken içinde kontrol edemediği bir öfke hissediyordu. İlk defa maskesizdi. Bu kızı hiç işe almamalıydı!

26. Özge & Sadık Murat Kolhan

Asansörden indiğinde Özge'nin bir anlığına görebildiği tek şey bir su gibi pürüzsüzce yayılan simsiyah parlak zemin ve tüm şehre hâkim 360 derecelik manzaraydı. Kolhan'ın masası asansörden birkaç adım attıktan sonra solda ancak görülebiliyordu. Sadık masasına oturmuş, asansörden inen Özge'ye bakıyordu. Özge bakışlarını ıslak adımlarını attığı yerle, masasında oturan Sadık arasında paylaştırarak sakince yürüdü. Böylesine bir zenginliğe sahip olup da hâlâ böyle anlamsız işler yaparak yaşıyor olmak nasıl bir şeydi acaba? Bunu düşünür düşünmez hemen aklından çıkardı, çünkü hayatın merak ettiğimiz ve kınadığımız her şeyi bize yaşattığını biliyordu.

Masanın önüne geldiğinde Sadık eliyle hafifçe oturmasını işaret etti ama Özge koltuğa oturmak istemedi, o kadar ıslaktı ki kalktığında bırakacağı ıslaklık utandırıcı olacaktı. Masanın önünde dikilip dümdüz Sadık'a baktı. "Koltuğunuzu deforme etmek istemem, ıslanmaması gerekiyormuş gibi duruyor" dedi. Sadık'ın gözlerinin içinde beliren ışıklı gülümsemeyi gördüğüne yemin edebilirdi ama Sadık ayağa kalktığında suratındaki ciddiyet neredeyse rahatsız ediciydi. Ciddi, gözlerini Özge'ninkilerden ayırmadan masanın çevresinden ona doğru yürüdü, konuşmadan birkaç saniye tam karşısında dikildi. Özge bakışlarını kaçırmaması gerektiğini kendi kendine tekrarlarken kendini vahşi bir hayvanla göz göze gelen biri gibi hissetti. Sadık, suratında tek bir mimik oynamadan "Haklısın. Bunlar suya dayanıklı değil. Pahalı şeyler nedense dayanıksız oluyorlar. Benimkine otur. Deforme edemezsin" dedi. Ciddi bir şekilde masanın önündeki misafir koltuğuna çöktü ve oturduğu yerden Özge'yi kendi koltuğuna eliyle buyur etti. Dalga geçmiyordu.

Özge her adım attığında çıkardığı sulu sese aldırış etmeden Sadık'ın suratındaki ciddiyetin aynısını suratına yapıştırıp, Sadık'ın tahta benzeyen, konforlu deri koltuğuna oturdu. Özge ciddiyetle Kolhan'ın suratına baktı. Sadık "Buyurun, sizi dinliyorum" dedi. Ciddi ifadesinin arkasında, kızın sırılsıklam halinin içine daha da fazla işlememesi için kendiyle savaş halindeydi. Kızdaki bu çiğ doğallık asla taklit edilemeyecek, çok güçlü bir şeydi. Çi fışkırıyordu bu bedenden.

Özge, "Dün gece dergiyi kapattılar. Sunuculara mahkeme kararıyla el konulmuş. Siz müdahale edebilir misiniz?" dedi.

Sadık, "Gerekçe neymiş?" diye sordu. Özge, "Gece nöbetçi savcı derginin, diğerlerinin kişilik haklarına saldırı ve provokasyon yapmasıyla ilgili bir şeyler söyledi. Ama bunu yapabilmek için suçlamada bulunan birinin ya da bir kurumun olması gerekmez mi? Davayı devlet açıyor ama gösterilen nedenle davayı kişilerin açması gerekmez mi?" dedi.

Sadık, "Bu ülkede devlet nedenlere gerek duymadan her şeyi

yapabilir" diye karşılık verdi. Özge, "Ama siz de öyle! Müdahale ederseniz engelleyebilirsiniz" diye atıldı. Atılır atılmaz yardımı bu cümlelerle istediği için kendini abisinden birtakım çocukları dövmesini isteyen bir aptal gibi hissetti. Sadık geriye yaslandı, konuşmadan kafasını koltuğun başlığına koydu. Bakışları tavanda, "Buradan girersem bana nasıl bir zarar verebileceğinin farkında mısın, yoksa umursamadığın için mi dahil olmamı istiyorsun?" dedi. Özge'yi vicdanından yakalamak bu durumu frenlemenin en kestirme yoluydu. Özge telaşla lafa daldı: "Asla size zarar vermek istemem. Burada yolsuz bir durum var. Beni dinlemezler ama bu yolsuzluğu siz durdurabilirsiniz. Ben sadece adalet isti-" derken Sadık Özge'nin lafına girdi: "Yine adalet. Sadece adalet... Biliyorum ama bazen kaldırmaktan üşenmeyeceğin küçük bir taş, altındaki akrep yuvasının tek kapısı olabilir. Taşı kaldırdığın için etrafa yayılan akrepleri yine içeri sokmak da imkânsız olabilir... Benim başka bir teklifim var" dedi.

Özge aynı anda hem hayal kırıklığı hem de heyecan yaşadı, Sadık'ın ağzından çıkan kelimelerin kendisi için önemi suratındaki her mimiğe yansıyacak şekilde Sadık'ın konuşmasını bekledi.

Sadık açıkladı: "Uzun süredir, eğitim sisteminden hayata atılan gençler için bir şeyler yapmayı planlıyorum. Ülkenin bir sürü yerinde okullar açtım ama sorun eğitilmeleri değil, sorun eğitimin onları sadece taklit etmeye özendirmesi. İçlerinden geleni keşfetmek yerine hoşlarına giden şeyleri taklit ederek yaşıyorlar. Ülke marka uzmanları, reklamcılar, pazarlamacılar, iş adamlarıyla doldu. Nasıl tüketilmesi konusunda kitleleri motive etmeye çalışan binlerce görevli. Peki, kim üretecek? Kimyagerler, biyologlar, fizikçiler, hatta çiftçiler, jeologlar... Bu meslekler sanki yok. Popüler olmadıkları için tercih edilmiyorlar. Bir dergi düşünüyorum bu meslekleri popüler hale getirmek için, üretimi destekleyen kişileri örnek gösteren bir dergi. *Darbe*'yi unut, gel bunu yapalım seninle. Benim tüm kaynaklarım, tam kapasite emrinde olsun. Cadı avını bırak. Senin bu anarşist algını kişileri üretime motive etmek için kullanalım. Bilgiyi bilgeliğe çevirmeleri için çocuklara yol gösterelim."

Özge içinde tuttuğu nefesi nihayet dışarı verip bir nefes daha alırken koltuğa yaslanma gereği duydu, ıslaklığının soğuk rahatsızlığı artık hissedilemeyecek kadar uzaklardaydı çünkü *Darbe*'yi unutacağı bir geleceği hiç düşünmemişti ve kafasında kendisiyle ilgili kurduğu her hayalde, her düşüncede *Darbe*'nin olduğu bir gelecek vardı. Beyni bir anda bomboş oldu. Saatte 500 km hızla giderken aniden frene basmak ve basmamak arasında karar vermeye çalışan biri gibiydi. Bu 12 saniye sürdü. 12 saniye sonra Özge ayağa kalktı, Sadık Murat Kolhan'dan vaktini aldığı için özür dilerken asansöre doğru ilerledi. Asansörün yanındaki duvarın üstünde asansörü çağırmak için düğme aradı ama yoktu, buradan nasıl çıkacağını sormak için Sadık'a döndüğünde Sadık odanın diğer köşesinde kapıları açılmış başka bir asansörün önünde kollarını göğsünün üstünde birleştirmiş duruyordu. Özge kendini aptal gibi hissederek Sadık'a doğru ilerledi. Sadık, "Bu asansör direkt sokağa iniyor" diye açıkladı. Elini uzattı. Sıkıca tokalaştılar. Özge, "Teşekkür ederim" dedi, elini çekerken Sadık Özge'nin elini bırakmadan "Teklifimi düşün. Bana katılmak istersen ara. *Darbe*'yle ilgili sana yardım edemediğim için üzgünüm" dedi, içtendi. Sadık, "Birazdan sana mesaj gönderilecek. Gönderilen numara benim direkt hattım" dedi. Özge asansörün içine girdi. Kapıların kapanması için Sadık'ın parmak izini okutmasını bekledi. Asansörün kapısı kapanırken gayriihtiyari kafasını kaldırdı Özge ve kapanan kapının arasından Sadık Murat Kolhan'ın derin gözleriyle çakıştı gözleri sadece birkaç salise. Asansör aşağı inerken kendini Olimpos'tan yeryüzüne inen değersiz, önemsiz, kimsesiz bir ölümlü gibi hissediyordu. Bu inişinin hayatının çıkışına meydan verecek bir karşılaşmaya neden olacağından habersiz, çaresiz bekledi asansörün yere varmasını.

27. Can Manay

Can odasına vardığında masanın üzerinde duran pasaportları gördü. Duru'nun pasaportunu alıp önüne gelen ilk vizedeki resmine baktı. İçindeki öfke Duru'nun küçücük fotoğrafının etkisiyle dindi, suratına kendiliğinden bir gülümseme yayıldı. Düşünmeden telefonunu eline aldı, aradı.

Duru'nun şoförü Ayla, "Buyrun" diyerek hemen cevap verdi, belli ki Duru yanında değildi. Can Manay buyurdu: "Anlat." Ayla, "Hanımı bekliyorum. Görüşmeye gireli bir saat on iki dakika oldu. Henüz çıkmadı."

Can Manay, "Sabah nasıldı?" diye sordu. Ayla, "Biraz gergin. Her zamanki sempatikliğinde değildi. Konuşmak istemedi. Müziği kapattırdı. Dikkati hep camdan dışarıdaydı" derken Can Manay, "Telefonda konuştu mu?" diye lafa girdi. Ayla "Hayır. Mesajlaşmadı da" diye açıkladı.

Can Manay, "Neden bu kadar uzun sürüyor, öğren. Haber ver" dedi ve Ayla'dan cevap beklemeden telefonu kapattı. Masanın üzerindeki telefonun bir tuşuna basarak Zeynep'e bağlandı. "Kaçta yola çıkmak en doğru olur? Sabahın köründe ya da gece yarısı varmak istemiyorum." Zeynep, "Varış için tercih ettiğiniz saat?" diye karşılık verdi. Can bir an düşünüp "12, öğlen" dedi. Zeynep, "İlgileniyorum" deyip telefonu kapattı.

Can Manay paraya kıymaya, pasaportlarsa yola çıkmaya hazırdı. Özel uçağın ayarlamaları 1 saat içinde bitecekti. Bu sabah evde geçirdiği krizin ardından önce Duru'nun sonra da kendisinin valizini bile hazırlamıştı. Duru'yu içinde görmekten hoşlandığı kıyafetleri, çamaşırları seçmiş, pek de detaya önem vermemişti. Gittikleri 6 yıldızlı otelde nasılsa her şey vardı. Şimdi sadece Duru'nun seçmelerden çıkmasını bekleyecekti. Seçilmeyeceğini biliyordu. Seçilmemesi için gereken tüm ayarlamaları da yapıyordu. Bu ayarlamaları yapmak günden güne ne kadar da zorlaşıyordu. İnsanlar Duru'yu tanımaya başladıkça gösteri dünyasının timsahları da Duru'nun güzelliği, yeteneği ve üstüne bir de Can Manay'ın kadını olmasının etkisiyle ciddi bir kitle toplayacağının bilincinde aslında onunla çalışmak için can atar hale gelmişlerdi ama bu da pek önemli değildi. Duru'ya sokulmak isteyenler kontrol edilemeyecek bir hal almadan zaten evleneceklerdi ve Duru hamile kalınca herkes haddini bilecekti. Paylaşamazdı Can onu. Duru'nun kendine hissettirdiği şeyleri başkalarına da hissettirmesini şansa bırakamazdı. Başka bir avcının da sinsice ona yaklaşmasına katlanamaz ve bu riski asla alamazdı. Onun rahminde dölleyeceği yumurtayı düşündü, ereksiyonu o kadar ani ve güçlüydü ki mastürbasyon yapmaya karar verdi. Masanın kenarında bulunan düğmeye bastı, kapısı otomatikman kilitlendi. Veda gecesindeki kayıttan kendisi için ayırttığı Duru'nun dans ettiği bölümü bilgisayarından bulup kararını uygulamakta kararlıydı. Ama ofis telefonu çalmaya başladı. Zeynep arıyordu. Ofis telefonuna cevap verir vermez cep telefonu da titremeye başladı. Zeynep hazırlıkların tamamlandığını, bu gece yarısı yola çıkarlarsa sabah 11.00 gibi Maldivler'de olacaklarını açıklarken Can diğer telefonu da cevaplayıp kulağına götürdü. Ayla sesindeki heyecanı bastırmaya çalışarak, "Duru Hanım seçmelerden yaklaşık 1 saat önce çıkmış. Onu bulamıyorum. Telefonunu açmıyor" dedi. Can Manay erkekliğine giden tüm kanın beynine hücum etmesiyle kendini sarsılmış hissederek dondu. Diğer kulağında ofis telefonunun olmasını umursamadan Ayla'ya mırıldandı: "Nasıl yok..." Ayla'nın konuşmasına fırsat vermeden ciğerlerinden çıkan havanın tüm şiddetiyle "Nerde!" diye haykırdı.

28. Özge

Özge asansörden indiğinde kendini arabanın giremeyeceği kadar dar bir yolda buldu. Yağmur dinmişti ama gök gürültüsünü andıran kalabalık bir uğultu uzaklardan geliyordu. En fazla 2 metre genişliğindeki yolun her iki ucu da duvarla kapanmıştı. Ne tarafa gitmesi gerektiğini anlamaya çalışırken sağda, uzaktaki duvar yavaşça kayıp binanın içine girerek açılmaya başladı. Özge tereddüt etmeden açılan duvara doğru ilerledi, izlendiğinden emin, adımlarını sakince atarak duvara yaklaştı. Duvar sadece aralandı, Özge aralıktan geçtiğinde karşısında demir bir kapı olduğunu gördü. Arkasındaki duvar yine kapanmaya başladığında biraz önce gök gürültüsünü andıran sesin şimdi insan kalabalıklarından çıktığını anladı. Önündeki kapının ardında bir şeyler oluyordu. Özge birkaç saniye kıpırdanmadan bekledi. En kötüsü yüksek kapıyı tırmanırdı, üst kısımdaki dikenli tellere rağmen aşacak cesareti ve isteği vardı. Kapı açıldığında Özge sokağa çıktı, binanın önünde biriken kalabalığı fark etti. Caddenin köşesinde "Satılmış medya" diye bağıran yüzlerce insan vardı. Özge neler olduğunu düşünerek kalabalıktan uzakta diğer tarafa yürüdü. Ne olduğu umurunda değildi, tek düşünebildiği *Darbe*'ye nasıl hayat verebileceğiydi.

29. Duru

Merdivenlerin başında geldiğinde kalbi sıkıştı. Nefesini dengelemeye çalıştı. En zoru, ilk basamağa atılan ilk adımdı. O adımda karar vardı, içine girmeye karar verdiği duyguyla baş edeceğine dair verilen söz vardı, mücadele vardı. Gecekondular arasından Deniz'le yaşadığı evin sokağına çıkan merdivenleri çıktı, her adımda geri dönmemek için kendiyle savaşarak.

Evin sokağına ulaştığında bir zamanlar ne kadar sabırsızlıkla bu yolda yürüdüğünü, Deniz'e varmak için nasıl da koşarak bu sokağı geçtiğini, onu kapının önünde oturmuş kendisini beklerken bulduğu zamanlarda yaşadığı neşeyi düşündü. Hayatının en mutlu zamanları şimdi sadece bir anıydı: Hatırladıkça vicdanındaki yarayı dağlayan huzurlu ve acıtan anılar.

Acele etmeden adım adım eve yaklaştı. Kapının önünde durdu bir an. Parmağını elindeki anahtarda gezdirdi önce ve sonra zile bastı. Cevap gelmedi. Elindeki anahtarı deliğe sokup temkinli bir şekilde kapıyı açtı, evde kimseyle karşılaşmayacağına emindi ama kalbinin beynine saldırtacağı anılara, duygulara karşı tetikte olmalıydı. Bahçeye çıkan merdivenlerden yukarı çıktı, bu yolculuğa devam edebilmek için içindeki tüm duyguları bastırması gerektiğini biliyordu. Kendine tuzaklar kurmak için hızla atan kalbinin sesini kısarak çıktı merdivenleri. O gece Can'a gittiğinden beri ilk defa geliyordu buraya.

Bakımsızlıktan kuruyan bahçe, köşede sarılmış duran hortum... Deniz'in yokluğuyla dağlayan sessizlik... Buraya gelmek iyi bir fikir değildi. Ama gidecek başka bir yeri olmayan, kimsesi olmayan biri hatıralarından başka nereye gidebilirdi ki? Evin giriş kapısına iki adım kala durdu. Geri dönmek için çok geç değildi. Ama geri dönerse asla buraya bir daha gelmeyecekti, biliyordu, kalbindeki kara delikti bu ev. İçeri girmeli ve her duyguyu yutan, anlamsız-laştıran bu evin kendisi üzerinde yarattığı etkiyi silmeliydi. Daha fazla inkâr edip, Deniz'den nefret etmeye çalışamazdı, işe yaramadığı kesindi.

Deniz'in aniden gidişinin izlerinin canını yakacağından emin ama yine de ondan geriye kalanlar olduğu için gizli bir heyecanla açtı kapıyı. İçeriden gelen tertemiz deterjan kokusu bir yumruk gibi çarptı tüm beklentilerini yıkarcasına.

Ne hissedeceğini, düşüneceğini bilemeden, andan kopmuş bir merak içinde yürüdü. Her adımda daha da çatıldı kaşları, salona döndüğünde tamamen şoktaydı! Ev daha önce hiç olmadığı kadar temiz, mis gibi deterjan kokusuyla kaplı ve derli topluydu. Deniz'den bir tek eser bile yoktu, ortadaki sehpa dahil. Sehpanın nereye gitmiş olabileceği düşüncesi beyninde dolanırken hızla yukarı fırladı Duru, yatak odasına daldı. Yatak çarşafları yoktu. Dolabı açtı. Deniz'in tüm eşyaları gitmişti. Çekmeceleri açtı hızla, bomboştu. Komodinin üzerinde duran fotoğraf kutusunu yatağın üzerine boşalttı. Yatağın üzerine yayılan fotoğrafların arasında bir tane bile Deniz'in bulunduğu fotoğraf yoktu. Yatak odasından fırlayıp Deniz'in stüdyo olarak kullandığı alt kata indi, inerken duvarlara baktı, tüm resimler gitmişti, stüdyoya vardığında oda da bomboştu. Deniz tüm ekipmanını almıştı. Yine salona fırladı. Masanın arkasındaki çekmeceyi açtı, Deniz'in kendisi için hazırladığı defter de gitmişti. Deniz'den eser yoktu. Kaşları çatık, kalbindeki merak öfkeye dönüşmek üzere öylece dikildi. Deniz her şeyini alıp ne kadar da kolay kabullenerek çıkmıştı hayatından. O defter doğum günü hediyesiydi Duru'nun, onu bile bırakmamıştı. Aşağılık sersem diye düşündü. Acaba hiç sevmiş miydi beni derken düşünceleri, dikkatinin camların temizliğine kaymasıyla bölündü. Bu evi Deniz temizlemiş olamazdı, çok garipti. Kendini bile zor yıkayan biri koca evi nasıl böyle detaylı temizlesindi? O zamandan bu güne hâlâ deterjan kokması bir mucizeydi. Peki kimdi?

Duru, bir olay yeri inceleme uzmanı sakinliğinde yavaşça ve adım adım yürüyerek çatı katına çıktı. Çatı katındaki kütüphanenin önündeki fotoğraflar da yoktu. Sakince kütüphaneye yaklaştı. En alt raftaki Ayn Rand'ın *Hayatın Kaynağı* adlı kitabına baktı. Orda duruyordu. Kaşları iyice çatıldı, her şeyi alıp bunu bırakması tuhaftı. Tüm kitaplar yerli yerindeydi. Kitabı çekip çıkardı, kitabın içindeki mektup yere düştü. Duru'nun gözleri şaşkınlıkla kocaman açıldı. Her şeyi alıp bu mektubu bırakmış olamazdı! Hemen Dante'nin İnferno kitabını çekti, sayfaların arasındaki iki mektup da duruyordu.

10 dakika içinde Deniz ve Duru için anlamı olan 5 kitap inmiş ve Deniz tarafından bu kitapların içine yerleştirilen mektuplar ve fotoğraf çıkarılmıştı. Duru yerdeki fotoğrafa uzandı, eline almaya zorla cesaret ederek aldı. Fotoğraf ikisi motosikletin üzerindeyken Deniz'in kamerayı kendilerine çevirip çektiği bir ana aitti. 3 yıl önce, Deniz'le çıktıkları ilk tatildeki balıkçı iskelesinde çekilmişti. İlk defa bu tatilde birlikte olmuşlardı. Fotoğrafın arkasını çevirdi. Yazıyı okudu: "Toplum tarafından kabul gören tek deliliktir aşk. Deliriyorum sana."

Duru'nun hıçkırıklarla yere çökmesi aynı anda oldu. Ne kapının çaldığını ne de Can'ın kendisine seslendiğini duymadan kendi ihanetinin ağırlığında, inkârdan daha fazla kaçamadan, acının içinde kayboldu.

Merakının kendisini getirdiği bu yerde, cehenneminde, sadece yıkım vardı.

30. Özge

Kalabalıktan iyice uzaklaşmıştı ama "Satılmış medya!" haykırışları hâlâ duyuluyordu. Evet, medya her zaman satılmıştı bu ülkede ama bu kadar insanı bir araya getirmek için başka bir şey yapmış olmaları gerekirdi... Önemli değildi, dergiyi kurtarmak için kime gidebilirdi? Para bulması artık yeterli değildi, bu ülkede paranın değeri, yanında güç varsa ölçülürdü, yoksa elinizden kolayca alabilecekleri bir kâğıt parçasından başka bir şey değildi. Güce ihtiyacı vardı. Satılmamış bir medyaya sahip olabilmek için tüm halkın gücüne ihtiyacı olduğunu henüz bilmeyecek kadar tecrübesizdi. Sadık ona yardım etmeyecekti. İçi sıkıldı, kendi yalnızlığı içinde kaybolmak üzereydi. Bakışları kendi adımlarında, kalabalığın atmosferde yükselen sesini duymadan, aldırmadan kendi yolunda öylece yürüdü Özge, sırtına inen darbe olmasa belki uyanmadan adımlayacaktı yolları. Ama darbe indi ve Özge uyandı.

Arkasına döndüğünde, suratına kocaman siyah bir gaz maskesi takmış, üzerindeki çelik yeleğin arkasına saklanmış, elindeki copu intikamla sakınmadan sallayan birini gördü. Beyni ne olduğunu anlamaya çalışırken koluna inen darbe o kadar şiddetliydi ki sinir sistemi ona kaçmasını buyurdu. Özge bir sıçrayışta kendini adamdan uzaklaştırdı ama sıçrayışının bittiği yerde bir darbe daha aldı, hemen arkasında aynı kıyafete bürünmüş bir başka çıldırmış ataktaydı. Etrafta bir düzine maskeli, zırhlı adam hayatları pahasına Özge'ye saldırmaya başladılar. Özge bağırıp konuşmaya, bir yanlışlık olduğunu anlatmaya çalıştı ama etrafını saran bu çılgınlığın içinden kurtuluş olmadığını anladı. NE OLUYORDU! NEDEN OLUYORDU! BİLMİYORDU! Vücuduna inen coplardan korunmak için yere eğilip başını kollarının arasına alarak kafasını korumaya çalıştı ama bu kolay değildi, emindi, sağ kolu kesin kırılmıştı. Yeni darbelerle, tahammül edilemez hale gelen kırık kolunun acısını dindirmek için kolunu çekti ama kolunun çekilmesiyle açıkta kalan kafasına aldığı darbe hissettiği tüm acılardan daha kötüydü. Kafasından sızan ılık sıvının kan olduğu gerçekliğinde kırık kolunu kalkan olarak kullanmaktan başka çaresi kalmadan yere yığıldı. Ne olduğunu anlayamadan, *Darbe*'yi yayımlayamadan, ailesiyle konuşmadan, Mahizar'ı göremeden öleceğini düşünerek ana rahmindeki pozisyonda büzülerek darbelere direndi. Bayılmanın eşiğindeydi ama bayılamazdı! Bayılırsa bu darbelere dayanamazdı. Kafasını korumalıydı. Kolundan tutup kaldırıldı, yerden yükselir yükselmez karnına gelen tekmeyle bacaklarını kendine çekti ve bir anda... Vücudu şimdi tamamen havadaydı. Tek görebildiği etrafının sarılı olduğuydu. Tek duyabildiği, nereden geldiğini anlayamadığı kalabalık insan seslerinin "Adalet" diye bağırmasıydı. Ne oluyordu? Özge'yi yere fırlattıklarında düşünebildiği tek şey dünyanın sonunun gelmiş olduğuydu. Yine tekmelemeye başladılar, kafasından akan kanın etrafa yayılmasının yanında sırtına, beline, omzuna gelen tekmeler artık önemsizdi. Fena kanıyordu. Sesler uğultuya dönüştü, kulakları tıkandı, kendi nefes alışlarının düzensizliği içinde bilinci kaybolmak üzereydi. Acısıyla birlikte bilinci gitti...

Gözlerini açtığında yanında duran kaskı gördü önce, sonra kaskın yanına düşmüş sopayı ve geride binlerce insan kalabalığının önünde bu maskeli çıldırmışlarla boğuşan birkaç kişiyi... Geride duran insanların bağırdıklarını gördü ama duymadı çünkü kaybettiği kan duyu organlarının çalışmasını engelleyecek düzeydeydi, kulakları tıkanmıştı. Gözlerini kapatıp kendini karanlığa bıraktı istemeden. Yerden kaldırıldığını hissetti, geriye düşen kafasını son bir hareketle kaldırmaya çalıştı, karşı koymalıydı ama artık çok geçti ve gözleri kapandı.

31. Bilge

Hassas, tepkisel, zeki, çabuk... Gaz pedalından isteyebileceği her şey ayağının altında tek bir dokunuşta bekliyordu. Bilge gaza bastı. Otobana bağlanan yola sapmak üzere soldaki yolu seçti, dizginlerinden kurtulmak üzere, sabırsız bir at gibi hissediyordu. 4 şeritli otobana çıktı. Tekrar gaza bastı. En sağ şeritten ortaya doğru kayarken hızlandı, hızlandığı halde niye tedirgin hissedemediğini bilmiyordu. Daha da hızlanarak en sol şeride geçti. Hız ibresi 140'ı gösteriyordu. Gitmek için değil, diğerlerini geçmek için sürüyordu aracı!

Bunu fark eder etmez hafifçe frene dokundu. Dokunuşuna araba hemen tepki verip yavaşlayınca ancak heyecanlandı. Hızlanmak değil yavaşlamaktı onu endişelendiren. Sanki hız daha güvenliydi. Kendini aracın beyni gibi hissederken uygarlığın nasıl bir seviyeye geldiğini düşündü, tekerleklerin üzerinde kayan bir aracın içindeydi. Kendini önce gelişmiş bir topluma ait hissetti, hemen ardından, ulaşımın hâlâ yerde kayan araçlarla ancak yapılabildiği idrakine varıp teknolojinin ne kadar da gelişmemiş olduğunu düşündü. Zıtlıklar Bilge'nin beyninde tüm anlamlarıyla aynı anda var olabiliyorlardı.

Can Manay'la asansördeki olay unutulamazdı. Doğru'yu okula bırakıp ofise tekrar geri dönmek için yola koyulduğunda kafasını temizlemek için önce müziği açmış, düşüncelerini müziğin ritmine kaptırıp kendini hıza bırakmıştı.

Doğuştan bir sürücüydü Bilge, kendi yeteneğini yeni yeni keşfeden hevesli bir sürücü, en tehlikelisinden. Kendisini bu kadar doğal hissettiği çok az şey olduğunu düşündü, bu yanlıştı, aslında daha önce kendisini bu kadar doğal hissettiği hiçbir şey olmamıştı. İlk defa her şey onun kontrolündeydi.

Bilge keyifle ve dikkatli bir şekilde arabasını kullanırken sıkı-şık trafiğin arasından sıyrıldı, otobana bağlanan yola sapmak üzere soldaki yolu seçti. Dizginlerinden kurtulmak üzere olan sabırsız bir at gibi hissediyordu kendini. 4 şeritli otoban açıktı. Radyoda çalan şarkı İngilizceydi ve Bilge'nin İngilizcesi çok iyi değildi. Ama birbiri ardına takip eden kelimelerin arasında bir cümleyi anlayabildi: "There is something wrong with me chemically...."*

Ayağı gaz pedalını baskılarken müziğin sesini biraz daha açtı. Nasıl olsa otobanda giderken kimse onu bu kadar yüksek sesle müzik dinlediği için yargılayamazdı. Şarkı devam ediyordu: "Wrong questions with the wrong replies... Wrong... Wrong..."**

Bu sözler tanıdık geliyordu. "I was on the Wrong page of the Wrong book... WORNG... WRONG... too Wrong... too Wrong..."***

Hızı artarken ilk defa kendini kendi hayatında bir başrol karakteri gibi hissettiğini fark etmeden önündeki aracı solladı. Korkusuzca en sol şeritte hedefine doğru ilerlemeye devam etti. Şarkı "I was born with the wrong sign in the Wrong house with the Wrong ascendescy..." derken anladığını sandığı şeyin düşündüğü gibi olduğundan emin değildi ama anladığını sandığı şeyin kendi hayatını anlattığından emindi.

Bilge o gün ilk defa bir şarkıda kendini buldu. Daha da hızlandığında yolunu tıkayan araca 2 kere selektör yapıp yol vermesini buyurdu. Ve yine ilk defa buyruğunun yerine getirileceğinden emin birkaç saniye bekledi, öndeki araba kenara kayar kaymaz hiç tereddüt etmeden ve zaman kaybetmeden hızlandı. Yol onundu. 160'a çıktığını fark ettiğinde kendini kaptırdığı

---

* Bende kimyasal bir yanlışlık var.
** Yanlış cevaplarla yanlış sorular... Yanlış... Yanlış...
*** Yanlış kitabın yanlış sayfasındaydım... Yanlış... Yanlış... fazla yanlış... fazla yanlış...

şarkı bitmişti. Şarkının bitmesi mi, 160'a çıkmış olması mı onu kendine getirdi, sorgulamadı. Ofise giden çıkışı kaçırmış olmayı da çok kafaya takmadı. Arabasıyla gitmesi gereken yolun uzaması terapilerin en güzeliydi sanki, ilk defa kontrol tamamen kendisindeydi ve sanki ilk defa hayat onu adam yerine koyuyordu.

Ofise dönebilmek için bir sonraki sapaktan çıktı, virajı alıp kavşağa vardığında gözlerine inanamadı. 30 kadar zırhlı polis aracı yolun kenarında dizilmişti. Savaş kıyafetlerini kuşanmış çevik kuvvet ekipleri bir binanın önünü kuşatmışlardı. Bilge dikkatle binaya baktı, ülkenin en çok izlenen TV kanalının, Can Manay'ın programının yayınlandığı kanalın ana binasıydı bu. Acaba neden kuşatılmıştı? Çevik kuvvetin baskın yapacağı kadar korkunç ne yapmış olabilirlerdi? Terörist bir saldırı mı vardı? Aklına bu düşünce gelir gelmez şaşkınlığından sıyrılıp hemen kavşaktan zor da olsa dönüşünü yaptı aceleyle ve ancak binadan uzaklaştığı zaman halkı görebildi. Binanın kuşatma değil koruma altında olduğunu, çevik kuvvetin bu TV kanalını halktan koruduğunu anlaması iki gününü alacaktı.

32. Duru & Can Manay

Duru'nun eşyalarını bizzat kendisinin topladığı gün ve Deniz'in eşyalarından kurtulduğu bir sonraki günle birlikte bu eve üçüncü gelişiydi bu. Can, burayı Deniz'e ait hissetse de seviyordu bu evi. Burası dünyayı alkışladığı yerdi çünkü Duru'yu burada bulmuştu. Duru'nun içeride olduğunu bilmenin huzuru ve yine Duru'nun en sonunda buraya gelmiş olmasının dehşeti içinde ona seslenerek merdivenleri çıktı. Odalarda yoktu. Çatıya çıkan merdivenlerin ortasında durakladı, birazdan hayatının rolünü oynaması gerekecekti ve durup bir an olsun nefes almaya ihtiyacı vardı. Her şeyin yolunda gideceğinden emin ama Duru'nun gizlice buraya kaçıp gelmesinden kaygılı çıktı son basamakları.

Kendi yıkılmışlığında kaybolan Duru'yu gördü. Duru hıçkırıkları içinde sessizce ağlıyordu. Durum biraz abartılı gözükse de bu durumu iyi biliyordu Can. Hastalarından birçoğunu bu hale getirebilmek için çok çalışmıştı. Kendisi için böyle ağlayan bir sürü hastası olmuştu. Yarattığı bağımlılıkla açmıştı tüm kapıları. Şimdi yere çökmüş ağlayan bu muhteşem yaratığın ağlaması, hayatı boyunca hissettiği en ağır duyguyu yaydı bedenine. Ağırlık, Duru'nun acısından değil, o acıyı bu güzel bedende yaratabilen kişinin Deniz olmasındandı. Asıl şimdi, tamamen nefret ediyordu o adamdan. Can içinde hissettiği ani nefreti bastırıp bir an daha bekledi. Sonra sakince avına yaklaşan bir aslan gibi Duru'ya eğilip omzuna dokundu. Duru irkilir irkilmez silkelendi, Can'ın dokunuşundan kurtardı kendini. Can Duru'nun verdiği tepkiye hazırlıksız geri çekilirken artık kendini bir aslan gibi değil bir sırtlan gibi hissediyordu. Ancak bir sırtlan avın verdiği tepkiye göre etrafında dolanırdı. Duru'nun etrafında bir an dolanıp mırıldandı: "Konuş benimle."

Duru kafasını kaldırdı, kızgın kırmızı gözlerini kısıp nefretle baktı ona ve avucunun içinde tuttuğu kâğıtları saklarcasına göğsüne bastırıp gözlerindeki öfkeyi, Can'ın ürkek, sırtlan gözlerinden ayırmadan kalktı. Onu sert bir şekilde geçip merdivenlerden indi.

Can bir şeylerin planladığının dışına çıktığını anladı, ama nasıl? Duru'nun gözlerinde gördüğü şeyi teşhis etmeye çalıştı ve teşhiste başarılı olamayınca onu henüz o kadar iyi tanımadığı için öfkelendi. Öfkesini içinde dindirip Duru'nun ardından gitmek için bir adım attı, sonra bir an durdu, kendi kontrolünden çıkmak üzere olan durumla ilgili ipucu ararcasına bakındı etrafına. Yerde atılı duran kitaplar mantıklı değildi. Kitaplığı inceledi. Duru'nun elinde tuttuğu kâğıtlar neydi? Bir şey unutmuştu. Daha doğrusu bir şey atlamıştı. İnsan bilmediği şeyi unutamazdı. Bu lanet olası herif bu kitaplara bir şey saklamış olmalıydı, Duru'nun kalbindeki ihaneti dindirip sevgiyi canlandırabilecek güçte bir şey. Temkinli bir şekilde aşağıya inmeye başladığında sokak kapısının kapandığını duydu ve beyni salisenin binde biri kadar bir zamanda ona koşmasını emretti.

Duru bahçe kapısına varmadan Can ona yetişmişti. Gitmesine, uzaklaşmasına, ona ait olmamasına asla izin veremezdi. Duru merdivenlerden inerken Can ciğerlerindeki tüm havayı bir haykırışla boşalttı: "Nereye gidiyorsun? Konuş benimle!"

Duru merdivenlerden inmek, etrafındaki herkesten uzaklaşmak, buralardan gitmek istiyordu. Can'ın haykırışı onu durdurana kadar birkaç basamak inebildi. Can "Gitme! Bunu yapma bana! N'oluyor?" dedi ve olduğu yerde dizlerinin üstüne çöküp, "Elimden geleni yapıyorum. Görmüyor musun? Sen her şeysin. Benim için senden daha önemli hiçbir şey yok ve beni, seni umursamayan bir serseri için mi bırakacaksın. Umursamazca çekip giden, seninleyken bile seninle olmayan. Haksızlık bu... Konuş benimle" dedi ve ağlamaya başladı.

Duru durduğu basamakta gözlerini kapadı, geriye bakmadan gitmek istiyordu ama vicdanı onu durdurmuştu. Can'ın aşkı çok güçlüydü, derindi, hatta bazen karanlık bir kuyu kadar derin. Can'a dönmeden sordu: "Deniz'in eşyaları nerde?"

Can şakaklarında kabaran damarların atışını hissetti bir an, duyduğu şeye inanamadan haykırdı: "Bana o serserinin hesabını mı soruyorsun?"

Duru döndü, duygusuz, dümdüz sordu: "Deniz'in eşyaları nerde?"

Can çıldırdı. Yeri tekmeledi. Neden silemiyordu bu herifi Duru'dan! Duru sakince, kıpırtısız seyretti Can'ın bir hayvan gibi tepinmesini, köşedeki hortumu tekmelemesini. Bir an Duru'ya döndüğünde kendine geldi. Gözlerinden akan yaşı silip dikleşti. Duru'ya yaklaşmadan konuştu: "Evi temizlettim."

Duru dönüp merdivenlerden inmeye başladığında Can bir iki adım atıp bağırarak açıkladı: "Temizlettim çünkü bu eve geldiğinde Deniz'in burayı, annenin evini nasıl yağmaladığını görmeni istemedim. Burayı nasıl bir uyuşturucu yuvasına çevirdiğini, buraya getirdiği kadınlarla nasıl âlemler yaptığını, bir beleşçi gibi senin hatırana dahi saygı duymadan, seni özlemeden nasıl her şeyi kirlettiğini bilmeni istemedim. Yırttığı fotoğrafları, senin eşyalarını, parçalayıp üzerine işediği o özel defteri bulmanı istemedim."

Duru duramadı, merdivenlerden indi kaçarcasına, kapıyı açtı, dışarı çıktı ve kapattı ama gidemedi de. Kapının önüne çöküp, kucağında sarıldığı geçmişten gelen ne varsa intikam alırcasına sıktı, buruşturdu ve içindeki hıçkırıkları bırakarak kapının önünde ağlamaya başladı. Sevginin nefretle birleşmesinde ancak ortaya çıkabilen o zehirli atmosferin içinde artık nefes alamıyordu.

33. Göksel

Genelde tıklım tıklım dolu olan otobüs çok sakindi, Göksel uzun bacaklarını yayarak oturduğu koltukta kaykılabilmişti bile. Spor salonuna doğru tıngır mıngır gidiyordu. Karşısında oturan adam kolunun altındaki gazeteyi açıp okuyana kadar da aklı spor salonunda yapacağı iş görüşmesiyle, suratını dağıttığı yönetmen arasındaydı. Karşısında açılan gazetenin son sayfasının üst köşesinde, öldürülen 2 polisle ilgili haberin fotoğrafı o kadar büyüktü ki Göksel birazcık paranoyak olsa sayfanın kendisine gösterilmek için böyle açıldığını düşünebilirdi ama paranoyaya kapılmayacak kadar soğukkanlı biriydi ve sakince yazıyı uzaktan okudu. Başlıkta "Marjinal grubun saldırısına uğrayan polis memurları kurtarılamadı" yazıyordu. Hissettiği şaşkınlığa rağmen Göksel'in suratına tereddütsüz bir gülümseme yayıldı. Gülümsemenin tuhaflığı o kadar rahatsız ediciydi ki gazete okuyan adamın yanında oturan ve Göksel'in garip çekiciliğine dalan kız bile tehlikeyi sezmiş küçük bir tavşan gibi yönünü değiştirdi. Göksel'in şaşkınlığı adamların polis olmasından, gülümsemesiyse polis adı altına gizlenmiş bu iki psikopatın işini bitirmiş olmasındandı. Gazete almaya karar verdi. Hatıralarını biriktirecek kadar düzenliydi artık hayatı. Kiralık bir gecekondusu, içinde bir tek Ada'nın numarası kayıtlı olan cep telefonu ve 4 köpeği vardı. Neredeyse zengin bir adam gibi hissediyordu ama aklına yavrular gelir gelmez spor salonuna gitmek için sabırsızlandı. Tek başına idare edebilirdi ama yavruları beslemek için bu işe ihtiyacı vardı.

İnmesi gereken durağa geldiğinde, insanlardan nefret eden biri olarak bir sürü insanla nasıl çalışabileceğine kaydı aklı. Bir kaplanın kuzularla çalışması gibi bir şeydi bu, üstelik kuzuların yönettiği bir dünyada. Peki, ne yapabilirdi? Trafiğe yasaklı olan taş yola girdiğinde hırsızlık yapmayı düşünüyordu ama teknoloji çok gelişmişti, her yer kameralar ve alarmlarla korunuyordu. Korunmayan yerlerse fakirlerindi ve birincil ihtiyaçlarını karşılayamayan, açlık sınırında yaşayan insanlardan çalmak Göksel'in bile acımasızlığına uymazdı. Açlık, hiçbir şeye benzemiyordu. Çocukken öğrenmişti bunu. Çöp toplama işi de iyiydi ama daha düzenli, garanti bir işe girmenin vakti gelmişti. Çöp toplamak yerine artık sürekli Ada'ya ulaşmak için yürüyordu o yolu. Ada'ysa onu kovuyordu. Onun müziğini dinlemeyeli çok olmuştu. Keşke şu yumuşak yönetmenin suratını dağıtmasaydı diye düşünürken normalde çok kalabalık olan bu bölgenin bugün ne kadar boş olduğu dikkatini çekti. Etrafına bakınarak köşeyi döndüğünde yol kenarlarına dizi dizi oturan, hatta yere serdiği gazetenin üstünde uyuyan çevik kuvvet ekiplerini gördü aniden. İçgüdüsel olarak dönüp uzaklaşmak istedi ama tehlikeden koşarak kaçılamazdı. Adımlarının ritmini bozmadan öylece yürüdü ara ara kendisine dik dik bakan polislerin önünden. Bir tanesiyle göz göze gelir gelmez, yere bıkkınlıkla çökmüş olan polis ayağa fırlayıp, "N'oluyo lan! Kime bakıyorsun sen!" diye diklendi. Göksel anlık bir refleksle dalabilirdi bu zavallıya ama neyse ki kendini kontrol edebiliyordu artık.

Sabır, böyle bir tehlike karşısında işe yarayan en iyi savunmaydı.

Göksel başını öne eğip adımlarını durdurmadan ve adamın diklenmesine aldırış etmeden yürüyüp geçti. Ama tehlike geçmemişti. Şimdi herkes ona bakıyordu. Sakince yürümeye devam etti. Arkadan biri bağırdı: "Gazeteci misin lan sen!?"

Göksel tepkisiz, duymazlıktan geldi. Daha fazla böyle yürüyemeyeceğini biliyordu, kıvılcımın alev almasına ramak kalmıştı. O an önünden geçmek üzere olduğu tostçuya girdi. Girer girmez hayırlı işler dileyip bir tost istedi. Ödeyecek parası yoktu ama önemli değildi, polislerden ikisi de ardından girdi ama Göksel onları görmezden gelip büfenin üst katına çıktı. Üst katta iki kız ve bir oğlanın tostlarını yerken pencereden dışarıyı izlediklerini görünce rahatladı. Birazdan hayatının tamamen değişeceğinden habersiz, huzursuz, köşedeki küçük tabureye oturdu. Masanın üstündeki gazetelerden birini alıp kamufle oldu.

Aklında, spor salonundaki görüşmeye geç kalacağından başka bir şey olmadan mecburen beklemeye karar verdi, dışarıda bu kadar polis varken sokakta yürümek mayın tarlasında dolaşmaya benziyordu.

34. Can Manay & Duru

Artık avcı değildi, hayatı avladığı şeye bağlı olan bir avdı. Duru'nun acımasızlığı sonu olacaktı. Biliyordu, emindi. Çiçek'in yapmadığını Duru yapacaktı. Hissediyordu. Duru'nun kapının önünde çökmüş ağlamasını izledi merdivenlerin tepesinden. Yaklaştığı anda gideceğini bilerek sessiz, acı içinde bekledi öylece. Ne yapacağını düşünerek durdu, sonra aklına geldi.

Çeviklikle kendi bahçesine atladı. Anahtarları yanında değildi. Duru'yla birlikte yaşamaya başladıklarından beri gelmemişti bu eve. Çardağa koştu. Etrafı naylon bir kılıfla özenli bir şekilde kaplanmış çardağın kılıfını aceleyle açtı, üstündeki muşambayı kenara fırlattı. Salonun camına koştu. Her yer kilitliydi, kum bahçesinden aldığı kaya parçasını aceleyle cama geçirdi. Parçalanan camı bahçedeki mumlukların sopalarından biriyle iyice kırdı ve içeri girip hemen alarmın şifresini girdi. En son istediği şey buraya güvenliğin doluşmasıydı. Üzerindeki kıyafetleri aceleyle çıkarırken don giymediğini fark etti, hızla yukarı koştu. Çamaşır çekmecesinden aldığı donu giyerken merdivenlerden indi, bahçenin sokağa açılan kapısını sistemden açıp bahçeye fırladı. Koşuşturmacadan dağılan saçları aslan yelesi gibi kabarmıştı. Merdivenlerden indi, açılan kapıdan dışarı fırladı. Gecenin karanlığında üzerindeki beyaz donuyla, Duru'nun şaşkın bakışları eşliğinde hiç ona bakmadan yolun ortasına yürüdü. Dimdik, dümdüz durdu. Kafasını yavaşça kaldırıp Duru'ya baktı ve dizlerinin üstüne çöküp bekledi.

Can'ın beyaz donlu, diz çökmüş hali Duru'nun önce acısını dondurdu. Can aynı böyle çökmüştü dizlerinin üstüne o gece bahçede, aynı beyaz donuyla parlıyordu yine. Omuzlarının genişliği, vücudunun kısalığını unutturan kaslı yapısı ve en önemlisi de vücuduyla ifade etmeyi başarabildiği gücün teslimiyetiyle aynı adamdı. Bu adam o gece başlatmıştı Duru'nun karşı koyamadığı merakını. Kendisini buraya kadar getiren merakı, şimdi ilk uyandığı o andaki duyguyla kendine geldi, yine tetiklendi. Niye buraya geldiğini, yaşananları niye yaşamayı seçtiğini hatırlattı Duru'ya. Kimsenin kendisinde uyandıramadığı bir duygu vardı bu adamda. İçten içe Can'dan başka kimsenin kendisine böyle dokunamayacağını, kendisini böyle doyuramayacağını bilen ama yine içten içe bundan tiksinen ve ancak ona acıktığında onun tarafından doyurulmak isteyen bir kadın vardı bedeninde. Kabul etmek hatta düşünmek bile istemese de Can Manay tarafından bedeninde uyandırılan, daha önce kimseyle yaşayamadığı orgazmlara bağımlı, aç bir kadındı bu.

Bu beyaz donlu diz çökmüş adam... Kadınların peşinde koştuğu adam... Ülkenin en güçlü adamı... Dokunduğunda açlığa neden olan adam... İstemeyen, alan erkek... Resmen kendisine tapıyordu. Bu adam için kendisinden önce, kendisinden başka hiçbir şeyin gelmediğini hatırladı Duru. Cinselliği açlığa dönüştüren varlığını, ona acıkmanın geri kalan her şeyi unutturan etkisini hatırladı. Can Manay'a niye gittiğini hatırladı. Çünkü açtı. Çiğ, taze, vahşi, kalıpsız duygulara açtı. Yüzünü sildi. Sakince ayağa kalktı. Sokağın ortasında diz çökmüş Can'a yürürken tiksinmesi yine saygıya dönüştü. Kaç tane erkek vardı böyle? Böylesine cesaretli, böylesine ne istediğinden emin, böylesine erkek...

Duru yaklaşır yaklaşmaz Can sıkıca kavradı onu, kafasını kasıklarına dayadı. Duru ıslanmıştı. O an, sadece bu adamın kendisine hissettirebildiklerini hissetmek istedi.

Can'ın yıllarca üzerine çalıştığı uzmanlık alanı sanki hayatını kurtarmıştı. Richard Bandler ve John Grinder'a* şükrederek iyice sarıldı Duru'ya. Sonra Duru'nun kalçasındaki kıpırtının kendisini çağırdığını anladı, aniden ayağa kalkıp bir hamlede onu kucakladı ve açık bıraktığı bahçe kapısından girdi, ayağıyla kapıyı kapattı ve merdivenleri atletik bir şekilde çıkıp doğru çardağa gitti. Duru'yu çardağın içine soktu.

Buraya gelmeyeli çok uzun zaman olmuştu ama minderlerin konforu aynıydı. Karşısında sırtüstü uzanmış kendisine bakan Duru... Bir hayalin gerçekleşmesiydi bu. Bu çardakta, bu anı hayal ederek yaptığı mastürbasyonlar geçti aklından, Duru'yu daha önce ikna edememişti bu çardağa girmeye bile ama şimdi belki de Deniz'le olan son bağın da kopmasıydı bu. Konuşmadan ve bakışlarını Duru'dan almadan Duru'nun altındaki taytın ağını ve içindeki çamaşırı yırttı. Önünde açılan cennet kapılarıymış gibi tereddüt etmeden suratını yapıştırdı. Kasıklarının kokusu o kadar tahrik ediciydi ki boşalmamak için kendini zor tutarak istediği tüm tatları alırcasına içti Duru'yu. Erkekliği bir sancıya dönüşmek üzereyken doğruldu, tek eliyle Duru'nun memelerini açıp avuçlarken diğer eliyle kalçasını kaldırıp içine girebilmek için uygun bir pozisyona getirdi. Duru'nun tamamen tepkisiz, kıpırtısız kendisini dümdüz izlediğini fark etmeden açlığını dindirmeye çalıştı. Duru'nun beyaz pürüzsüz teni ve memelerinin pembe uçları kendi kısa, kalın parmaklarının arasında neredeyse parlıyordu. Duru'nun içine hemen girmeyecekti ama kıpırtısız Duru hafifçe kalçasını oynatınca başka çaresi kalmamışçasına sonuna kadar yavaşça ittirirken kafasını kaldırıp Duru'ya baktı. Duru inleyerek başını geriye atmış ve

---

* Matemetikçi Richard Bandler ve Dil Bilimci John Grinder, işitsel, görsel öğeler kullanarak düşünce ve duyguları değiştirmek, yeniden programlamak, geliştirmek için NLP (Nöro-Linguistik Programlama) yöntemlerin temellerini atan bilimadamlarıdır. NLP, insan programlama konusunda referans noktaları kullanılarak istenilenin, istenilen şekilde düşündürülebileceğine adanmış bir bilimdir.

gözlerini kapamıştı şimdi. Can, yavaşça gidip gelmeye başladığında üzerine doğru eğilip onun kafasını kaldırdı ve mırıldandı: "Aç gözlerini." Duru bir an gözlerini açtı, Can'ın ihtiras ve basınçtan kızarmış suratı, yerçekimine karşı koymaya çalışan yüz hatları onu almak üzere olduğu zevkten, duygulardan uyandırdı. Uyanmak istemeyen birinin uyanışı gibi huysuzlandı Duru, Can'ı yana devirip üzerine çıkarken "Şşşşt" diyerek susmasını buyurdu. Artık Can tamamen sessiz ve teslimdi. Her anı beynine kaydetmek isteğiyle kocaman açtı gözlerini ve üstünde kafasını geriye atarak mırıltılar şeklinde inleyen Duru'ya kitlendi. Yaşadığı bu şey, yaşamak istediği tek şeydi. Sonsuza kadar bu anın ve Duru'nun içinde var olabilmek cennetti. Duru'nun güzel boynundan göğüslerine kaydı gözleri, göğüslerinden kıvrımlanan beline, oradan kendi göğüs kafesine geçirdiği güzel, uzun, beyaz parmaklarına ve sonra da sağ elinde sıkıca tuttuğu kâğıtlara... Can hemen bakışını aldı, orda kalırsa kafasına hücum eden düşünceler bu anı bölecekti. Duru evde bulduğu şeyi hâlâ bırakmamıştı! Elinde sımsıkıydı!

Duru'nun inlemeleri ritim kazandığında Can belki o güzel yüzünü görürüm umuduyla başını biraz kaldırdı, Duru'nun kafası öndeydi şimdi ama saçları kapamıştı suratını. Can, üzerinde gidip gelen Duru'nun saçlarını açıp onunla göz göze gelme umuduyla elini uzattı ama Duru küçük bir titremenin ardından bir anda Can'ı içinden çıkarıp kenara çekildi. Boşalmıştı. Can şimdi sıranın kendisinde olduğunu bilerek iştahla doğruldu, Duru'ya uzanıyordu ki Duru başının döndüğünü, kendini yorgun hissettiğini mırıldanarak kalkıp çardaktan çıktı. Duru'nun ardından ne olduğunu anlamaya çalışan Can elinde erkekliğiyle öylece kalakalmıştı.

Duru evin içine girdiğinde o da çardaktan çıktı, çırılçıplak olmasının umursamazlığında ereksiyonundan bir milim bile kaybetmeden eve yürüdü ama Duru kapıyı kapatmıştı. Öfkesi bir anda tüm vücuduna yayıldı ama karşısındaki Duru'ydu! Öfkesiyle onu korkutmak istemiyordu. Kendini sakinleştirerek biraz önce kırdığı camdan salona girdi. İçeri girdiğinde ayağını kesti ama umursamadı, umursayacak çok daha önemli bir şeyin peşinde yukarı çıkacaktı ki girişteki küçük banyodan sifon sesi geldiğini duydu. Yavaşladı, banyo kapısını açmaya çalıştı ama kilitliydi. Kapıyı tekmelememek için dişlerini sıktı. Ne oluyordu! Duru resmen kendi istediğini alıp onu sap gibi ortada bırakmıştı. Bir erkeğe yapılabilecek en son şeydi bu! Bir kadının tecavüze uğramasındaki şiddet neyse bir erkeğe de ancak böyle bir vahşet gösterilebilirdi!

Kapıyı çalmak istedi ama kendini engellemek için resmen kendi elini tuttu. Beklemekten başka çare yoktu. Girişte, hemen banyonun önündeki tek basamağa otururken vücudunda gezinen adrenalini kontrol altına almazsa hayatının en büyük hatasını yapabileceğini anladı. Kıpırdamaması gerektiğini biliyordu, en ufak bir kıpırtıda ayağa fırlayıp çıplak elleriyle bu evi yıkabilirdi. İçinden sürekli Duru'ya asla kızmaması gerektiğini söylüyordu. Elindeki kâğıt tomarını sıkıca tutarak kendisiyle seviştiğine inanamıyordu. Kendini resmen becerilmiş hissediyordu. Bu, çirkin, ucuz, anlamsız hissettiren bir becerilmeydi. Ona özünde kim olduğunu hatırlatan, asla Duru gibi güzel bir şeye layık olmadığını söyleyen bir becerilme. Can beynindeki düşüncelerle savaşırken kafasını ellerinin arasına aldı, çıldıracaktı.

Duru vücuduna sardığı havlunun konforunda banyodan çıktı. Yerde çıplak oturmuş kafasını ellerinin arasına almış Can'ın yanından geçti. Duru'nun güzel ayakları geçip giderken "Emindim camdan gireceğine" diyen mırıltısını duydu.

Duru salona geçip koltuğa oturdu, dizlerini kıvırıp kendine çekti. Can ayağa kalktı, peşinden gitti. Salonda sakince oturan ve kafasını koltuğa dayayıp dinlenen Duru'ya baktı. Bir elinde hâlâ o kâğıtlar vardı. Can'ın alnındaki ve boynundaki damarlar atmaya başlamıştı. Duru'yu tokatlamak istiyordu ama yapmayacaktı. Yapamazdı. Tek bir kelime bile konuşursa, ağzını tek bir kelime için bile açarsa içindeki öfke fırsat bulup dışarı kaçacaktı. Gözlerine hücum eden yaşlara, dişlerini sıkmasından dolayı iyice kabaran alnındaki damara, kendini gerdiği için kızaran suratına rağmen tereddütle birkaç adım attı Duru'ya doğru. Öfkeden daha kötüsü öfkeyi içinde tutmaya çalışmaktı.

Can'ın hali ilginçti. Her haliyle farklı biriydi ama şimdi gözlerinin içinden fışkıran şey, kendini tutmak için tüm gücüyle çalışan bir adamın ısrarıyla birleşince Duru'nun ilgisizliği dönüştü ve Duru kaykıldığı koltukta hafifçe doğrulup henüz yeni fark ettiği eşsiz bir şeyi görmüş gibi baktı ona. Çırılçıplak Can Manay, aslan yelesi saçları, kızarmış kısık derin gözleri, belirginleşmiş boyun damarları, çatılmış kaşlarıyla tam karşısında duruyordu. Ölümlü sahibinden emir bekleyen ölümsüz bir Tanrı gibiydi. İhtiras. Can'dan fışkıran şeydi ihtiras.

Can'ın birkaç saniye Duru'nun karşısında durması, bir şey söylemek için 2 kere ağzını açması ama vazgeçmesi, öfkeden kızarmış gözünden bir yaşın süzülmesi ve aniden arkasını dönüp banyodan kaptığı havluyu beline dolayıp evden çıkıp gitmesi saniyeler sürmüş, bu çekip gidiş nihayet Duru'nun avucunda sıkı sıkı tuttuğu kâğıt tomarını bırakmasına neden olmuştu. Duru Can'ın peşinden fırlamaya karar verdiğinde Can'ın aracı sokağın köşesini dönmüştü bile, Duru'yu o evde yalnız bırakarak sonun başlangıcına neden olacağını bilmeden uzaklaştı Can.

Duru eve geri döndü. Üşümüştü. Nasıl bu kadar acımasız davranabilmişti! Deniz'in bıraktığı mektuplar ve diğer eşyalarla ilgili konuyu kapatmaya da hazır üst kata çıktı, banyoya girdi. Bu evde kaldığı ilk geceyi hatırladı. Can'ın fikri acımayla büyüdü içinde. Oyalanmadan duştan çıktı. Toparlanıp Can'ın gönlünü almaya karar verdi. Onun kıyafetlerini giyecekti. Çekmeceleri birer birer açıp kendisine uydurduğu kıyafetlerden seçti. Kemerin deliği yetmediği için deri kemeri bağlayarak giydi gri keten pantolonu. Üstüne de Can'a dar, Duru'ya bol gelen beyaz bir atlet geçirdi. Bir de gömlek uydurdu mu tamamdı. İlk açtığı dolapta sadece ayakkabılar vardı. İkincisinde takım elbiseler ve üçüncü dolaptaysa gömlekler. Beyaz bir gömlek seçip giyerken dolabın yanındaki duvarı fark etti, duvarın dolapla arasındaki parmak kalınlığındaki boşluğuna yaklaşıp dikkatle baktı. Parmağını soktu. Aralıktan bakmak için dayandığı plaka yaylanıp geriye doğru esnedi, Duru önce geri çekilip plakanın eski haline geldiğini gözlemledi, sonra yine yaslanıp geriye yaylanmasını sağladı. Bu bir kapıydı. Hafifçe yüklenip önce sağa sonra sola sürdü, plaka sola sürülünce duvarın içine girip küçük odayla birlikte Can Manay'ın bazı sırları Duru'ya açıldı.

35. Özge

"Su..." Su isteyerek uyandı Özge, susadığından değil. Ağzındaki kan tadından dolayı su içmeliydi. Gözlerini açtı. Dev kubbeye işlenen motifler gecenin karanlığında, ayın narin ışığında bile çok güzeldi. Kubbe dilim dilim cam ve duvardan oluşuyordu. Cam kısımlar vitraylarla, duvarlar ise renkli motiflerle süslenmişti. Etrafındaki telaşı fark etmesi, tıkanık kulaklarının açılmasıyla ancak oldu. Bakışını kubbeden koparmıştı ki etrafta koşuşturan insanları, kendisi gibi yerde dizi dizi yatan yaralıları fark etti.

Kafasını biraz daha kaldırmak istedi ama beynindeki ağrının şiddeti onu engelledi. Acıyı dindirmek için nefesini karın kaslarıyla sıkıştırdı ama acı daha da büyüdü çünkü vücudunu kıpır-dattığı için acıya kolu da katılmıştı, hemen kıpırdanmayı kesti. Gözlerini sıkı sıkı kapattı. İçinde sıkışan havayı yavaşça çıkardı. Gözlerini açmadan öylece yattığı yerde durdu. Hemen yakınında, birinin kendisiyle konuştuğunu duyduğunda da gözlerini açmadı.

Adam, "Kolunda kırık olduğuna eminiz, başındaki yarayı da diktik ama acilen sana bir tomografi çektirmek gerekiyor" dedi. Özge "Susadım" diye mırıldandı. Adam, "Sana su veremem, bey-ninde bir kanama varsa iş ciddileşir. Yol açılır açılmaz seni gönde-receğiz" dedi. Özge hâlâ gözlerini açmamıştı. Kıpırdamadan mı-rıldandı "N'oluyor? Savaşta mıyız?" Birkaç saniye cevap gelmedi. Özge gözlerini açmıştı ki biraz önce kendisiyle konuşan adamdan başka bir erkek, "Ne olduğunu bilmiyor musun?" diye sordu hay-retle. Özge kafasını oynatmamaya özen göstererek sadece gözle-riyle adama baktı. Kafasında sarı işçi kaskı, çenesine indirdiği dal-gıç gözlükleri, boynuna dolanmış çiçekli bir başörtüsü, gözlükle örtü arasına sıkışmış ameliyat maskesi ve suratına yayılan tuhaf beyaz kremimsi sıvıyla hakkında hiçbir yargıda bulunulamayacak tuhaflıkta biriydi bu. Adam sakince "Adını hatırlıyor musun?" diye sordu. Kızda hafıza kaybı olduğunu düşünmek, kızın etrafında olanlardan bihaber, umursamaz bir salak olduğunu düşünmekten daha iyiydi. Özge adını söyledi sakince. Adam kafasındaki kaskı çıkarırken sıkıntıyla "Televizyonlarda yayınlamadıkları için bilmi-yor olabilirsin... 16 yaşındaki çocuğun yaşını büyütüp astılar. Peki, ne işin vardı protestonun tam ortasında?" dedi.

Özge mırıldandı: "İş görüşmesine gitmiştim." Adam suratında beliren küçümsemeyi saklamadan, sessiz ayağa kalktı.

Özge anlamamıştı... İşi için her gün her türlü haber kaynağı-nı takip etmesine rağmen adamın hangi protestodan bahsettiğini bilmiyordu. Bazı kaynaklarda günbegün gördüğü ve inceden inceye büyüyen protestolar vardı ama o kadar yalnızdı ki protestocular, Özge bile onlarla aynı ideal için yola çıktığını dahi düşünmeden umursamamıştı onları. Şimdi nasıl olmuştu da binlerce insanı sokağa döken bir hareket doğmuştu, o zayıf, kimsesiz protestolardan. Böylesine hızla gelişen ve kitleleri içeri alan bir hareketle ilgili ne ana gazetelerde ne de televizyonlarda hâlâ hiçbir şey yoktu, emindi. Mırıldandı: "Anlamıyorum... Neden?" Adam çöktüğü yerden doğrulurken maskesini suratına takmadan önce "Zamanla anlarsın. Bu ülkede artık hiçbir şey göründüğü gibi değil. İnançsız dindarlar, zengin yoksullar, acımasız hayırseverlerle uyutulduk, şimdi uyanıyoruz" dedi ve çekip gitti.

Özge birkaç saat içinde kaskın özellikle kafa hedef alınarak ateşlenen gaz bombasının darbesinden kafayı korumak için, dalgıç gözlüğünün zehirli gazın göze ulaşmasını engellemek için, ameliyat maskesinin atılan kimyasal gazların solunmaması için, çiçekli fularınsa ameliyat maskesine yardım etmesi için olduğunu ve surata sıkılan beyaz sıvınınsa mide ilacıyla suyun karışımdan yapıldığını ve zehirli gazların ciltte yaptığı tahribatı engelleyebildiğini öğrenecekti ama küçük bir çocuğun asılmasının ve polisin kendisine nefretle saldırmasının asıl nedenini öğrenmesi biraz daha zamanını alacaktı. Bu öğreti onu uyandıracak, yapması gerekeni yaptıracaktı.

36. Göksel

Göksel taburenin üstüne gazetenin arkasına saklanmıştı ki dışarıda patırtılar kopmaya başladı. Pencere kenarında oturan gençler pencereden sarktılar. Bir tanesi cep telefonuyla dışarıda olanları çekmeye başladı. Göksel aşağıdaki polislerin belki dışarıdaki patırtıya koştuklarını düşündü ama gazeteyi indirmedi, o gazete sığınaktı, ta ki kızlardan biri dışarıdakilere "N'apıyorsunuz, utanmıyor musunuz! Bıraksanıza küçücük çocuğu, bırakın! Bir de polis olacaksınız!" diye bağırana kadar.

Göksel gazeteyi hafifçe indirdiğinde büfede çalışan iki çocuk çoktan yukarı çıkmıştı bile. Kızların yanına gelip dışarı çıkmalarını, büfeden gitmelerini söylüyorlardı. Ama kızlardan sinirli olanı "Bizi atamazsınız!" diye bağırıp duruyordu. Çocuklar 14 ila 16 yaşları arasında, çelimsizdiler. Bir tanesi kıza diklenmeye kalkınca kızların yanındaki oğlan onu ittirdi. Diğer çalışansa aşağıya fırladı, Göksel ondan önce aşağıya inemediği için pişmandı. Birazdan kapının önündeki polisler buraya dolacak ve kendisi de bu salaklar yüzünden arada kaynayacaktı. Büfeci çocuk kendisini ittiren oğlana küfretmeye başladı, oğlansa "Ağzını topla" diye bağırıyordu.

Göksel'in ayağa kalkıp oğlana çakması, kendisine saldıran kızlardan bir tanesine tokat, diğerine dirsek atması, oğlanı kolundan tuttuğu gibi merdivenlere sürüklemesi, merdivenlerde karşılaştığı polislere bakmadan daracık merdivenlerden oğlanı ittirmesi ve kızlara da küfrederek onları kovalaması, üçlünün polislerden yardım istemeye kalkması ve polislerin de tekme tokat üçlüye girmesi, Göksel'in dayak yiyen kızlardan birini sanki dövmek için çekiyormuşçasına kolundan tutup sokağa fırlatması, sonra diğerini de sokağa kovalaması ama üç polis tarafından çevrelenen oğlana müdahale edemeyeceğini anlayıp büfeden çıkması ve kapının önünde şokta bekleyen kızlara küfrederek gitmelerini haykırması o kadar seri oldu ki, Göksel nihayet bu girdabın içinden çıktığı düşüncesiyle tam uzaklaşmak üzeyken beyaz gömlekli, eli sopalı bir adamın kendisini kolundan yakalayıp "Sağ ol kardeş" demesi, diğer polislerin de kafalarıyla Göksel'i selamlaması, adamın "Sokak aralarına girdiler, yalnız mısın sen?" diye sorduktan sonra Göksel'in kafasını sallarken

büfede dayak yiyen oğlanın ağzı burnu dağılmış halde sürüklene-
rek büfeden çıkarıldığını görmesi, diğer beyaz gömlekli adamın
Göksel'e yetişip elini omzuna atması ve ona "Açığımız var, yar-
dım eder misin? Arkadaşların var mı?" demesi, Göksel'in yürü-
meye devam ederken kafasını hayır anlamında sallaması, adamın
"Ben sivilim. Senin gibi vatandaşa ihtiyaç var" diye diklenmesi
ve "Ülke komplo altında. Kendi vatandaşımızın beynini yıkadı-
lar, bize saldırtıyorlar. Çocuğun var mı?" diye sorması Göksel'in
evet anlamında başını sallayıp "4" diye cevap vermesi, adamın
Göksel'in sırtını sıvazlayıp "Gel bakalım. Biraz ekstra kazanır-
sın, çocukların için" demesi ve Göksel'in onunla yürümesi...
Göksel'i aralarına almaları bir kâbusun hayat bulması gibiydi.
Bir anda, kontrol dışı ve kendiliğinden oluverdi.

Yol boyunca ara sokaklarda yürüdüler, bir noktada havadaki ze-
hirli gaz artınca Göksel'e gaz maskesi verdiler, yaşları 13-60 arasın-
da kızlı erkekli halkı sopalarla kovaladılar, giriş katındaki evlerin
camlarını ellerindeki sopalarla kırıp içeri zehirli gaz attılar, zafer
naraları atarak yaklaşık 3 saat dolandılar. Sonunda da Göksel'in
görüşme için gitmesi gereken spor salonunun bulunduğu alışveriş
merkezinin önüne geldiler.

37. Özge

Gözünde yüzücü gözlüğü, ağzında maske, başında kask... So-
kağa çıktıklarında gördüğü manzara inanılmaz olsa da etrafında
olanlardan çok kolundaki kırığa kilitlenmişti, belki gerçekten be-
yin kanaması geçiriyordu ve mantıklı düşünemiyordu çünkü yü-
rümenin neredeyse imkânsız olduğu bu sokakların boş gaz kovan-
larıyla dolu olduğunu fark etmesine rağmen aldırmadı. Binlerce
gaz kovanının oluşturduğu engebeli yoldan ara sokaklardan birine

daldılar. Önündekini takip etmesini söylemişlerdi, "Ne olursa olsun durma ve asla beyaz gömlekli adamların çağırdığı yöne gitme!" demişlerdi.

6 kişiydiler, ikisi dışında hepsi yaralıydı. Birbirlerinin ardı sıra ilerlediler. Hastaneye varabilmeleri için dik yokuşu inip parka girip caddeye ulaşmalıydılar. Parka varana kadar her şey yolunda gitti, Özge'nin beyin kanaması ihtimali ve kolundaki kırık dışında. Parka girdiklerinde önce ani bir sisin içinde kaldılar, Özge aldırmadan önündekini takip etmekte kararlıydı ama sis dalgası belirdikten sonra önce teni sonra solunum yolları, ardından nefes borusu ve nihayet ciğerleri daha önce varlığından bile habersiz olduğu bir acının içine saplandı. İki büklüm oldu, doğrulamıyordu. Hava yerine soluduğu bu şey sağlıklı hücrelerine saldırıyor, onu hücre hücre öldürüyordu. Kolundaki kırığı unutturacak keskinlikteki acı tüm bedenine yayılmıştı. Diğerleri onun iki büklüm olduğunu görüp yavaşladılar. Hemen önündeki ona doğru geri gelirken aniden uçtu.

Sisin arasında ne olduğunu anlamak çok zordu, Özge hiç tanımadığı ama takip ettiği bu kişinin uçtuğuna emindi. Dikkatle baktı. Tazyikli suyla insanları hedef alıyorlardı. Ciğerlerine girmiş hücrelerini öldüren zehre ve püskürtülen suya katıldığı için cildi anında yakıp kıpkırmızı tahriş eden zehre rağmen Özge doğruldu, birazdan kendisinin hedef olacağından emin, ağaçların arasına daldı. Burada duramazdı, bir savaşın tam ortasındaydı.

Parkı kuşatan araçlardan sürekli tazyikli su fışkırtılıyordu. Suyun çarptığı vücutların havalanıp sert bir şekilde yere çarpmasını izledi. Olamazdı bu! Böyle olmamalıydı! Nefesini tuttu. Sakinleşmek için bir an gözlerini kapadı. Bu savaş alanında ne işi vardı? Bu savaş alanının ne işi vardı bu ülkede!

Parkın karşısında biriken çevik kuvveti fark etti. Ayağa kalktı,

yalpalayarak da olsa ağaçların yanındaki kalabalığa yürüdü. Kala-
balığın arasında olmanın tuhaf huzurunu hissetti bir an ama sade-
ce bir an, çünkü herkes hızla koşmaya başlamıştı. Özge kalabalığa
sığınıp onlarla birlikte aktı. Kolundaki kırığın her adımda sızlayan
ağrısına aldırmaması gerektiğini beynine kazıyarak koşabildiği
hızda koştu. Ona hayatta kalmasını emreden içgüdülerinin em-
rinde sürüye katıldı ve caddeye vardığında sürüden artık ayrılması
gerektiğinin bilincinde ayrıldı. Arkasına bakmadan caddeyi geçti,
kıyıda insanları polisten kaçırırcasına aceleyle alan teknelerden
birine atladı.

Kıyıdan uzaklaşırken üzerinden sis bombalarının, zehirli du-
manların yükseldiği, insanların avlandığı şehre baktı. Bu sadece
bir andı: Tekne kıyıdan uzaklaşırken gecenin karanlığında, ya-
kılan ateşin sıcaklığında, yıkılan demokrasinin ağırlığında, kala-
balığın yalnızlığında elindeki bayrağı sallayan biri vardı, *"Ben de
buradayım ve sonsuza kadar burada olacağım"* diyen. Burası taptığı
şehir olamazdı.

38. Can Manay & Duru

Zıtlıkların cehenneminde yaşıyordu Can. En büyük mutlu-
luğu en büyük acısıydı aynı zamanda. Sığınabileceği tek yere,
Eti'ye gitmek için yola çıkmıştı ama ona yaklaştıkça uyandı.
Böyle acırken kendini ona bırakamazdı. İyiyim demişti, şimdi
gardını indiremezdi. Eti'nin evinin yakınlarındaki ormanlık ala-
na girip arabayla ormanın içinde dolandı, gözyaşlarının, içindeki
acının dinmesini bekledi. Ama dinmiyordu. Eti'ye gitmesi geri
dönülmesi imkânsız bir yola girmesi demekti. Telefonunu aradı
ama kıyafetleriyle birlikte evde bırakmış olmalıydı. Ormandan
çıkıp kendini Cansu'nun villasının önünde bulduğunda tereddüt

etmeden güvenliğe otoparka girmesi gerektiğini açıkladı. Karşısında, arabasının içinde yarı çıplak oturmuş Can Manay'ı gören güvenlik heyecanla haber verdi villaya, Can Manay'ın arabası saygıyla buyur edildi içeri.

Gecenin bu saatinde Can Manay'ın ziyaretiyle uyanan Cansu, yanında yatan misafirine işle ilgili bir durum olduğunu uydurup indi aşağıya. Yerin altında, otoparkta bekleyen Can Manay'ın karşısına çıkmadan önce hemen misafir banyosuna girip yüzünü toparladı, sessizce kıyafet odasına girip en seksi iç çamaşırını yanına aldı ve lüks evinin alt katına inen asansöründe seksi çamaşırları giydi kimonosunun içine. Can Manay'ın kendisine yaşattığı tüm hayal kırıklıklarını aklından silmesi, kendine gelmesi aylarını almıştı, acaba şimdi niye buradaydı? Gecenin bu saatinde erkelerin bir tek şey için yol yaptığını bilecek kadar tecrübeliydi ama bu bile iyi bir şeydi. Asansörden inip otoparka açılan kapıyı açtığında soğukkanlı, aynı zamanda da şaşkın göründüğünden emin çıktı otoparka.

Can Manay'ın arabası kendi aracının yanına park etmişti. Kafasını direksiyona yaslamış bekleyen Can Manay, Cansu'nun cama tıklamasıyla hemen kendine geldi. Araçtan çıkmasıysa tam bir sürprizdi! Üstündeki havlu da neydi? Cansu'nun sahte şaşkınlığı bu görüntü karşısında gerçeklik buldu, sesindeki endişeyi sınırlandırmadan "İyi misin? N'oldu?" diyebildi karşısında kızarmış gözlerle duran Can Manay'a. Can gülümseyen maskesini takıp "Çok sevdiğim bir abimi kaybettim. Haberi aldığımda saunadaydım ve hayatımın son anı olsa şimdi kimi görmek isterdim diye düşününce aklıma bir tek sen geldin. Sana geldim Cansu" dedi. Cansu çok duymuştu bu samimi, büyük lafları sevişme öncesinde bir sürü adamın ağzından ve her çiftleşmeden sonra lafların nasıl yerini kaçışlara bıraktığını da bilir olmuştu. Can Manay'la yaşadığı son şey kendisini onun için tek ve en özel hissettirmişti ama birkaç gün içinde o dansçı kız tüm televizyonlarda Can'ın gelini ilan edilmiş ve Can ilk defa her yerde onunla boy göstermişti. Cansu biliyordu aralarındaki bu cinsel çekimin çok az kişiyle olduğunu, Can Manay'la sevişmenin keyfini ama bu sefer işin içine kalbini koyup yanılmayacaktı. Canının acımasına daha fazla katlanmayacaktı. Önce etrafına bakındı, güvenlik her saat başı villanın etrafını ve otoparkı turlardı, kimse yoktu ama her an birileri inebilirdi buraya. Dümdüz baktı Can Manay'a, duygusuz ve neredeyse ifadesiz "İçeri girelim" dedi. Her an birilerinin gelebileceği bir yerde konuya girmek istemedi.

Villanın bodrum katına girdiler, kapıyı kapattılar. Otoparktan villaya çıkışın ve çamaşırhanenin olduğu bir kattı burası. Koridorda asansörün önünde durdular. Cansu daha önce yaptığı hatayı asla bir daha yapmayacağını kendine tekrarlayarak duygusallaşmadan konuştu: "Böyle oyunlara gerek yok. Bana sanki beni önemsiyormuşsun gibi davrandığın her seferinde canımı yakıyorsun, sonrasında toparlanmam zor oluyor. Ben senin lafının adamı olduğunu düşünmüştüm. Bana böyle olduğunu göster. Beni becermek istiyorsan oyuna gerek yok! Söyle!" dedi. Can Manay'ın altındaki havluyu çekip eliyle erkekliğini kavradı. "Bu beni istiyorsa, bahaneye gerek yok" deyip Can'ın erkekliğine masaj yapmaya başladı. Mırıldandı: "Şimdi söyle bana."

Can "Seni becermek istiyorum" dedi ve Cansu'yu kendine çekip dudaklarına yapıştı ama Duru'dan aldığı tadı alması imkânsızdı, kafasını Cansu'dan uzaklaştırıp erkekliğine doğru eğdi onu. Cansu, onun erkekliğine bildiği tüm oral marifetleri sundu, Can tam boşalmak üzereydi ki Cansu durdu. Daha fazlasını o da istiyordu. Yukarıda yatağında yatan işadamı sevgilisinin kendisini bekliyor olduğunu söyleyip, Can'a içine girmek için acele etmesi gerektiğini mırıldandı. Can onu dinledi. Bir süre içinde gidip geldi, sonra Cansu'nun kendisini sağmasını bekledi.

Sevişirlerken asansörün düğmesine basmış olmalıydılar. Asansörün kapısı açılırken ikisi de bir an telaş yaşadı ama içinde kimsenin olmadığını, kapının yanlışlıkla açıldığını anladıklarında Can Cansu'yu soktu içeri, asansörün içindeki aynadan yararlanmak iyiydi. Cansu'nun bir bacağını asansörün bir duvarına kaldırıp iyice gömüldü ona. Cansu'nun sessizce inlemesi, Can'ın aynadan kendi erkekliğinin gücünü izlemesi, kim olduğunu hatırlayıp başka bir kadından zevk aldığını kendine ispatlaması, Cansu'nun memelerini sıkarken sallanmalarını seyredip aklından Duru'yu çıkarması ve nihayet boşalması topu topu 10 dakikaydı. Cansu yatağında yatan sevgilisine gitmeden önce yeni yayın döneminde istediği programdan bahsetti, Can ise program için yayın yönetmenini ayarlamanın sözünü verdi ve havlusunu sarınıp çıktı evden. Hayat bir alışveriş değil miydi? Hatırladı. Rahatladı. Kendine geldi. Nihayet yine Can Manay'dı.

39. Duru

Küçük ekranların döşendiği duvarın önündeki kontrol panelinin yanına, itinayla konulmuş doğal deriden, parmak arası, topuksuz terlikleri gördü önce. Gördüğünü algılamaya çalışırken kaşlarını çattı. Terlikleri kaybolmamıştı! Duru'nun varlığından bile haberi olmadığı kamera sisteminin odasıydı burası. Aletlerin hepsi kapalıydı. Ekranların siyahlığından kendi yansımasına baktı. Bu siyah aynalar hissettiği karmaşayı yansıtıyordu sanki. Sistemi çalıştırmak için düğme aradı ama yoktu. Masanın üstündeki terliklerin gerisindeki tek düğmeye bastı, sisteme elektrik geldi ama Duru'nun dikkati düğmenin yanında duran küçük tokadaydı. Çoktan unuttuğu bu toka Deniz'in bahçede kendisini ıslatmasını hatırlattı. Çünkü en son o zaman takmıştı, sonrasında da çok aramıştı. Hatıralarından uzaklaşıp çalışan sisteme odaklandı. Açılan ekranlarda kameraların yansıttığı görüntülere baktı. Her bir ekran yan bahçedeki kendi evine güdümlenmişti. Kapılar, girişler, merdiven, bahçenin en kuytu köşeleri, Duru'nun olabileceği her yer...

Geçmiş kayıtlara girip izlemeye başlayana kadar olayın ciddiyetini anlamadı Duru, aklına bile gelmezdi böylesine peşine düşüldüğü, avlanıldığı. Yıkıldı. Ama yaşadığı yıkım avlanmış olmasından değildi, Deniz gerçeğini ilk kez anlamış olmasındandı. Geçmiş kayıtlara gittikçe Deniz'in kendisini nasıl aradığını, perişan bir şekilde Can'ın ziline bastığını, cevap alamadan sokaklarda dolandığını, eve döndüğünde bahçede yere yığılıp ağladığını izledi. Ekranlarda görüntü akmaya devam ederken dikildiği noktaya çöktü, beyninde nedenler yaratarak haklılık kazandırdığı her şey nedensizleşti, çirkinleşti. Ekranda ağlayan Deniz'in sessiz görüntüsü bir anda kesilip yine siyah bir aynaya dönüştü. Kayıt bitmişti. Can istediğini elde edince daha fazla izlemeye, kaydetmeye gerek kalmamıştı. Titreyerek hıçkırıklar içinde yerden kalktı Duru ve kaydı biraz başa aldı, Deniz'in bahçede yere kapanıp ağladığı kısma geldi. Dondurdu. Hıçkırıkları engellenemez hale gelirken eliyle ekrana dokundu, Deniz'in iki büklüm bedeninin üzerinde parmağını gezdirdi. Nasıl yapmıştı ona bunu! Nasıl inanmıştı böyle sevilmediğine, onun için değersiz olduğuna, ihanete uğradığına... Yeterince sevmeyen kendisiydi, değer bilmeyen ve ihanet eden de! Deniz'e karşı hissetmeye çalıştığı tüm nefret kendisine döndü, içinde büyüdü. Boğulduğu nefretin içinde nefes alamadı Duru, hıçkırıklarla iyice tıkandı. Üzerindeki gömleği boğuşurcasına yırtarak çıkardı hemen, Can Manay'a ait olan hiçbir şeye değmek istemiyordu.

Ağladı, bağırdı, kendine vurmaya başladı... Zamanla tokatları ağırlaştı, içindeki şiddet etrafındaki eşyalara yansıdı.

Kırdığı camlarla elleri, ayakları, bedeni kesilmiş, etrafa dağılan Can Manay'ın eşyaları arasında bir örümceğin ağında çırpınırcasına delirmiş, çıplaklığının içinde yapayalnız yere serilmiş Duru... Nasıl gelmişti bu odaya! Her şeyin başladığı bu yer şimdi sanki bir tabut gibiydi. Deniz'i yine görmek için kaldırdı kendiyle savaşan yorgun bedenini ve kayıt odasına giderken kırdığı aynadaki yansımasıyla karşılaştı. Çıplaklığının aynadaki yansıması ayılttı onu. Kendini inceledi kırık aynada. Yaralı güzelliğine baktı, avlanılmasına neden olan şeye.

İlkelliğin torpiliydi bu: Güzellik. Karakteri önemsizleştiren zehirli bir etkiydi. İzleyene ilham, yokluğunu çekene acı, avcısına amaç, âşığına neden, öfkeye güçsüzlük, yağmacıya hedef, sahibine başta kolaylık sonda lanet veren şey bedeninin her tarafını sarmıştı. Kendisine tuzaklar kurulmasının nedeniydi bu vücut, bu ten, bu saçlar, bu dudaklar, bu yüz. Hatalarının nedeni, mutsuzluğunun bedeliydi. Aynanın kırık parçasını tuttu, çekip çıkarmak istedi ama parça hareket bile etmedi, eliyle boğarcasına sıktı cam parçasını, sıkılmış avucundan akan kanlar bileğinden süzülene kadar.

Hissettiği acıyla ağlaması durdu. Ama bu bir rahatlama değildi, gözyaşlarıyla dışarı atmak istediği zehrin kaynaktan taşmasıydı.

Çırılçıplak yine girdi odaya, Deniz'le geçirdiği günlerden bir görüntü bulmak umuduyla. Bu çirkinlik kendisine bulaşmadan önceki halini görmek istedi. Merdivenlerde Deniz'le seviştikleri o geceyi buldu ve durdu. Gözünden bir damla daha zehir aktı. Deniz'in kendisine dokunmasını izledi. Ne kadar da güzellerdi. Sahip olduğu en değerli şeyi nasıl da fark etmeden kaybetmişti, mahvetmişti. Bedenini kaplayan adrenalin Deniz'in düşüncesiyle azalırken üşmesi titremeye dönüştü. Isınmak istedi. Ama önce biraz benzin bulmalıydı.

40. Can Manay

Evine yaklaştığında güvenlik kulübesinin dışında bekleyen güvenlikçilerin huzursuzluğunu fark etti Can, ellerini kaldırıp arabaya doğru yürümeseler de bir terslik olduğu belliydi. Zaten şaşkın gözüken güvenlik Can Manay'ı, Cansu'dan aldığı kimonoyla görünce iyice şaşırmıştı. Halbuki Can umursamadan Duru'nun gelip gelmediğini sordu, hâlâ kızgındı ona ama güvenlik "Ne olduğunu bilmiyor musunuz?" deyince kalbine saplanan sancı çok şiddetliydi. Bir an bekledi, adam hâlâ konuşmayınca haykırdı: "Neyi bilmiyorum! Konuşsana!"

Güvenlik: "Mevki'deki eviniz yandı" dediğinde Can "Duru!" diyebildi içindeki son nefesle, güvenlik, "Duru Hanım hastanede" diye cevap verdi.

Can'ın şokla gerilen damarları şakaklarında belirdi, kaşları korkuyla çatıldı, dişleri acıyla sıkıştı, teni öfkeyle kızardı, ağzından hırıltı gibi "Hangi hastane!" çıktı. Güvenliğin cep telefonunu alıp hemen yola koyuldu.

41. Bilge

Can Manay'ın evi hâlâ yanıyordu. Alevler gökyüzüne kadar yükselirken evin önündeki itfaiye araçlarının önünde açıklama yapan spikerlerden biri yangına neyin sebep olduğunu bilmediklerini ama doğalgaz patlamasıyla ilgili bulgular olduğunu anlatıyordu. Doğru'yu evde yalnız bırakmak zorunda kalmıştı. Can Manay'a saatler boyunca ulaşmaya çalışmıştı. Zeynep ve Ali de ulaşamamıştı. Bilge önce yanan eve gitmiş, Duru'nun hastaneye kaldırıldığını öğrenince hastaneye gelmiş, ne gerekiyorsa yapmıştı. Akıllara ilk gelen şeyin, Can Manay'ın yanan evin içinde olabileceği ihtimalinin, itfaiyecilerin yaptığı araştırma sonunda ortadan kalkmasıyla biraz rahatlamışlardı ama sadece biraz çünkü Can'ı hiçbir yerde bulamıyorlardı.

O dik, soğuk, mesafeli Zeynep bile saatlerdir ağlıyordu, itfaiyecilerin beceriksizliğine lanet etmesi bitmemişti. Kafasını her kaldırdığında, kolları arasına bir baba gibi aldığı Zeynep'i teselli eden Ali'yle göz göze gelmesi sıkıntı vericiydi. O bakışlardaki ilgi ve anlayışın yoğunluğu, sanki kendi kalbindeki soğuklukla yüzleşmesine neden oluyordu. Ağlayamıyordu Bilge, niye ağlasındı ki! Can Manay ölmemişti, sadece nerede olduğunu bilmiyorlardı. Ölmüş olsa bile ağlayabileceğini sanmıyordu, çünkü bir şey hissetmiyordu. Bir şey hissetmediği için hissettiği suçluluk dışında.

Zeynep tuvalete gittiğinde odadaki sessizliği hafifletmek için konuşmak zorunda hissetti Bilge, "Yangının çıkış sebebi netleşti mi?" diyerek. Ali kafasını hayır anlamında salladı "Bekliyoruz" derken ve Bilge'ye bakmaya devam etti. Ali'nin ilgisini fark etmekten huzursuz Bilge, oyalanmak için telefonunu çıkarırken telefonu çaldı, arayan Eti'ydi.

Eti "Duru nasıl? Nesi var?" diye açtı telefonu. Bilge "İyi. Dumandan biraz etkilenmiş ama iyi" diye açıkladı. Eti kurcaladı: "Sadece bu kadar mı?" Bilge düşündü, "Bildiğim kadarıyla ufak tefek kesikler var ama bir tek eline dikiş atıldı" diye açıklarken Eti lafa girdi: "Neden olmuş bu kesikler, saldırıya mı uğramış?" Bilge Eti'nin heyecanını anlayışla karşılayarak cevap verdi: "Patlamadan olmuş sanırım, saldırıyla ilgili bir şey söylenmedi." Eti sorguladı: "Can'ı bulabildiniz mi?" Bilge, "Telefonu kapalı ama evde" derken Eti lafa girdi: "Tamam, Can gelir gelmez bana haber verir misin?" dedi. Bilge hissettiği şaşkınlığın sesine yansımasını engelleyerek "Tabii" dedi ve telefonu kapattılar. Şaşkınlığı Eti'nin, Can'ın evde olmadığından emin olmasındandı, soru bile sormamıştı. Eti'nin bildiği şeyi, obsesif bir narsistin asla kendini öldüremeyeceğini bilmeyen Bilge telefonunun tekrar çalmasıyla irkildi. Arayan Can Manay'ın güvenliğiydi.

42. Can Manay & Bilge

Hafızasına kayıtlı 2 numara vardı sadece, Eti'nin ve Kaya'nın numarası. Kaya ayrıldığında numarası Bilge'ye kalmıştı. Can hastaneye yaklaşmak üzereyken numarayı tuşladı, telefona çıkan Bilge arayanın Can Manay olduğunu anladığı anda bulundukları katı, odayı söyleyip kısaca tarif verdi. Odaya ulaşabileceği en kestirme yolu anlattı.

Acil serviste sadece ambulanslar için ayrılan yere etraftakileri ezmekten korkmadan arabayla daldı Can, siyah üzerine kırmızı ejderhalı kimonosuyla fırladı araçtan ve Bilge'nin anlattığı gibi acil servisi hastaneye bağlayan ara kapıya geldi ama sadece doktor kartlarıyla açılan bu kapı kapalıydı, içindeki ani kızgınlık büyüyecekti ki kapı açıldı, Bilge açmıştı. Bilge sadece "Buradan" deyip yürümeye başladı hızla, Can Manay takip etti.

Bilge elindeki kartla Can Manay'ı sadece doktorların kartlarıyla girebildiği bir başka kapıdan geçirdi, yine sadece doktorların binebildiği asansöre bindirdi, tek kelime konuşmadılar. Bilge, Can Manay'ın suratına dahi bakamadı çünkü bu tuhaf kıyafetin içinde acı çeken, çok acı çeken bir adam vardı. Konuşulmaması, sorgulanmaması, vakit kaybettirilmemesi gereken bir adam. Zaten böyle olacağını hesaplayıp Can'ın odaya, Duru'ya ulaşması için her şeyi daha önceden hazırlamıştı, tabii kimonoyla ortaya çıkacağını hesaplamamıştı. Hızla yürüdüler koridorda, yanından geçtikleri birkaç kişinin şok olmuş bakışlarına aldırmadan hatta görmeden hedefe ilerlercesine. Odaya varmalarına birkaç adım kala Bilge dönüp, "Duru Hanım iyi, bir haftaya toparlayacak. Ciğerleri için oksijen veriyorlar, bahçede baygın bulundu, ben ordaydım. Merak edilecek bir durum yok. Düzelecek... Eti Hanım sizden telefon bekliyor" dedi ve Duru'nun odasına açılan kapıyı açtı.

43. Can Manay & Duru

İse bulanmış Duru, burnuna takılan oksijen hortumuyla nefes alırken baygındı. Narin bedeni nefesle dolup boşalırken, Can titreyen bacaklarının kendisini taşıyabilmesi için kapıya yaslandı. Hayatının kadını, hayatı yatıyordu o yatakta. Derin bir nefesle içi titredi, içine giren havada yanık kokusu vardı hâlâ, Duru'nun saçlarından, o güzel, ipeksi saçlarından gelen yanık kokusu. Damarında serum ve üzerinde ince bir çarşaf. Çıplaktı. Duru'ya yaklaşmak istedi Can, bir adım attı ama yaklaşamadı. Çünkü o an, beyninin derinlerinde, kendisine sadece doğruyu söylediği bir yerde, bir düşüncenin doğumuna şahit oluyordu. Duru'ya zarar verdiğinin düşüncesiydi bu. Bu olanlardan sadece kendisinin sorumlu olduğu düşüncesi... Çiçek ölürken doğan düşüncenin ikizi. Silkelendi Can, bir adım daha attı derinlerdeki düşünceyi başka düşüncelerle boğarak ve bu kadını kendisinden daha fazla seven ve koruyan kimsenin olmayacağından emin, adım adım yatağa yaklaştı. Sevgisiyle öldürdüğünün farkında olmak istemeyen bir koruyucu gibiydi.

Duru'nun yanmış saçlarına dokundu, titrek elleri ateşten kıvrılıp büzüşmüş bir tutam saçın üzerinde gezindi. Leke leke islenmiş alnına, oradan yanığına kaydı. Çıplak omuzlarının pürüzsüzlüğünden kol boyunca inip bileğe vardı, Duru'nun eli üstündeki damarına giren serum iğnesinin etrafında dolandı... Parmaklarına indi... Kayıp çarşafa geçti, hafifçe tutup çarşafı kaldırdı, o muhteşem bedende herhangi bir hasar, deformasyon var mı diye bakmak için...

Şükürler olsun ki yoktu, titremesi hafifledi. Kesikler ve çizikler gibi küçük yaralar dışında yanmaktan kaynaklanan hiçbir iz yoktu. Derin bir nefes alırken gözünde tutunan yaşı sildi, Duru'nun diğer elinin sargısındaki kırmızı lekeyi gördü, kan olmalıydı. Gözlerini kapattı ve hayata şükretti.

44. Bilge

Güneş ağarırken döndü Bilge evine, neyse ki Doğru uyanmamıştı, hâlâ uyuyordu. Eve dönerken yola çıkmadan önce internette gördüğü olayların doğruluğuna tanıklık etmek için yolu uzatıp insanların savaştığı bölgeden geçmeye çalışmıştı ama yolu kapatan çevik kuvvet araçlarını görünce ısrar etmeden değiştirmişti yolunu. Eve girdiğinde yorgundu ama hiç uykusu yoktu. Can Manay Duru'nun yanındayken yaptığı araştırmasına devam etmek için hemen bilgisayarını açıp internete girdi, Murat'ın sayfasına gece yarısından beri fotoğraf yüklenmemişti, ana sayfadaki yorumlardan birinde nihayet bir kanal ismi gördü, söylenene göre olay yerinden canlı yayındaydılar. Her şeyin abartılmış olmasını hayal ederek, daha doğrusu umut ederek açtı televizyonu, söylenen kanala gelene kadar içi rahattı, internette gördüklerinden tek bir haber bile yoktu. Ama o kanala geldiğinde sanki başka bir ülkenin kanalındaydı. O an izlediklerine inanamadan, her saniyesi şok içinde yapıştı ekrana.

Sokaklar savaş alanıydı. Bu insanlar niye sokaktaydı? Bu polisler niye bu kadar gaddardı?

Doğru uyandığında, Bilge daha önce hiç hissetmediği, umursamadığı, aklına bile gelmeyen bir insan sevgisiyle olanların durması, birbirine destek olmak için sokağa çıkan bu güzel, korkusuz, insanlara artık saldırılmaması için dua ediyordu. Kendilerine atılan gaz bombalarını yakalayıp su bidonlarının içine koyuyor, sokakta uygulanan şiddete sadece birbirlerine yardım ederek karşı koyuyorlardı. İnsanları sokağa çıkaran ilk şeyin ne olduğunu hâlâ bilmiyordu ama şimdi neden sokakta olduklarını biliyordu. İnsanlıktı bu halkı sokağa çıkaran. İnsanın insana sahip çıkmasının insanlığı. Din, dil, ırk gözetmeden, kimlik bilinci olmadan bir sahip çıkıştı bu.

Doğru'yu okula bırakması gerekiyordu, canlı yayına göre sokaktaki hareket de dinmişti. Televizyonu kapattı, tam bilgisayarını kapatacaktı ki sitenin ana sayfasına biri tarafından yüklenen videoyu fark etti, tıkladı. Video bir evin penceresinden çekilmişti. Gece karanlığında sokak lambalarının aydınlattığı bir ara sokakta, elinde bayrakla koşan bir grubun polis tarafından kovalanması, polisin gruptan birini yakalaması ve tekme tokat üzerine çullanmasının videosuydu bu. Bunun gibi onlarca video seyretmişti Bilge ama nedense bu seferkinde kalbi iyice hızlandı. Videoyu çeken kişi görüntüyü zoomladı, yerde iki büklüm olmuş, kendini darbelerden korumaya çalışan çocuk netleşti bir an, sadece bir an. O an Bilge'nin dünyası durdu çünkü çocuk Murat'tı.

ᏬᏯ 2. BÖLÜM ᏯᏬ

1. Deniz

"Duygularınızın sizi ele geçirmesine izin vermediğiniz kadar insansınız! Öfke, nefret, kıskançlık, hayal kırklığı... Bu duyguların kontrolü ele geçirip hemen bir davranışa dönüşmesini engelleyebiliyorsanız gelişirsiniz. Peki ya aşk, sevgi, ümit... Bunların da davranışa dönüşmemesi mi gerekir. Evet, dönüşmemeli! Çünkü hissettiğimiz anda sevmek ya da kızmak, kafatasımızın içinde bulunan ve şu ana kadar bilinen en gelişmiş şeye, beynimize hakarettir. Duyguları hormonlarımız yaratır. Hormonlarımızı beynimizle filtrelemediğimiz sürece kafasının içinde değerli evrenler taşıyan zavallı hayvanlarız" deyip karşısında oturan yüzü yaralı küçük çocuğun kafasına işaretparmağıyla hafifçe dokundu."Bunu kullanmayı öğrenmek için buradayız" diye ekledi. Deniz yerinden kalkarken toprağa çökmüş kızlı erkekli karışık köy çocuklarının tüm dikkati ondaydı. En önde duran iki oğlan çocuğu birbirlerine döndüler. İkisinin de üstü başı biraz önceki kapışmalarından dolayı darmadağındı. Birinin suratında tırnak izleri, diğerininse kaşının yanındaki kızarıklık kavganın sert geçmiş olduğunu gösteriyordu.

Deniz, çapasını alıp tarlaya doğru yürürken bu iki çocuk dışında geri kalanlar onu takip ettiler. Köye geldiğinden beri çocukların efendisi gibiydi. Çocuklar dışında kimse ona yaklaşamıyordu, onlardan başka kimseyle iletişim kurmuyordu. Çalıştığı tarlalar ve arada sırada konuştuğu çocuklardı köydeki hayatı. Anne ve babalar da bu durumdan hiç şikâyetçi değildi. Çocuklar onun etrafında olabilmek için çalışıyorlardı. O geldiğinden beri köydeki hayat yetişkinler için bir anlamda kolaylaşmıştı. Gerektiğinde, karın tokluğuna tarlaları çapalanıyor, sulanıyor, mahsulleri toplanıyor, ayıklanıyordu. Çocuklarıysa itiraz etmeden işlerini yapıyorlar, daha fazla iş soruyorlar, üstüne bir de eğitiliyorlardı. Balıkçıların yardıma ihtiyaçları olduğunda Deniz'e söylemeleri yetiyordu. Ne yardım gerekirse yapmaya hazır ve yapan, Yaradan tarafından gönderildiğine emin oldukları ve adından ve konuşmaktan hoşlanmaması dışında hakkında hiçbir şey bilmedikleri bu adamın hikâyesi diğer köylere bile ulaşmıştı. Deli olamayacak kadar aklı başında, hasta olamayacak kadar sağlam bir adam.

Toprak işleri olmasa, gündelik yaşantının yorgunluğu olmasa, her gün hayvanlar ve tarla için güneşin doğumuyla kalkmak zorunda olmasa, her gece yorgunluktan yığılıp kalmasa kendini toplayamazdı Deniz. İçini dağlayan ihanetin acısında kaybolur ve kendini bulamazdı. Geriye bakmadan, günbegün çalışarak varabilmişti bu noktaya. Geçmişin hiçbir anlamı yoktu artık, geriye bakmadığı sürece. Sebze taşıyan kamyonlardan birinin arkasına geçip buraya vardığı zamanı hatırlıyordu, sanki öncesi yoktu... Hâlâ müzik yoktu.

2. Özge & Muammer Bey

"Çıldırdın mı sen! Senin oyun olarak gördüğün şey onların adam bile öldürmelerine neden olabilecek bir şey! İzin verirler mi sanıyorsun? Diyelim ki içeri girdin, izin verirler mi senin ilerlemene, yayılmana! Her an aleyhine kullanabilecekleri şeylerin peşine düşerler, sana tuzaklar kurarlar ve günün sonunda onlar gibi kanına para bulaşmış, satılmış, değerlerini satmış birine dönüşmezsen ya da senin bir açığını bulup kendilerine bağlayamazlarsa anında ipini çekerler. Neden faili meçhul cinayetler var sanıyorsun! Failleri bulunamadıkları için mi? Cinayeti işleyenlerle katili bulması gerekenler aynı olduğu için!" Elini şaklattı Muammer Bey, çıkan "Şak" sesiyle birlikte "İşte böyle, bir anda yok olursun!" diyerek. Ömer her zamanki sakinliğinde "Muammer Abi haklı, bizim gücümüz yetmez bunlara. Kuyrukları birbirinin elinde bir sürü sırtlan. Leşle beslendikleri için çürümüşlüğe ihtiyaçları var. Senin kalbini dağlayan şey onların ağızlarını sulandırıyor" dedi.

Özge her adımda hissettiği kırık kolu ve çatlak omzuyla, küçücük salonun bir ucundan diğer ucuna yürümekten yorgundu. Koltukta oturan Muammer Bey'in önünde diz çöktü, sağlam elini onun dizine koydu, hemen yanında oturan Ömer'e baktı, ikisine birden konuştu: "Yaradılışımızın bir nedeni olmalı, değil mi? Buraya yiyip, içip, sıçıp uyumaya gelmedik yalnızca. Bizi rahatsız eden şeyleri değiştirmek için çaba göstermezsek nefret ettiğimiz bir dünyada yaşarken buluruz kendimizi; sürekli kafamızı diğer tarafa çevirirsek bir gün kafamızı nereye çevirirsek çevirelim karşımızda aynı rahatsız edici manzarayı görürüz. Üşenirsek, korkarsak insanlığımızdan oluruz. Ne olursa olsun, sonum faili meçhul bile olsa yapmak zorundayım. Ya desteğinizle ya da desteğiniz olmadan bunu yapacağım. Eğer bana katılırsanız, yardım ederseniz, belki size de zarar vereceğim, belki sizin hayatlarınızı altüst edecek durumlara neden olacağım ama uğrunda ölebileceğimiz şeyler olmadıktan ya da uğrunda yaşayacağımız bir dünya yaratamadıktan sonra, etrafımızdaki yağmaya böylesine seyirci kaldıktan sonra hayatın ne anlamı var. Zaten elime silah alıp meclisi basacağım da demiyorum! Evrenin benden istediği tek şey kıvılcım olmam. Ben ve benim gibi her şeyi göze almış, ne pahasına olursa olsun çakmak için bekleyen diğer kıvılcımlar sayesinde varoluşa hakkını vereceğiz. Biz çakmazsak hakkın ateşi nasıl yansın! Biz korkarsak, saklanırsak zaten korktuğumuz her şey başımıza gelmeyecek mi sanıyorsunuz. Bizi rahat bırakacaklarını mı sanıyorsunuz! Biz üşenirsek, rahat olacağını zannettiğimiz ve rahatlığımızdan taviz vermediğimiz hayatımızın çürümeyeceğini, mahvolmayacağını mı sanıyorsunuz! Karşı koymaya gücümüz varken karşı koymazsak tüm gücümüz bizden alındığında acı çekmeyeceğimizi mi sanıyorsunuz! Ses çıkarmazsak bu haksızlığın dineceğini mi sanıyorsunuz! Büyüyecek, içine sadece haklarımızı değil, özgürlüğümüzü de alan, sevdiklerimizi de yutan bir çığ gibi büyüyecek... Bir kıvılcım... tek bir kıvılcım Muammer Bey. Evren gerisini verecek, yeter ki kıvılcım olabilme cesaretimiz olsun, alevler gelir."

Muammer Bey, Özge'nin sağlam elini tuttu sıkı sıkı, "Kendini, sevdiklerini yakma pahasına çakmak istiyorsan çak Özge, kıvılcım ol! Ama şunu bil, 20 yıl önce kıvılcım olmuş biri var karşında. Kıvılcımlar oluyor, sonunda ölüyor ama sistem değiş-

miyor. Hep onlar kazanıyorlar. Rüşvetle, korkuyla tek tek dönüş-
türüyorlar karşılarına çıkanları. Hâkimleri bile satın alıyorlar,
hakkın satın alındığı bir sistem bu. Sadece para değil, insana
hükmetme gücü veriyorlar satın aldıklarına, ne kadar satarsan
kendini, o kadar yükseliyorsun. Başka yolu yok, ruhunu satma-
dan sisteme girebileceğini mi sanıyorsun? Ben sadece uyandır-
mak istiyorum seni, sistemi yıkabileceğin illüzyonu fenadır, bir
geldi mi asla bitmez bu illüzyon. Hayat beni boşuna çıkarmadı
karşına, sana yaşadıklarımı anlatayım, kıvılcım hayaliyle kendi-
ni feda etmeni engelleyeyim diye buradayım. Dinle beni kızım."
Özge, sıkı sıkı tuttuğu eli daha da sıkarak, "Hayal kurmuyorum
ben, illüzyon falan da değil bu hissettiğim. Kalbimin içinde bir
duygu var, eğer ona hizmet etmezsem ya yüreğimi yırtıp çıkacak,
benden geriye bir posa kalırken kendini dinletebileceği bir be-
den bulacak ya da ben o duyguyu dinleyeceğim. Var olacağım"
dedi ve saygıyla Muammer Bey'in elini bırakıp ayağa kalktı, kar-
şılarındaki sehpaya oturdu, çenesini sağlam eline yaslayıp düm-
düz baktı Muammer Bey'e.

Muammer Bey derin nefes aldı, önce geriye yaslandı, sonra öne
geldi, sakalını kaşıdı, "Murat Kolhan seni işe alacak ve birlikte
gençlere yardım eden bir dergi çıkaracaksınız! Şimdiden telefon-
larınızın dinlendiğine emin olun. Sisteme girdiğin anda seni kay-
detmeye başlarlar" dedi ve cebinden çıkardığı sinyal kırıcıyı ma-
saya koydu. "Bundan sonra da bunsuz sakın konuşmayın. Sen bir
medya şirketine işe girdiğini sanabilirsin ama yönetimin kalbidir
orası. Halkı uyuttukları yerdir. Sisteme kan pompalayan yerdir"
dedi ve devam etti: "*Darbe* için de iyi bir haberim var. Aslında
bunu konuşmak için çağırdın bizi sanmıştım, bundandı hazırlı-
ğım ama neyse fena sürpriz yaptın" dedi başını kinayeyle Özge'ye
sallayarak. Ömer, "Nedir haber?" diye atıldı, *Darbe*'nin yayından

kaldırılmasıyla ilgili canı Özge kadar sıkkındı ama sabrı Özge'den daha azdı. Muammer, "Size bir yatırımcı buldum. Aradığınız paranın yarısı kadar ama hiç yoktan iyidir" dedi.

Ömer'in ayağa kalkması, ellerini şaklata şaklata yaşlı amcalar gibi dansa başlaması herkesi güldürdü. Muammer Bey tarafından uydurulan, yatırımcının eski ve zengin bir arkadaşı olduğuyla ilgili hikâyeyi sorgulamadan ve paranın Muammer Bey'in yıllardır bayide çalışıp biriktirdiği tek parası olduğunu bilmeden kabul ettiler. Muammer Bey'in sonunda ülkenin en hatırı sayılır ve zengin adamlarından biri olması işte böyle başladı.

3. Can Manay

Duru'nun, ruhunda yarattığı depremi kontrol altına almanın tek yolu her şeye rağmen Can Manay olabilmekti. Gününü, daha önce zamanını Duru'ya ayırmak için aksattığı 2 seans ve iki hafta sonra başlayacak programla ilgili daha önce ertelediği toplantıya ayırmaya karar vermişti. İçine yayılan duygudan sıyrılıp tekrar Can Manay gibi hissetmeye, dikkatini Duru'dan almaya ihtiyacı vardı var olabilmek için, yoksa içindeki açlıkla hastaneye gidip Duru'ya saldırması an meselesiydi. Sadece Duru'nun kanıyla doyan bir vampir gibiydi.

Seansa gelenler, daha doğrusu kabul edilenler belirli bir gelir düzeyinin üstünde kişiler olduklarından Can Manay'ın bakış açısında sorunları genelde aynıydı. Hayatın üretim için insana bağışladığı konfor, üretmek yerine tüketim kaynaklı keyfe adanırsa sonuç hep aynı oluyordu: Keyfin ve konforun içinde kaybolan mutsuz, tatminsiz, intihar eğilimli kayıp insanlar. Uyuşturucuyla tanışmaları an meselesiydi bu kayıp insanların, kendi bağımlılıkları içinde huzur bulup zamanı anlamlandırmanın kestirme yollarına sapıyorlardı. Hayatta kestirme yolların hepsinin sadece tek bir yere, potansiyelin fedasına çıktığını bilmeden.

Şimdi karşısında oturmuş, ancak seviştiği zaman yani karşısındakinin orgazma teslim olmuş halini görerek insanlarla bağlantı kurabilen 17 yaşındaki Merve'yi dinliyordu. Seks bağımlılığına neyin sebep olduğu henüz saptanmamıştı ama cinsel istismara uğramış olmanın olasılığı artırdığını, beyindeki bir kimyasal dengesizliği tetiklediğini düşünüyordu Can. Merve cinsel istismara uğramamıştı. Dört yıldır müşterisiydi Can'ın. Sado-mazoşist eğilimlerinin kaynağını bulalıysa iki yıl olmuştu. İnsan ruhundaki problemlerin hayatlarındaki özellikle ilk dört yılda nasıl tohumlandığını iyi biliyordu Can. Merve'nin annesi çok sevgi dolu bir kadın olmasına rağmen, çocuğunu iyi besleme takıntısı yüzünden Merve bebekliğinin bir dönemimde annesi tarafından elleri zorla tutulup, ağzı zorla açılarak beslenmişti. Annesinin sonsuz sevgisi içinde büyüyen genç kız bu yoğunluktaki bir sevgiyi yine aynı yoğunlukta şiddetle deneyimlemişti hayatının ilk yıllarında. Domine edildiği cinsel ilişki Merve'ye hem istendiğini hem de beslendiğini hissettiriyordu içten içe. Merve'nin sado-mazoşist eğilimini çözmek aslında çok kolaydı. İşini iyi bilen biri tarafından yapılacak basit NLP yöntemleriyle birkaç seansta halledilebilirdi. Kısacası Can Manay için çocuk oyuncağıydı ama Merve'nin hikâyeleri eğlenceliydi, her hafta geliyor, kaç kişi tarafından nasıl becerildiğini, dövülerek becerilirken nasıl da kendini iyi hissettiğini anlatıyordu Can'a. Son bir yılda iş ciddiye binmeye başlamış, Merve kendisini becermeleri için sokakta sıradan adamlara bile teklifte bulunmaya başlamıştı. İki kere tecavüze uğramış, tecavüzde huzur bulduğunu keşfedince de daha da tehlikeli durumlara sokar olmuştu kendini. Can

Manay, Duru yüzünden uzun bir süre görmemişti Merve'yi ne de diğer müşterilerini, şimdi Merve'nin karşısında oturunca karar verdi, Merve'nin hesabını bugün kapatacaktı.

Can konuştuğunda Merve sanki transta gibi mırıltıyla babasının şoförünün kendisine yaptıklarını anlatıyordu. Can, "Bir anda tüm bunlardan kurtulmak ister miydin?" dedi, Merve sustu, duyduğu şeyi doğru anladığına emin olmak için sorguladı: "Tüm bunlardan derken?"

Can "Tüm bu zahmetten" dediğinde Merve, "Kendimi öldürmemi önermeyeceksin umarım?" diye sorguladı, espri yapmıyordu.

Can "Hayır" dedi. Kaykıldığı yerde öne doğru toparlanıp, "İçinde oluşan ve sekse yönelttiğin bu açlığı doyurmanın bir yolu var desem?" dedi. Merve kaşlarını kaldırdı, annesinin bir arkadaşının tavsiyesiyle 4 yıldır geliyordu Can Manay'a ve ilk defa böyle bir şey duyuyordu, seansları genelde Can Manay'ın "Varoluşu deneyimlemenin milyonlarca yolu var, sen bunu seçtin, seçimin için toplumun seni yargılamasına izin verme" diye başlar, "Kendini cinsel hastalıklardan koru" diye biten konuşmasıyla sonlanırdı, ilk defa bir kurtuluştan bahsediyordu, tam da Merve aslında kendisinde bir gariplik olmadığını, sadece diğer insanların ot gibi hissetmeye alışabildiklerini kendisininse alışmak istemediğini düşünmeye başladığında. Merve ciddi, "Neymiş bu yol?" dedi.

Can suratındaki sinsi gülümsemeyi genişleterek ayağa kalktı, adım adım Merve'ye yürüdü sakince. Merve bu gülümsemeyi çok iyi tanıyordu, kendinden yaşça büyük bir sürü erkekte defalarca görmüştü. Can kendisine yaklaşırken koltukta kaykıldı, bacaklarını hafifçe araladı. Can şimdi iki bacağının arasında duruyordu Merve'ye doğru eğildi ve gözlerinin içine bakarken fısıldadı: "İyi bir kız olup istediğim her şeyi yapacak mısın?"

Merve dudaklarını ısırıp kafasını sallayarak cevap verdi, birazdan, başka hiçbir şekilde giremediği o muhteşem duygu denizine gireceğini ve Can Manay boşalırken suratının nasıl göründüğünü düşünerek. Bacaklarını iyice araladı, yukarı kalkan eteğini beline kadar sıvadı, kendisiyle oynamak için elini apış arasına koydu ama... ne oluyordu! Can Manay nereye gidiyordu?

Can Manay'ın köşedeki dolaba gitmesini izlerken bir an durakladı. Can dolaptan beyaz bir kumaş alıp katlı kumaşı açarken Merve'nin yanına geldi. Merve kendiyle oynamaya başlamıştı, bu çok iyiydi çünkü tedaviye giden yol demekti.

Merve, Can Manay'ın elindeki kumaşın deli gömleği olduğunu anladı ama şaşırmadı, bir psikologun fantezisinin bu olması nedense doğaldı. Can gömleği giymesini buyurduğunda Merve hemen doğrulup emri yerine getirdi ve eteği beline kadar sıvanmış bir halde kalkıp Can'ın gömleğin arkasını bağlamasını bekledi. Can gömleği sıkıca bağlayıp eteği çekip düzeltti. Merve, belki de bu özel seansa oral seksle başlamasının istendiğini düşünüp Can'a döndü, diz çöktü, konuşmadan ağzını açtı. Can'ın sinsi gülümsemesi yine belirdi "Bu çok iyi" derken ama fermuarını açmak yerine masasındaki telefona gidip yemek siparişi verdi. Merve dizleri üstünde öylece bekledi, şimdiden ıslanmıştı bile. Can eline aldığı sandalyeyi orta sehpanın yanına koyup Merve'ye yürüdü, yanına geldiğinde arkasına geçip onu bir hamlede ayağa kaldırdı. Çekiştirilmenin sarsıntısından hoşlanan Merve iştahla gülümsedi, birazdan kendisine yapılacak her şeye hazırdı. Can, Merve'yi sandalyeye doğru sürüklerken sinsi gülümsemesi daha da güçlenmişti, kızı tek hamlede sandalyeye oturttu ve sandalyeye bantladı. Merve'nin şimdi kafası karışmıştı, ne oral seks ne de herhangi bir pozisyon için uygun değildi bu oturma şekli... Can odadan çıktı.

Geri döndüğünde yanında yemek arabası ve Merve'ye bir kez bile bakmayan Zeynep Hanım vardı. Zeynep Hanım'ın varlığı olayın tüm cazibesini bozsa da Merve nasılsa birazdan yine yalnız kalacaklarını düşünüp umursamadı. Sehpanın üzerine dizilen yemekler o kadar fazlaydı ki Merve Can Manay'a baktı. Göz göze geldiler. Can'ın suratındaki o sinsi gülümseme odadaki atmosfere tamamen aykırıydı.

Zeynep Hanım yemekleri yerleştirip sadece tek bir servis açtıktan sonra arabayı iterek çıktı. Merve tam o anda konuşacaktı ki Can onu "Şşşt" diyerek susturdu. Sakince yaklaştı ve yanında dizlerinin üstüne çöktü. Merve son beş dakikada olanlarla beş dakika önce olmasını düşündüğü şeyler arasında hiçbir bağlantı kuramıyordu. Şaşkındı. Can tabağını yemekle doldurmaya başlayınca daha da bir şaşırdı. Söyleyecek kelimeler bulabilse konuşacaktı ama ne diyebilirdi ki... Can Manay yanında böyle yemek mi yiyecekti? Derken Can tabaktaki yemekten bir lokma çatala dizip Merve'ye uzattı. Merve şaşkınlıkla çatılmış kaşlarını bozmadan lokmayı ağzına aldı. Sonra ikinci lokma, sonra üçüncü... Tabaktaki yemek bittikçe koydu Can Manay, ta ki Merve tıka basa doyana kadar lokma lokma besledi onu. Merve bir lokma daha yerse kusacağını söyleyip Can'ın uzattığı çatala kafasını çevirene kadar devam etti bu besleme. Merve'nin itirazından sonra Can sakince kalktı yerinden, kapıya gidip açtı, altında siyah pantolon bulunan adam hiç konuşmadan girdi içeri üzerindeki gömleğin düğmelerini açarken.

Merve bir an itiraz etmeyi düşündü ama sonra neden olmasın diye karar verdi. Daha önce bir sürü erkekle aynı anda sevişmişti, tarif edilemez bir ruhsal rahatlama vermişti o durum Merve'ye bir sürü fiziksel acının yanında. Adamın kendisine yaklaşmasıyla Merve gülümsedi, nihayet beklediği şeyin gerçekleşeceğini düşündü ama adam tabaktaki çatalı alıp Merve'ye uzattı.

Seansın bundan sonrası sağlıklı biri için tam bir travmaydı. Ruhsal sağlığı bozulmuş biri içinse gerçek bir tedavi, yanlış kaynamış kemiği kırarak düzeltmek gibiydi.

Ali, Can Manay'ın kendisine verdiği her talimata uyarak zorla lokma lokma besledi Merve'yi. Merve kafasını çevirdiğinde kafasını zorla tutup soktu lokmayı, tükürdüğünde bir lokma daha verip ağzını açmasını engelledi. Kustuğunda, mendille hızlıca ağzını temizleyip diğer lokmaya geçti. 6 kişi için hazırlanmış yemek bitmek üzereydi ama Merve sinirle bağırıp oturduğu yerden kurtulmaya çalışana kadar pes etmedi. Can Manay'ın tuhaf yöntemleri olduğunu herkes bilirdi ama bu kadarına Ali daha önce hiç tanık olmamıştı. Merve'nin haykırmalarına, bağırmalarına, kusmasına rağmen zorla yedirmeye devam etti, gözü sürekli Can Manay'daydı. Son lokmayı verdiğinde Can "Tamam" dedi ve Ali, her tarafı kusmukla karışık yemek olmuş bir şekilde çıktı Can Manay'ın odasından.

Merve kızaran suratı, gözlerinden akan yaşla karışmış ve her tarafına bulaşmış kusmukla berbat bir haldeydi. Can Manay sakince çözdü Merve'yi ama ceketi çıkarmasına yardım etmedi. Suratına takındığı tiksinti dolu bir ifadeyle karşısına dikilip konuştu: "İğrençsin sen. Hayatımda gördüğüm en tiksindirici şeysin. Haline bak. Kendini soktuğun şu hale bak. Nasıl izin verebilirsin bunun sana yapılmasına! Senin yerinde olsam bir kere daha böyle bir şey yaşamaktansa ölmeyi tercih ederim." Merve sehpanın üstündeki çatalı kapıp atıldı Can Manay'a. Can saldırıya hazırlıklı olmasa gözüne yiyebilirdi o çatalı. Ama hazırlıklıydı ve hemen masasının ardına geçti. Merve elinde çatal masanın diğer ucunda Can Manay'ı yakalamaya yeminliydi, ta ki Can konuşana kadar.

"Haklısın... Kimse sana bunu bir daha asla yapamaz. Hiç kimse! Çünkü asla izin vermeyeceksin. Eve gideceksin. Yıkanacaksın. Sana bulaşmış her şeyi yıkayacaksın! Tertemiz olacaksın! Çıktığında da bir daha asla kimsenin seni kirletmesine izin vermeyeceksin!"

Merve'nin eli titredi. Önce çatal düştü elinden, sonra dizlerinin bağı çözüldü, yere çöktü bedeni, Can Manay odasından çıkarken Merve çöktüğü yerde yine kusmaya başlamıştı.

Telefonlarına cevap vermeyen Bilge'ye haddini bildirmek için aşağı inerken, Zeynep'i, toparlanmasında Merve'ye yardım etmesi için odaya gönderdi, bir daha Merve'nin seansa ihtiyacı olmayacağından emindi. Bireye, yoğun şefkat hissettiği kişi tarafından uygulanan şiddet sevgiyle kodlanır ve bu kod bilinçaltında ya sadist ya da mazoşist eğilimlerin tohumlarına dönüşürdü. Annesi tarafından bu kadar sevilirken birincil ihtiyacı olan yemek yemede anne şiddetine maruz kalan bir çocuğun, diğer birincil ihtiyaçlarında da şiddet arayışına girmesi kadar doğal ne olabilirdi ki! Beynimiz kodlamayla çalışıyordu, Merve'nin beyni sevildiğini ancak şiddet gördüğünde anlayacak kadar bu iki duyguyu birbirine bağlamıştı. Can Manay Merve'yi hiç sevmeyen birine besleterek ve sonunda da güvendiği kişi olan kendisi Merve'nin karşısına geçip ondan tiksindiğini, bu halinin iğrenç olduğunu söyleyerek çatlatmıştı paterni.* Keşke Çiçek'le tetiklenen, Eti'yle baskılanan, Duru'yla beslenen ve içinde bir labirent gibi kaybolduğu kendi paternini de kırabilseydi. Onu tetikleyen şeyin ne olduğunu bilebilseydi.

---

* Aynı sıralamayla ve değişmez bir düzen içinde meydana gelen davranış zinciri.

4. Bilge

Uçtuğunu düşündü Bilge, deniz toprağı ele geçirirken, içindeki tortuyla binaları yıkıp yolları doldururken şekil değiştiren yeryüzünün üstünde uçuyordu. İçinde bulunduğu binanın çarpan dalgalarla camlarının kırıldığını, içeri giren dalgaların duvarlara çarpıp yıktığını, binanın çöktüğünü gördü kapalı gözlerinin karanlığında, beyninin en derinliğinde. Şehirdeki her şeyin önce suyun altında kalmasını, sonra yerine çekilen suyun bıraktığı çamurlu bir tortuyla kaplanıp yok olmasını izledi. İzlediği yıkımda huzur vardı. Bilindik dünyanın sular altında kalması bir diğerinin doğumuydu. Böyle bir felaket yeni bir yaşam için verilen fırsattı sadece. Bu sefer, içlerinde var olan canlıların yaşamı olacaktı. Nasıl hissettiğini bilmiyordu ama başında birinin dikildiğini hissetti, gözlerini açtı. Can Manay, dizinin dibinde dikilmiş, tepeden dimdik kendisine bakıyordu.

Hemen kulaklığı çıkardı Bilge, müziğin kesilmesiyle fantezisini kurduğu dünya kapandı kendisine. Ayağa kalkardı ama Can Manay o kadar dibindeydi ki onunla burun buruna gelmesi hoş olmazdı. Oturduğu yerde başını kaldırıp Can Manay'ın komut vermesini bekledi. Can mırıldandı: "N'apıyorsun?" Bilge dümdüz ama Can Manay'ı suratına eğilmiş görmekten tedirgin cevap verdi: "Müzik dinliyorum."

Can Manay "Çalışırken mi?" diye diklendi doğrulup poposunu Bilge'nin masasına dayarken. Bilge masayla kendi oturduğu sandalye arasındaki daracık yere giren Can Manay'a biraz mahcup, "Evet... Affedersiniz. Anlamsızlığa iyi geliyor" dedi içinde bir kırıntı bile ukalalık olmayan bir tonda ve kafasını önüne eğdi. Çünkü bu pozisyonda birbirlerine bu kadar yakın durmaları tuhaftı, Can Manay küçük bir adım atsa bacaklarının arasındaydı.

Can, Bilge'nin sıkıca toplanmış saçlarına baktı tepeden, saçları ne kadar sık ve gürdü. Açıldıklarında nasıldılar acaba, hiç saçları salık görmemişti onu ya da gözlüksüz. Bu kadar sıkı toplanan saçlar başını acıtıyor olmalıydı. Elini uzatıp çıkarmak istedi tokayı ama tabii yapmadı. Duru'ya gitmeliydi. Niye gelmişti buraya diye düşündü bir an, hatırladı, Bilge telefona cevap vermemişti. Can poposunu hafifçe kenara kaydırıp, masanın köşesindeki telefonu alıp Bilge'nin tam önüne koydu, yanına cep telefonunu koydu. Bilge'nin yine yüzüne eğilip, "Ben arayınca bakmak için buradasın!" dedi, doğrulup dümdüz baktı Bilge'nin sağ elinin başparmağıyla işaretparmağının kenarını kazımasına. Kısacık kesilmiş tırnaklarına... Sol ön dişinin alt dudağının kenarını incecik ısırmasına... suratına.

Bilge'nin kaçamak bakışları Can Manay'ın keskin bakışlarıyla çarpıştı sadece bir kere ve Bilge, Can Manay'ın neden kendisine sardığını düşünürken şükürler olsun ki ofis telefonu çalmaya başladı. Bilge hemen Can Manay'a baktı. Can Manay hâlâ kıpırtısız, kollarını önünde bağlamış, dümdüz Bilge'ye bakmaktaydı. Bilge ürkekliğini gizlemeye çalışarak cevapladı telefonu, arayan Zeynep'ti. Can Manay'a arabasının arka çıkışta hazır edildiğini, unuttuğu telefonunu da arabaya gönderdiğini söylüyordu.

Can Manay kollarını çözdüğünde elini Bilge'ye doğru uzatıp bir şey söylemek için ağzını açtı ama vazgeçti, dönüp odadan çıkarken kapıda durdu, Bilge nefesini tutarak bekledi bu duruşun nedenini. Can Manay yan dönüp sanki yeni fark etmişçesine "Bu... bu kokan şey ne?" dedi. Bilge neyin koktuğunu bilmiyordu, kokladı, hiçbir şey kokmuyordu. Kokmamaya çok özen gösteren biriydi, ne kokuyor olabilirdi ki derken Can Manay teşhisini koydu: "Lavanta!" Bilge'ye döndü, gözlerinden taşan öfke o kadar şiddetliydi ki, Bilge şaşkın gözlerini Can Manay'dan kaçırmamak için kendini zorlayarak sandalyesiyle bir milim geriledi. Can Manay tane tane, soğuk bir sesle mırıldandı: "Bir daha bu kokuyu duymak istemiyorum. Burası çamaşırhane değil."

Can Manay gittiğinde Bilge hâlâ nefesini tuttuğunu, oturduğu sandalyenin kollarına geçirdiği ellerini sıktığını fark etti. Gevşedi. Nesi vardı bu adamın!

5. Eti & Can

Yarattığı canavar tarafından güçlendirilmek kadar işleri kolaylaştıran ve aynı zamanda insaflı bir vicdanı rahatsız eden başka bir pozisyon olamazdı Eti'nin hayatında. Hastaneye geldiğinde Duru'yu göreceğinden emindi. Yangın sonrasında yaşadığı travma yüzünden haftalardır kızın herhangi resmi bir psikolojik değerlendirmeye tabi tutulmadan, bu şekilde izole alıkonulmasını anlamıyordu ya da aslında anlıyordu söz konusu Can Manay olunca. Psikiyatri bölümüne çıkıp kendini tanıtır tanıtmaz gördüğü hürmet bugünkü hayatını, yaptığı işi, hatta gittikçe zorlaşan hastalığını bile çekilir kılıyordu. İnsanların gösterdiği hürmetten etkilendiğinden değil, kendisi gittikten sonra bile oğluna açılacak kapıların, yapılacak kolaylıkların göstergesi olmasındandı mutluluğu.

Ama Duru'yla görüşme talebini duyar duymaz hemşire hemen bölüm yöneticisiyle görüşmesi gerektiğini açıklamıştı. Eti şaşırmadı, olanlar şüphelerinde haklı olduğunu gösteriyordu, o kadar. Bölüm yöneticisiyle konuşmaya gerek olmadığını, Can istemediği sürece Duru'yu kimsenin göremeyeceğini biliyordu.

Sakince gülümseyerek gerek olmadığını, zaten bir toplantısı

olduğunu, başka bir zaman arayacağını belirtti ve asansöre geri bindiğinde yüzündeki gülümseme düştü, Can'ın yine harekete geçme olasılığı kapladı içini. Onu aramak için binadan çıkması gerekti.

Hastanenin güzel, yemyeşil bahçesinde yürüyüp gece yağan yağmur yüzünden çamura bulanmış yola girdi. Can'ı aramayacaktı, kendisini aramasını sağlayacaktı. Can'ı ararsa onunla değil Bilge ya da Zeynep'le muhatap olacağını biliyordu. Can'a mesaj attı: "Duru'nun hastanesindeyim." Onun birkaç saniye içinde kendisini arayacağından emin, bekledi.

Telefonu dördüncü çalışında açtı sakince "Efendim" diyerek.

Can'ın da sesi çok sakindi "İyi günler" derken ama Eti emindi, bu sakin sesin bedeninde telaş hâkimdi. Eti, "Sana da" dedi ve sustu, önce onu konuşturacaktı. Birkaç saniye süren sessizlikten sonra Can, "Konuya benim girmemi bekliyorsun. Ne kadar profesyonel ve klişesin Eticim" dedi ve sustu.

Arada 12 saniye sessizlik oldu, Eti ne kadar da uzun diye düşünürken Can yine konuştu: "Niye hastanedesin?" dediğinde sesindeki alaycılık yok olmuştu. Eti derin nefes aldı hâlâ hatta olduğunu Can'ın anlaması için ama konuşmadı, 9 saniye daha bekledi, konuşacaktı ki Can oltaya geldi: "Duru kimseyi görmek istemiyor..." Eti sadece dinledi. Can, "O gün onu terk etmiştim, çok ağır gelmiş olmalı, bana çok âşık... Camı kırıp evime girmiş, cezalandırılmasını istemiyorum zavallının" dedi.

Eti sesini çıkarmadı. Can, "Benden başka kimseyle konuşmuyor!" diye çıkıştı, sonra yine bekledi. Dışarıdan gelen sesler olmasa Eti'nin hatta olmadığını düşünebilirdi Can, sessizlik çok rahatsız ediciydi. Eti'den bir ses alabilmek için "Alo" dedi ama der demez kendini acemi bir salak gibi hissedip suratını buruşturdu, eliyle saçlarını karıştırdı, niye "Alo" demişti ki! Eti her kelimenin üstüne basarak tane tane konuştu: "Kendine gelmeni bekliyorum."

6. Can & Eti

Can'ın, hastanenin kapısına yaklaşmak üzereyken durup kendisine cevap vermesini bahçenin köşesinden izledi Eti. Can önce kocaman bir kahkaha attı, "Bekliyor musun!" dedi ve sonra aniden ciddileşip kelimeleri dişlerinin arasından çıkardı: "Kendime nasıl geldiğimi senden daha iyi kimse bilemez Eti. Kendime gelebilmek için neler feda ettiğimi... Buraya birlikte geldik, unuttun mu? Unutmadın, bana hatırlatmak için can atıyorsun ama ben kendimdeyim, tam merkezimdeyim! Duru'yu görmek istiyorsan git gör gösterirlerse!" diye çıkıştı.

Eti tane tane, "Bunca yaşananlardan sonra varabildiğin yer burasıysa yazıklar olsun! Buraya, bu karanlık, kontrolsüz yere, sana birlikte gelmedik Can! Biz seninle sadece ışığa birlikte yürüdük ama sen kendi içinde kayboldun" dedi ve tehditkâr ekledi: "O kızı yarın çıkar lütfen!" Sakince telefonu kapattı.

Can'ın kalbi hızlanmıştı, içini dolduran telaş bir an suratına yansıdı, Eti telefonu suratına kapatmıştı! Sarsıldı. Bir süre yere bakakaldı, ta ki uzaktan birinin kendisine yaklaştığını fark edene kadar. Kafasını kaldırıp hastanenin bahçesinden kendisine doğru yürüyen Eti'yi gördü, Eti dümdüz bakıyordu, sanki içinde ne varsa, ruhunda ne oluyorsa her şeyi görebiliyordu. Kendisini tehlikede hisseden bedeni uzaklaşmak isterken mantığı durmasını, bakışlarını kaçırmadan konumunu korumasını, teratorisine sahip çıkmasını buyurdu Can'a. Eti ona beş metre kala durdu, yavaşça kafasıyla küçük bir selam verdi ve dönüp gitti.

7. Duru

Nihayet Can gelmişti. Telefonda konuşmak için biraz bahçe-
de oyalanmış, şimdiyse öylece dikiliyordu. Birini bekliyordu. Ha-
yır, bakıyordu. Can'ın karşısında dikilen kadın da kimdi? Kadın
çekip giderken Can bakakaldı arkasından, kıpırtısız ve dönüp
hastaneye girdi. Duru camın önünden koşarak lavaboya gitti, su-
ratına baktı; yanaklarını çimdikleyerek pembeleşmesini sağladı.
Ne kadardır hastanede tutulduğunu bilmiyordu ama pencereleri
yüksekteki diğer odadan buraya geçireli dokuz gün olmuştu, her
atağa geçtiğinde bayıltılmak zaman algısını zayıflatmıştı. Yatağa
uzandı, kapıya arkasını döndü, üzerindeki uzun geceliğin altın-
dan kalçasının kıvrımlarını kapıdan girecek kişiye sunarcasına.
Çünkü çaresizdi. Ağlamak, bağırmak, Can Manay pisliğine sal-
dırmaya çalışmak anlamsızdı, çırpındıkça daha çok saplanıyordu
bataklığa. Uyandığında yanı başında bekleyen Can'ı görünce
tekme tokat girmişti ona ama hemen bayıltılmıştı, yine ayıldı-
ğında Can yanındaydı, başını karnının yanına koymuş uykuya
dalmıştı. Duru bu sefer saçlarından tutmuştu onu ve parçalarca-
sına geçirmişti tırnaklarını tekrar bayıltılana kadar. Her saldırıy-
la birlikte rutine binen bu uyuşturulmalar buradan böyle çıka-
mayacağını öğretmişti. Her yolu denemişti kendini Can Manay
pisliğinden temizlemek için ama hiçbir yol sonuç vermemişti.
Bazen geceleri Can'ın odasına geldiğini, uykusunda kendisiyle
seviştiğini gördüğü rüyalar vardı, bedeni paralize olmuş gibi kı-
pırdayamadığı, gözlerini bile açamadığı kâbuslardı bunlar. Kâbus
olmadığını bildiği kâbuslar. Uyandığında kendini parçalanmış,
yağmalanmış hissettiği dehşet verici kâbuslar, kimseye anlata-
madığı ve ispatlayamacağı kâbuslar. Can'a saldırmaktan vaz-
geçtiğinde, derdini hemşireye, doktora anlatmak istemişti. Ne

kadar da saftı. Kimse konuşmuyordu onunla, hemşireler ilaçlarını bırakıp kaçarcasına uzaklaşıyorlardı. Duru bazı günler yalvarmak zorunda bile kalmıştı tek bir kişiyle konuşabilmek için, her yalvarışın sonunda Can Manay giriyordu kapıdan. Can her yerdeydi. Uykusunda, uykusuzluğunda, gözünü her kapadığında, her gözünü açtığında... Ondan sıyrılmanın tek yolu, oyuna katılmaktı.

Can içeri girdiğinde, kapının sesiyle irkilmiş gibi yaparak doğruldu Duru ve sanki yeni uyanmış gibi gerindi, gerilen vücudunun Can'ı nasıl yakalayacağını biliyordu.

Can kapının önünde durup bir an izledi, Duru bugün oldukça iyi görünüyordu. Deliliği hafiflemişti. Aslında delilik değildi bu, Can biliyordu ama Duru'yu kendisine saldırtan bilginin ne olduğunu bilmiyordu. Öğrenmek için her şeyi denemişti. Saldırıları geçtiğinden beri onunla konuşmaya çalışıyordu ama o tek bir kelime dahi etmemişti, hemşirelerle konuşmak için yalvardığı kendisine söylenmese Duru'nun artık konuşamadığına dahi inanabilirdi. Duru "Günaydın!" diye neşeyle bağırdığında sıçradı Can, haftalardır ilk defa sesini duyuyordu. Üzerindeki şoku atlatamadan, Duru üzerindeki uzun geceliği dizlerine kadar çekip yatakta bağdaş kurdu, o güzel suratına yayılan gülümseme inanılmaz derecede huzur vericiydi.

Can hareket edemedi, bedeni dondu. Duru kendine gelmişti. Can her an gelebilecek saldırıya hazır, adım adım temkinli yaklaştı, içinde yükselen mutluluğun mantığını kaplamasını engelleyerek. Travmadan çıkan insanlar görmüştü, çıkmış gibi yapanlarını da. Duru'nun neşesi umut verici miydi? Depresyondan durgun çıksa belki daha iyiydi, böylesine aniden neşeli, manik çıkanların sonunun genelde düşüş olduğunu deneyimlemişti. Can temkinli bir şekilde yaklaştı, ayakta olduğu için göğüs hizasına gelen Duru'nun yarısı yanmış ama hâlâ ipeksi saçlarına dokunmaktan kendini alamadı, temkinliydi ama Duru'nun sarılmasındaki samimiyet gardını indirtti ve kokladı her bir teline taptığı saçları. Duru'nun bedeni ince ince titrediğinde ağladığını anladı Can ama bu sarılışa ihtiyacı vardı, çok uzun zaman olmuştu onun tarafından sevgi görmeyeli, Duru kendini çekene kadar sardı kollarını ona. Duru kendini çektiğinde gözleri yaşlar içindeydi, kıpkırmızıydı, "Neden buradayım?" diyebildi hıçkırıklarının arasında ve yine sarıldı Can'a. Can eğildi, yanına oturdu ve kucakladı Duru'yu, kokladı, başından, boynundan, saçlarından öptü. Duru'nun hıçkırıkları sakinleşmişti, Can'ın öpüşünden kurtulmak için kafasını geri çekti ve bu hareketindeki niyetin anlaşılmasını engellemek için elleriyle Can'ın yüzünü tuttu, Can anında teslim oldu. Duru ilk defa böyle tutuyordu kendisini, tutkuyla seven biri gibi, kendisinin yaptığı gibi. Duru, gözlerinin içine baktı, burnunun ucuna ince bir öpücük kondurdu, sonra derin bir nefes alıp kafasını Can'ın boynuna soktu ve "Neden buradayım?" dedi yine.

Can'ın kaşları çatıldı, "Seni burada tutuyorlar çünkü yangını senin çıkardığını düşünüyorlar" dedi, blöf yapıyordu. Bir tek Can şüpheleniyordu durumdan, Duru ilk uyandığında kendisine saldırmış olmasa bu şüphesi hiç olmayacaktı, hastaneden çıkıp şükrederek eve döneceklerdi ama Duru'nun nefretle kendisine saldırması evde bir şeyler keşfettiğini, keşfettiği şeyin Duru'da nefrete dönüştüğünü anlatmıştı Can'a, ne olduğunu bilmiyordu ama bir şey olduğuna emindi. Duru "Niye yakayım evimizi... Orası senin beni bulduğun yer" dedi mırıldanarak ve ağlamaya başladı yine. Can'ın kalbi parçalandı, numara yapıyor olamazdı, bu aşkı bir tek kendisi yaratıyor olamazdı. Sıkıca sarıldı ona, sonra onun başını kaldırdı ve öptü.

Bu öpücüğe katlanması hatta hakkını vermesi gerektiğini bilerek karşıladı öpücüğü Duru, hayatı onun elindeydi. Kendisinden aşk isteyen bu saplantılı deli, istediği şeyi almak pahasına her şeyi yok edebilirdi. Can'ın beklentisinden öteye giderek diliyle okşadı onun dudaklarını ve mırıldandı: "Evimize gitmek istiyorum." Can rüyadan uyanır gibi çekti kendini geriye. Bir kez daha tahrik olup hayal kırıklığına uğrarsa öfkesini kontrol edemeyeceğinden emindi. Şüpheyle baktı Duru'nun suratına, kendisinden kurtulmak için oyun oynayan biri mi, travmadan çıkan biri mi vardı karşısında? Anlayamıyordu. Anlamak için kurcalaması gerekiyordu. Gözlerini dikkatle Duru'nun mimiklerine odaklayıp sordu: "Evden aldığın kâğıtlar neydi?"

Duru, Can'ın kendini geri çekmesinden tedirgin hissederek ama rahat görünerek, "Deniz'in yazdığı mektuplar" dedi. Bunca olayı tetikleyen mektupların Duru'da hiçbir duygu yaratmaması Can'ı sarstı. "Benimle sevişirken bile elinden bırakamadığın mektuplardan bahsediyoruz?" dedi ve cevap bekledi. Duru kaşlarını kızgınlıkla çattı. "Beni nasıl aptalmışım gibi korumaya çalışarak böyle aciz bir duruma sokarsın ve bunca aydır o pislik için boşu boşuna vicdan azabı çekmeme seyirci kalırsın? Böyle mi korumaya çalıştın beni, Deniz'in açıklarını saklayarak?" dedi. Can'ın kafası karışmıştı, daha detaylı düşünmeye ihtiyacı vardı ama Duru izin vermedi, öfkeyle: "Az bile yaptım! Eğer zamanında Deniz'in yaptıklarını bana anlatsaydın o mektupları bulduğumda yanlış düşüncelere kapılmazdım. Dua et o mektupları sadece elimde tuttum, yedirmedim sana!" diye patladı. Can şoktaydı, düşünmeden otomatikman sorguladı: "Peki niye saldırdın bana uyandığında?"

Duru derin bir nefes aldı, dizlerini kendine çekip yatağın diğer köşesine kaydı, gözlerini Can Manay'a dikip sordu: "Evi niye yaktın?"

Can sadece "Ne!" diyebildi anlamaya çalışarak. Duru'nun çatılmış kaşları daha da sertleşti, şüpheci bir şekilde Can'a bakıyordu. Can heyecanla, "Evde biri mi vardı!!" diye sıçradı. Duru gözlerini Can'dan ayırmadan mırıldandı: "Senden başka kim girebilir ki eve?" Can dehşetle haykırdı: "Nasıl düşünürsün bunu! Sana zarar vereceğime nasıl inanırsın!" Duru kaşlarını çatmış Can'a bakarken, Can sıkıca sarıldı Duru'ya, güçsüz görünmemek için gözyaşlarını tuttu ama içi ağlıyordu. Bu kadar değer verdiği bir şeye dokunmaya kim cesaret edebilirdi!

Duru'yu o an çıkarmak istiyordu bu lanet olası yerden! Ama yapamazdı çünkü onun burada tutulmasının güya kendi elinde olmadığını göstermeliydi, yoksa bu da sonrasında Duru'nun kurcaladığı bir konu haline gelebilirdi. Can, Duru'nun yüzünü avucunun içine alıp "Saçının teline bile kıyamam ben" dedi, Duru'ya sarılırken Duru da ona sıkıca sarıldı.

Tutsaklığın insana neler yaptıracağını, mecbur kaldığında bir kadının kendi özgürlüğü için neleri göze alabileceğini bilmeden sıkı sıkı sarıldı Duru'ya.

8. Bilge & Eti

Can Manay'la yaşadığı kriz, Murat'ın hastanede olmasının duygusunu baskılamıştı ama Eti'nin ofisine vardığında elinde, taşıdığı dosyalar ve kalbinde Murat'ın acısı vardı. Konuşabildiği tek kişiydi Eti. Asansörden inip duvara renksiz bir şekilde kazınmış Hz. Muhammed'in sözüne baktı Bilge. Parmağının ucuyla harflere dokunarak yavaşça ilerledi kapıya. Açık olduğunu biliyordu, içeri girdi. Koridorun sonundaki kapıyı tıklattı, Eti'nin içeri girmesini söyleyen sesini bekledi. Ve derin bir nefesle, sanki dış dünyada alamadığı nefesi içine çekip girdi içeri.

Eti ayağa kalktı, tokalaştılar. Tokalaşırken Eti fark etti, Bilge iyi değildi. Eti gözlüğünü çıkarıp Bilge'nin elindeki dosyaları aldı, sehpanın üstüne koydu ve dönüp Bilge'yi kolundan tuttu şefkatle ve kendi koltuğuna oturttu. Acıyordu bu kıza. Bilge'ye baktığında ifadesinde acıdığı şeye duyduğu şefkat ve Can Manay'ın hayatının detaylarına uzanan köprünün anahtarı vardı. Fırtınanın yaklaştığını hissediyordu ve güçsüzdü. Can'ın hayatından sistemli bir şekilde haberi olabilmesi için Bilge'ye adım adım yaklaşmıştı ama Bilge'nin zekâsı, en temel ihtiyaçları karşılanmadan bugünlere gelebilmiş olması, aralarındaki ilişkiyi daha da değerli kılmıştı. Detaya girmeden paylaşmaya başlamışlardı. İsimler, kişiler, hatta olaylar yoktu sohbetlerinde, sadece duygular ve duygulardan doğan düşünceler vardı. Can artık tamamen sıyrılmıştı Eti'yle yaptığı toplantılardan, kaybedecek çok şeyi olmasa bu durum Eti'ye de iyi gelebilirdi ama Can'ın kontrolünü nasıl kaybettiğini en iyi bilen kişiydi, hatta tek bilen kişi. Hastalığı iyice ilerlemişti ve oğlunu düşünmek zorundaydı. Kendi yokluğunda oğlunun hayatını garantilemek zorundaydı. Adına düşecek bir lekenin oğlu Can'ı nasıl etkileyeceğini düşününce bile midesi kasılıyor, sanki organları küçülüyordu. Çok ve büyük hatalar yapmıştı. Can'dan hiçbir beklentisi yoktu aslında, sırlarını koruması dışında.

Eti'nin zekâsına rağmen şefkatli olabilen yüzü, ipek gömleğinin ince dokusu, soğukkanlılığına anlam katan ses tonu... Haftada bir toplantıları olmasa nasıl katlanabilirdi izlemek zorunda bırakıldığı hayata. Can Manay'ın toplantılara katılmıyor olması harikaydı! Eti sadece hastalarının oturduğu koltuğa otururken "Kötüleşti mi?" diye sordu. Bilge evet anlamında kafasını salladı, "Uyanmıyor. Komite inceleyecekmiş, eğer beyin ölümüne karar verirlerse makineyi kapatacaklar" dedi ve derin bir nefes aldı. Eti'nin sakinliğinde sakinleşirken bir bilim adamı gibi duygusuz sordu: "Ne düşünüyorsun?"

Eti, arkasına yaslanırken cevap verdi: "Ölümü."

Bilge Eti'nin koltuğuna oturmaktan aldığı güçle kendini sohbet etmeye yetkili hissederek arkasına yaslandı. Eti kafasını geriye yaslayıp anlattı: "Her an ölüyoruz. Doğumdan itibaren başlayan bir geri sayımın içindeyiz. Çok yakında öleceğim. En fazla 6 ay. Niye yaşadığımı hâlâ bilmiyorum. İnan bana en ufak bir fikrim dahi yok. Hayatımı analiz ettiğimde elimde olmayan şeylerin hayatımı nasıl şekillendirdiğini fark ediyorum. Mecburiyetler bizi belirli yollara sokuyor, sonrasında o yollarda seçme şansımız olsa bile mecburiyetlerimizin arkasına saklanıp harekete geçmiyoruz. Mecburiyetlerimin beni sürdüğü yerlere gittim ve mecburiyet kordonunu kesme şansım varken kolay yolu seçip daha büyük mecburiyetlerin hayatımı ele geçirmesine izin verdim... Planlanmamış bir hamilelik yaşadım."

Bilge nefesini tutarak dinledi. "Birlikte olmayı dahi düşünemediğim birinden hamile kaldım. Hiçbir şey benim kontrolümde değildi ve etrafımda, hayatımı kontrol altına alabileceğimi, varoluşumun temelinde kendi kontrolümün olduğunu söyleyen, beni uyandıran kimse yoktu. Kendimi yaratmak için buradayım, istediğim gibi, seçtiğim gibi, karar verdiğim şekilde olmak için buradayım! Ne komiktir ki bu en basit ve önemli bilgi insanoğlunun en geç fark ettiği şey. Neyse, kısacası seçme şansım olduğunu bilmiyordum. Kendi cahilliğimin ve korkaklığımın beslediği mecburiyetlerimin içinde yaşamaya başladım. Çocuğu doğurdum. İçimde büyüyen bir parazit gibi... İstemediğin bir çocuğu doğurmanın ağırlığı başka hiçbir şeye benzemez. Tahmin bile edemezsin."

Eti uzaklara bakarken Bilge, oğlundan bahsetmediğini anladı, oğlundan önce istemediği bir hamilelik daha yaşamış olmalıydı çünkü istenmeyen bir çocuk asla bu kadar sevilemezdi ve Eti oğluna tapıyordu. Eti'nin kafasını çevirmesiyle göz göze geldiler. Bilge sakince lafa girdi: "Tahmin edebiliyorum... İstemeyen bir anne ve istenmeyen bir çocuk dışında kimse tahmin edemez, haklısınız." Saygısızlık etmemek için sustu Bilge, Eti'nin paylaşmak istediği şeyler varsa konuşmasını bekledi ama bu kadarını bile paylaşmış olmanın hissi fazlaydı Eti'ye. Alışık olmadığı bir gevşeme duygusu vermişti, suratına yayılan rahatlamış gülümsemeyle gözlerini tavana dikip sordu: "Kaç yaşındaydın anneni kaybettiğinde?" Bilge, "Hiç benim olmadı ki kaybedeyim" dedi. Bu kuru, üzücü cümle ağzından çıkar çıkmaz aslında ne kadar ironik ve saçma olduğunu düşündü, hafifçe güldü ve Eti'nin de güldüğünü fark etti. Birbirlerine bakıp gülmeye başladılar. Kendilerine acımayacak kadar gelişmiş iki insanın farkındalıklı gülüşü histerik bir kahkahaya dönüştü önce. Anın içinde birlikte kayboldular. Bilge gözünden gelen yaşı silerken, "Sevdiğim herkes gidiyor. Hep geride ben kalıyorum" dediğinde, Eti Bilge'nin ağladığını anladı ama şaşırmadı.

Bu odada bir insanın görebileceği bir sürü tuhaflığa tanık olmuştu ve gülerken ağlamak bunlar arasında en doğal olanıydı. Masanın üstündeki mendili işaret ederken, "Kaybettiğin insanlarla daha kuvvetli bağlar kuramayacağın ya da kurduğun bağları artık deneyimleyemeyeceğin için ağlıyorsan problem yok devam et, rahatlarsın ama kendine acıdığın için ağlıyorsan lütfen mendillerimi harcama" dedi. Bilge burnunu silerken kafasını kaldırıp Eti'ye baktı. Eti ciddiydi, hem de çok ciddi.

Dikleşip çok ciddi bir ifadeyle baktı ona ve tane tane konuştu: "Annen seni bırakmadı çünkü zaten seni hiç tutmamıştı, tutamamıştı. Hayatının acınacak yanları olduğunu sanıyorsan yanılıyorsun, algını değiştir! Mecburiyetlerinden sıyrılabilmiş ve buraya gelebilmiş birisin sen. Milyonlarcasının yapamayacağını başarmış birisin! Çünkü hayat sana o kahrolası deneyimlerle kendini buldurdu, şanslısın! Ya kendini bulacağın ya da yok olacağın bir deneyimde doğdun. Arada bir yerlerde sıkışmadın ki var olabildin. Rahimden çıkan ama henüz doğmamış milyarlarcasının yaşadığı bir dünya burası. Çünkü asıl doğum, karakterin kendini fark etmesiyle başlar, rahimden çıkmakla değil. Sana bakınca gerçek bir kimlik görüyorum. Kimliğini bedenine indirmeyi başarmış biri. Kendine acıdığın o deneyimler olmasa doğamazdın! Rahimden çıktığınla kalırdın, o kadar! Neyse, bu konuyu aşmak üzere olduğunu biliyorum, o yüzden şimdi asıl konuya, Murat'a geçeceğim. Murat'ı tanımıyorsun. En sevdiği müzik ya da yemek, renk nedir bilmiyorsun? Belki bunları bilmek birini tanımanı sağlamaz diye düşünüyorsun ama bir insan, keyif aldığı şeye dönüşür. Onunla ilgili en basit şeyleri bile bilmiyorsun. Bir trajedi yaşıyorsun. Yaşadığın trajediye diğerlerinin gözünden bakıp aslında nasıl da haksızlığa uğradığını yüklüyorsun kendine. Bunu yapma, eğer o muhteşem beyninin içinde bu deneyimlerini, annesizliğini, kardeşini, Murat'ın ölmesini hatta babanı mecburiyet olarak kodlarsan asla olman gereken şey olamazsın. Bunu yapma! Altında ezilmen için değil, gerekli olduğu kadarını alıp renklenmen için yaşıyorsun. Şimdi bir düşün, sen annesiz büyüyebilmiş, büyürken abisine annelik yapmak zorunda kalmış, babası tarafından desteklenmediği halde başarabilmiş birisin! Sadece seçmen gerekiyor. Bir seçim yap ve kendini seç! Kendini seçen insan asla kendine acımaz! Çünkü kendini, kendine acıyacak kadar uzun süre acınacak durumda bırakmaz. Murat yarın uyanabilir ya da bu akşam ölebilir. Başkalarının senin hayatını bu kadar etkilemesi sadece senin kontrolsüz zavallılığını gösterir" dedi, bir an sustu.

Bilge'nin aklı Eti'nin içinde yarattığı anlamlarda gezinirken Eti, Can'da yaptığı her hata sanki bu kıza verebileceği her destekte temizlenecek gibi hissetti, mırıldandı: "Okuduğun her kitap, toplamda sadece 29 harfin kombinasyonundan oluşuyor, aynı etrafında gördüğün her şeyin aynı atomların bir araya gelmesiyle oluşması gibi ama her şey birbirinden ne kadar farklı değil mi? Bizi oluşturan aynı atom ve okuduğumuz yüzlerce değişik kitabı oluşturan 29 harf... Temelde biriz Bilge ama aynı değiliz, çünkü deneyimlediklerimiz farklı. Ne olursa olsun deneyime sahip çık" dedi ve mırıldanması konuşmaya dönüştü: "Bu konuşma sana iyi gelecek, bu akşam hastaneye gidene kadar kendini güçlü hissedeceksin. Her gün mutlaka hastaneye git ve onunla vedalaş. Onun en sevdiği müziği öğren, o müzikle birlikte ağla. Kendine sadece o müzikle ağlama izni ver. Bir gün o müzik içinde o kadar etkisini yitirecek ki duyguların geçici olduğunu anlayacak bedenin."

Bilge kafasını geriye yasladı. Kendini daha iyi hissediyordu, duygusunun böylesine aniden değişmesi ne tuhaftı. Yönetmen tarafından kendisine verilen rolün rol olduğunu hatırlamış bir drama oyuncusu gibiydi. Kafasını kaldırıp "Acayip açım, eğer bir şeyler yemezsem midem kendini yemeye başlayacak" dedi. Eti yanındaki yastığı Bilge'ye attı, üstteki dosyayı alırken konuştu: "Yemekleri söyle, ben dosyaları açıyorum."

9. Can & Duru

Duru'yu çıkartmak için gece yarısını beklemek zorunda hissetmişti Can, taburcu olmasının elinde olmadığının ama elinden geleni yaptığının kanıtı olacaktı beklenen bu süre. Gecenin karanlığında, arabasının arka koltuğunda, şehrin suni ışıklarını bir bir geçip evlerine doğru giderlerken Duru omzunda uyumuştu bile, şimdi saçının yanık kısmı Can'ın burnunun dibindeydi ve bu koku, o gece Duru yangında ölmek üzereyken bir orospunun kollarında olduğunu hatırlatıyordu ona. Başını sancıyla geriye yasladı Can, omzunda uyuyan Duru'yu uyandırmamaya dikkat ederek, kapının kenarındaki düğmeye uzanıp ara camı kapadı. Ağlarken kimsenin onu görmesini istemiyordu, çok güvendiği Ali'nin bile. İçi acıyordu. Gözlerinden akan yaşlar yanağına inmeden sessizce silip eve varmayı bekledi.

Eve vardıklarında kafasından öperek uyandırdı Duru'yu, yol boyunca aslında bir saniye bile uyumadığını bilmeden.

Duru, her an Can'ın tahrik olabileceğinin, kendisine sokulmak isteyebileceğinin bilincinde olabildiğince donuk indi arabadan, hastaneden çıkmıştı ama henüz kurtulmuş sayılmazdı. Adım adım planlamalı, bir an bile uyandırmamalıydı canavarı. Can'ın şefkatle başını okşamasına, kolundan tutup onu eve yönlendirmesine izin verdi. Kafese girercesine eve girdi. Bu adamı baştan çıkarmayacak ne yapabilirdi! Tiksindi. Onu istemiş olmaktan, onunla sevişmiş olmaktan, ondan tahrik olmuş olmaktan tiksindi! Can tarafından sevilmek başına gelen en tiksindirici şeydi.

Duru eve girdiklerinde ikinci adımda öğürmeye başladı, aslında midesi kusmak istemiyordu, kusmak isteyen beyniydi ve vücudundaki anlaşmazlık kusmasını engelledi ama o öğürmeye devam etti, Can'ı kendisinden uzak tutmaya yetecek her şeyi yapmaya hazırdı. Can uzak durmadı. Duru'nun iki büklüm olan bedenini kucaklayıp taptığı kadını koltuğa taşıdı, sehpanın üstündeki telefondan doktor çağırmalarını buyurdu güvenliğe ve hemen Duru'nun ateşine baktı, çünkü Duru zangır zangır titriyordu.

Titremek nihayet işe yaramıştı. Can inanmıştı.

ᢟ 3. BÖLÜM ᢟ

1. Deniz

Değişik köylerden gelenlerin toplandığı kahve bölgedeki üç köyün tek kahvesiydi. Eşeklerin, atların sırtında gelen gençleri, gelinlerinin, torunlarının kolunda gelen yaşlıları izledi Deniz. Bugün bölgenin tek imamı, dedelerin de katıldığı bir sohbet için herkesi çağırmıştı. Çocuklardaki heyecanı görmese gelmezdi Deniz, dinsel bir vaaz dinleyecek havada kesinlikle değildi. Ama Çavuş'un küçük oğlu Mustafa'nın dedikleri ilgisini çekmişti. Çocuk, "Dinleri konuşacağız, yaşamın nasıl yaratıldığını tartışacağız" demişti.

Kahvede yaşlı, genç, kızlı erkekli, sandalyelerde, yere serdikleri kilimlerde oturan köylülere dikkatle baktı Deniz, yaradılışın tartışıldığı bir felsefe grubundan çok köy düğünü için hazırlanmış gibiydiler. Bölgenin tek kamyoneti geri kalan yaşlıları getirince herkesin hürmetle kalkıp selamlamasını, yer vermelerini izledi. Çocuklar ve yaşlılar el eleydi. Fark edilmemek için kendi köşesinde hiç kıpırdamadan, imamın selamlaşmaları bitirip ortada boş bırakılan halıya oturmasını izledi.

İmamın çevresindeki ilk halkada çocuklar ve yaşlılar, gerideyse köyün geri kalanı vardı. Çaylar dağıtıldı, haller hatırlar soruldu ve imam, Orhan Dede'ye "Hadi Orhan Dede, seni dinliyoruz bugün ne anlatıcan bize" diye seslenince herkes sustu. Orhan Dede kulağındaki işitme cihazını düzeltip konuya girdi: "Zor günler gelipduru ama önemli olan zorluklar değildir, zorluklara rağmen değerleri korumaktır. Şimdiki çocuklara bakıveriyom da şaşırıyom. Pek bi akıllılar, pek bi hızlılar. Soyumuz için bi şeyler yapmak lazım geliveri. Ben bi internet alalım derim."

Yaşlıların yanında oturan çocuklar sevinçle yerlerinde zıplarlarken köylüler kendi aralarında kısık bir uğultuyla konuştular. Orhan Dede'nin yanındaki Hatice Nine, "Susun gari! Sağar kulaklarım bile ağrıdı" diye söylenene kadar uğultu devam etti.

Konuşmanın bir süresi köylülerin interneti ve bilgisayarı nasıl alacaklarını, nereye koyacaklarını herkesin sırayla nasıl kullanacağını hesaplamalarıyla geçti. Kahveye koymaya karar verdikleri bilgisayarı üç köyün çocuklarının ortak kullanımına açacaklardı. Toprakla uğraşan, tükettiğini üreten insan gelişmiş insandı, paylaşmak bu köylülerin doğasında vardı. Kendini dünyanın en uygar yerinde hissederek dinledi Deniz.

İnternetten sonra, yağmurlarla bozulan futbol sahasını düzlemek, kahvenin önündeki çardağı yenilemek, muhtar odasını boyamak gibi kararlar aldılar. İmam konuşana kadar devam etti toplantı.

Genç imam, "Nerde kalmıştık?" dediğinde çocuklar hep bir ağızdan, "Hz. Muhammed hastalanmıştı ve sonra cenaze namazı iki kere kılınmıştı." diye hatırlattılar, yaşlılar kafalarını sallarken. İmam anlattı: "Evet, peygamberimiz Sallallahü Aleyhi ve Sellem'in* vefatı sırasında Hz. Ebu Bekir ve Hz. Ömer uzaklarda olduğundan peygamberimizin cenaze namazı hem vefatında hem de günler sonra, Hz. Ebubekir ve Ömer döndüklerinde kılınmıştır."

Çocuklardan biri kaşlarını kaldırarak tepki verdi: "Peygamberimiz gömülmek için bekledi mi! Neden hemen gelmediler ki!"

İmam anlayışla açıkladı: "Gelemezlerdi çünkü çok uzaktaydılar, o zamanlar yolculukları develerin üstünde yaptıkları için yol uzun sürüyordu."

Diğer bir çocuk sorguladı: "Neden Hz. Ebubekir ve Hz. Ömer uzaklardaydı ki?"

İmam, "Mekke, o dönemlerde kıraç dağlar arasında bir vadiye kurulmuş bir şehirdi. Medine ya da Hayber gibi ziraat zengini diyarların aksine, Mekke'nin zenginleri ticaret zenginiydi. Bu anlamda bir tüccarlar şehriydi Mekke. Ebu Kuhâfe'nin oğlu Ebu Bekir o tüccarlardan biriydi. Mekke'nin sayılı zenginleri arasındaydı. Deve kervanlarıyla ticaret yapmak için bölgenin bir ucundan diğer ucuna yollara çıkarlardı. Yüzlerce deveyle ipekler, baharatlar, halılar, kilimler, aklınıza ne gelirse taşır, uğradıkları şehirlerde satarlardı. Peygamberimiz Sallallahü Aleyhi ve Sellem hastalandığında Hz. Ebubekir ve Hz. Ömer ticaret için kervanla yollardaydılar" derken bir çocuk lafa girdi: "Peygamberimiz hastayken niye yalnız bıraktılar onu?"

İmam tebessümle anlattı: "Peygamberimiz Sallallahü Aleyhi ve Sellem yalnız değildi, yanında amcasının oğlu, aynı zamanda da damadı olan Hz. Ali ve diğer sevenleri vardı. Neyse, peygamberimiz Sallallahü Aleyhi ve Sellem vefat ettiğinde doğal olarak cenaze namazı kılındı ama kayınpederi Hz. Ebubekir ve Hz. Ömer şehre henüz dönmediklerinden defnedilmesi için beklendi ve

---

* Allah ona salat ve selam etsin

onlar geldiğinde tekrar cenaze namazı kılınarak defnedildi. Peygamberimiz Sallallahü Aleyhi ve Sellem'in ardından sırasıyla Hz. Ebubekir, Hz. Ömer, Hz. Osman ve Hz. Ali halife yani peygamberimizin vekili olmuştur."

Çocuklardan biri "Hz. Ebubekir'i kim seçti halife olarak?" diye sordu. İmamın suratındaki karmaşa bir an da olsa kendini gösterdi, sonra sakinlikle, "Hep birlikte karar verdiler" diye cevapladı.

Diğer bir çocuk: "Hep birlikte karar verdilerse niye sonra savaştılar?" diye sordu elindeki ekmekten kocaman bir ısırık alarak.

İmam cevap verecekti ki bu sefer 4 yaşlarındaki bir çocuk sordu: "Anlamadım ben, Hz. Ebubekir kimdi?"

İmam hoşgörülü bir tebessümle açıkladı: "Hz. Ebubekir, İslam'ın yayılmasında peygamberimiz Sallallahü Aleyhi ve Sellem'in yanında olmuş, zenginliğini Müslümanlığı kabul eden kölelere özgürlüklerini vermek için harcamış değerli bir İslam büyüğümüzdür. Rivayete göre peygamberimizin de en yakın arkadaşıydı" dedi ama aynı çocuk, "Peki Hz. Ömer kimdi?" diye sordu. İmam açıkladı: "Hz. Ömer, Mekke'de Beni Adi kabilesinde doğmuş, orta sınıfa mensuptu. Rivayete göre Mekke müşriklerince peygamberimiz Sallallahü Aleyhi ve Sellem'i öldürmek üzere parayla tutulmuşken tesadüfen dinlediği Kuran ayetinden etkilenmiş ve Müslüman olmuştur. Çok güçlü ve iriyarı olduğu için yetenekli bir güreşçidir. Hz. Ebubekir'den sonraki halifemizdir."

Çocuklardan biri, "Çok güçlü olduğu için mi onu halife seçtiler?" diye sordu. İmam cevap verecekti ki diğer bir çocuk yorum yaptı: "Hiç anlamadım ben, peygamberimizi öldürmek için görevlendirilmiş biri nasıl halifemiz oldu şimdi!"

İmam sakinlikle cevap verdi: "İslam'da önyargı en büyük günahlardan biridir. Önyargıyla düşünmek yerine, sevgiyle kabullenmek gerekir" demişti ki 8 yaşındaki çocuk "Biz önyargılı değiliz ki, sadece neden onu öldürmek için görevlendirilmiş birini seçtiler onu anlamadım. Kim seçiyor ki halifeleri?" diye çıkıştı.

İmam terlemeye başlamıştı, inancına sığınarak doğallıkla cevap vermeye çalıştı: "Hz. Ebubekir halifeliğini Hz. Ömer'e devretmiştir. Sonrasında da Hz. Osman'a geçmiştir halifelik. Hz. Osman da Hz. Ali gibi peygamberimizin damadıdır ve Hz. Ebubekir'in de en yakın arkadaşıdır. Hz. Osman, halifelikleri sırasında hem Hz. Ebubekir'e hem de Hz. Ömer'e danışmanlık yapmıştır. 12 yıl halifelik yapan en uzun halifemizdir." 14 yaşlarındaki bir genç, "Peki Alevi ne demek?" diye sordu. İmam konuyu kapatmanın sırası geldiğini anlamış, tüm iyi niyetiyle "Neyse, bugünlük bu kadar..." derken kalabalığın en gerisinde sakince dinleyen Deniz lafa girdi: "Peygamberimiz öldüğünde yanında bulunan kişilerin şahitliğinde, kendisinden sonra halife olacak kişinin kendi soyundan, kanından gelen biri olmasını vasiyet etmiştir. Peygamberin soyundan gelen tek kişi Hz. Ali olmasına rağmen ve etrafındaki hemen hemen herkes Hz. Ali'yi halife olarak kabul etmesine rağmen şiddetinden korkulan Hz. Ömer'in yardımıyla Hz. Ebubekir daha Hz. Muhammed'in cenazesi toprağa verilirken cenazeye katılmak yerine kendi halifeliğini ilan etmiştir. Sadece Hz. Ali cenazeye katılmıştır, peygamberimizi o defnetmiştir. Hz. Muhammed'den sonra Hz. Ali'nin gelmesi gerektiğini düşünenlere Alevi denir. Sünnilerse bölgenin en zengin adamının kendi halifeliğini ilan etmesini doğru bulanlardır. Bizler Sünni soyundan geliyoruz. Aralarındaki ilk savaşın nedeniyse; halifelik Hz. Ali'ye geçtiğinde Ali'nin ilk yaptığı işin Hz. Ebubekir zamanından beri sadece Ben-i Teym ailesine yani Hz. Ebubekir'in ailesine ve Hz. Osman'ın akrabalarına tanıdığı imtiyazları kaldırmasıdır. Bu imtiyazlar, diğer bütün ailelerden ve kabilelerden vergi alınırken onlardan vergi alınmamasına neden olmuş, Ebubekir ve Osman'ın aileleri bölgenin en zenginleri haline gelmiştir rivayete göre! Ama imam beyin rivayetiyle benim rivayetlerim örtüşmez, örtüşemez" dedi, tünediği duvardan sessizliğini bozduğuna pişman ve mide bulantısıyla indi.

Sessizlik öyle bir çöktü ki kahveye, Deniz'in söylediklerinin etkisi yanında, köylülerin çoğunun, uzun süredir bir melek gibi her işlerinde kendilerine yardım eden bu misafirin konuştuğunu ilk defa duymasındandı şaşkınlıkları. Deniz herkese iyi günler dileyip yoluna koyulduğunda çocuklar da küçük gruplar halinde kalkıp onun peşine takıldılar. Kalabalığın dağılmasını şaşkınlıkla izleyen imam köylüler üzerinde bu etkiyi yaratan kişiye odaklandı. Kimdi bu adam! Uzaklaşmasını izlemek yerine kalabalıktan sıyrılıp o da peşine takıldı.

Aralarında birkaç metre kalana kadar hızla yürüdü ve nihayet seslendi Deniz'e, "Beyefendi! Beyefendi!" diye. Deniz dönüp seslenenin imam olduğunu görünce bir nefes aldı, durmadı ama adımları yavaşladı. Çocuklar dışında kimseyle konuşmamıştı şimdiye kadar, ne zaman ağzını açsa mide bulantısıyla kapatıyordu çenesini. Yaşadığı travmadan sonra susmak sanki vücudunun tepkisiydi. İmam kendisine yetişirken şimdi yine midesi bulanmaya başlamıştı, kusacağını bilse de cevap vermek zorundaydı çünkü kendi başlatmıştı. İmam "Hayırlı günler, tanışmıyoruz biz" dedi incelikle. Deniz peşine takılan çocuklara dönüp, "Gün batarken gelin, size bir şey vereceğim" dedi. Çocuklar Deniz'in tek bir cümlesiyle hemen dağıldılar. İmam, "Bi tek sizi dinliyo bu veletler" dedi. Deniz yürümeye devam ederken gülümseyerek, "Mantıklı olduğum sürece problem yok. Çok akıllılar" diye karşılık verdi. İmam "Alevi misiniz?" diye sordu. Deniz "Hayır, Sünniyim" diye cevapladı.

İmam, "Biraz önce hilafetle ilgili söylediklerinize katılmıyorum" dedi, dikleşerek devam etti: "Dinle ilgili böyle bir söylemiyse çok terbiyesizce buluyorum."

Deniz gülüp, "Katılsaydınız bu işi yapamazdınız. İslam adına konuşma, karar alma yetkisinin daha en başından, peygamberimizin vasiyetine rağmen Ali'ye değil de peygamberimizin cenazesinde bile bulunmamış ama zengin olduğu için idareyi ele geçirebilmiş, satın alarak özgürlüğünü verdiği köleleri ganimet sözüyle kendine asker yapmış birine geçtiğini bilmek acı verici. Ama bu anlaşılması o kadar da zor bir şey değil aslında. Bugün etrafınızda olanlara baktığınızda, kendine dindar deyip İslam'ı bir para basma makinesi gibi kullanan din tüccarlarını görürsünüz. Her yerdeler. Deformasyonun böyle bir seviyeye varabilmesi için bir şeylerin daha en başında çok yanlış gitmiş olması gerekirdi. Ama ne yaparlarsa yapsınlar İslam'ı kirletemezler, sadece İslam'a olan inancı kirletirler. Bugün Yaradan adına öldürmek gerektiğine inandırılıyor gencecik insanlar, varoluşlarındaki en büyük günahı işlemek üzere olduklarını ve böyle bir günahla sadece şeytanın emri altına gireceklerini bilmeden kandırılıyorlar, Yaradan'a hizmet etme umuduyla şeytana satıyorlar ruhlarını, dokuz yaşındaki küçük kızlara tecavüz etme meraklısı, iş ilişkileri kurmak için camilerde toplanan bir kitlenin elinde inancımız, ta ki biz inancımıza sahip çıkana kadar."

İmam itiraz edemedi, Deniz'in hilafetle ilgili söylediklerine katılmıyordu, okulda o şekilde öğrenmemişti ama dinle ilgili, özellikle din tüccarlarıyla ilgili söylediği her şey çok doğruydu. Aynı savaşın mağdurlarıydılar aslında. Kendisi gibi Hakk'a hizmet etmek isteyen yüzlercesi, kendi çıkarları için dini kullananlarla çatışma içindeydi. Bir süre sessizce yürüdüler. İmam sakince, daha önce kimsenin tahmin bile edemediği bir şeyi sordu Deniz'e: "Hangi okuldansın? Din eğitimi almış olmalısın."

Deniz cevap vermedi. Din eğitimiyle büyümüştü. Kendisine

anlatılanlardan daha farklı gerçekler olduğunu, Yaradan adına konuştuğunu söyleyen bazı erdemsiz insanların zavallılığını fark edince özgürleşmiş ve Yaradan'la arasına asla kimseyi sokmayacağına yemin etmişti.

Deniz durup imama baktı. Bir dosta konuşur gibi içtenlikle ve sakin konuştu: "Bir annenin memesiyle çocuğunu beslemesi gibi din de ruhu besler. Yani din bebeğe süt veren meme gibidir. Önemlidir, değerlidir. Ama çıkarıp yüzüme yüzüme sallarsan olmaz! O zaman, memesini çıkarıp yüzüme sallayan anne kılığına bürünmüş bir sapıktan farkın kalmaz. Yavrusunu besleyen annenin memesinin kutsallığı neyse, nasıl mahremse, bunu konuşmak bile insanı nasıl rahatsız ediyorsa din de mahremdir, kişiyle Yaradan arasındadır. Din adına konuşan herkes günahkârdır çünkü din adına konuşulmaz. Tek kitap vardır. Aracıya ihtiyaç yoktur. Aracıyı araya şeytan koymuştur. İnanmayı seçen kitabı okur, anlar. Kitap bu yüzden 'Oku" diye başlar" dedi ve iyi günler dileyip kusmamak için kendini tutarken şok içindeki imamı bırakıp yoluna devam etti.

2. Can Manay & Bilge

"Benim yanımda çalışıyor olmanın sana kolaylıklar sağlaması normal ama özel işlerini kolaylaştırmak için benim adımı kullanman kabul edilemez. Nedeni ne olursa olsun kabul edilemez" diyerek söylediği her kelimenin Bilge tarafından dikkatle dinlendiğine emin sakince konuşmuştu Can Manay. Bilge'nin söyleyecek tek kelimesi yoktu. Murat'ın artık ziyaretçilere kapatılan odasına girebilmek için hastanede görevli polislere kendisinin Can Manay tarafından gönderildiğini, Murat'ın Can Manay'ın öğrencisi olduğu için durumunu öğrenmek istediğini söylemişti. Bu konunun nasıl olur da Can Manay'a bu hızda geldiğini bilmiyordu ama artık önemi de yoktu. Yapmaması gereken bir şeyi yapmıştı. Kafasını evet anlamında salladı, işi bırakmak için hazırlıklarını hemen başlatacağını belirtmek için ağzını açtı ama Can Manay konuşmasına izin vermedi. "Tek kelime duymak istemiyorum. Şimdi çık ve bu akşamki konuşma üzerinde yaptığım değişiklikleri düzelt" dedi ve konuşmayı karaladığı kâğıdı Bilge'ye uzattı. Bilge çok şaşırmıştı, kovulmadığına inanamıyordu ama sorgulamak da istemiyordu. Kâğıdı alıp odadan çıkarken Can Manay'ın konuşması durdurdu onu: "Can Manay'ın yanında çalışıyorsun! Ona göre giyin! Bu akşam Zeynep'in gönderdiği elbiseyi giy" dedi, önündeki dosyaya döndü ve mırıltıyla ekledi: "Saçını da bu kadar sıkı toplama."

Telefonu çaldı. Telefonun ekranında gördüğü isim önemli olmalıydı çünkü hemen açtı, hiç konuşmadan dinledi.

Cep telefonu kapandığında telefon birkaç saniye daha Can'ın kulağında kaldı. Beyni telefonu indirebileceğine karar verdiğinde gözlerine hücum eden öfke kontrol dışıydı. Kalbindeki acıyı hafifletmek için derin bir nefes aldı, göğüs kafesi sıkıştı. Sanki aldığı nefes ciğerlerine gitmiyor, kalbini parçalayan bir basınç oluşturuyordu, hiç nefes vermeden bir nefes daha çekti içine. Bir kâbustan uyanır gibi ilk defa kırptı gözlerini. Kapının yanında bekleyen Bilge'ye baktı. Sadece baktı ve Bilge hemen dışarı çıkması gerektiğini anladı.

Bilge'nin çıkışıyla birlikte, içindeki öfkenin ateşiyle yanan gözlerinden yaş süzülürken çıldırdı Can. Kendini öfkeye bıraktı. Önce elindeki telefonu karşısındaki cam dolaba çarptı, cam tüm gürültüsüyle indi aşağıya, tereddüt etmeden önündeki masaya saldırdı. Eline geçen ne varsa, kırılmaması için yıllarca özen gösterdiği ne varsa parçaladı. Sonra kapıdan çıktı, Zeynep'in sorularını duymadan, Bilge'ye neredeyse omuz atarcasına aceleyle, gözlerinden saçılan alevin kontrolünde sanki bir hipnozda ulaştı arabasına. Ali'nin nerede olduğunu sorgulamadı bile, geçti direksiyona ve acele ederek çıktı yola, hayatında daha önce hiç acele etmediği kadar.

3. Özge

"Y kuşağı. Kuralları sorgulayan, saygı duydukları takdirde dinleyen, ne olursa olsun itaat etme fikrine karşı, genel geçer tüm kalıpların dışında bir dünyada yaşamak isteyen ve o dünyayı gerçekleştirmek için burada olduğunun farkındalığında gençler bunlar. Teknolojiyi sanki kendi uzantısı gibi doğallıkla kullanabilen, doğanın koruyucusu, anlamak için dinleyen ama asla bildiğini düşünmeyen, önyargısız ama net bir kuşak..."

Özge, toplantı masasının etrafında oturmuş kendini dinleyenlere baktı. Ülkenin en zengin kesiminin köpekleriydi bunlar. Derin bir nefes alıp arkasındaki küçük sete dayandı, elindeki sunum çubuğunu kolunun altına sıkıştırdı ve yoklayarak konuşmasına devam etti:

"Peki bu kuşağı nasıl köleleştirir ve dünyayı yok etmekte nasıl bize hizmet eder hale getiririz?"

Odada kopan gülüşmelere şaşırsa da belli etmedi, bu omurgasızlar kendi kötülüklerine güler hale mi gelmişlerdi yoksa gülerek kamufle etmeye mi çalışıyorlardı? Kolunun altındaki çubuğu alıp sanki bir atı kırbaçlıyor gibi yaptı ve devam etti:

"Biz dersimize çalıştık ama önce sizi dinlemek istiyoruz. Ne de olsa bu kölelik işinde bizden daha tecrübelisiniz."

Yine herkes kıkırdadı. Bunlar mıydı her gün ülkenin en çok izlenen kanallarında neler yayınlanacağına karar verenler? Şimdi sessiz bir şekilde oturacak Sadık Murat Kolhan'ın ekibindeki bu parazitlerin üniversite öğrencilerini hedef alarak yayınlayacakları dergiyle ilgili kendisine zehirli fikirler vermesini dinleyecekti. Masanın diğer ucunda oturan Ömer'e kaydı gözü, ne kadar da yabancıydı bulunduğu ortama. Ömer'in yabancılığında huzur bularak oturdu yerine ve dinlemeye başladı.

İlk konuşan, ülkenin TV kanallarını denetleyen bir kurumun sözcüsüydü, şirkette çalışmamasına rağmen kanalların hükümetle işbirliği içinde olmasını garantilemek için görevlendirilmişti. Yayınlanan her şeyin içeriği önce bu sözcünün elinden geçerdi. Kısa boylu, yassı kafalı, geniş alınlı, bu tüysüz adam, içinde ne anlatıldığını bilmese de Kuran-ı Kerim'i tam 19 kere okumuştu. Sözcü konuştu:

"Kontrolsüz güç güç değildir diye söze başlamak isterim Özge Hanım. Şimdi... Burada gençlerimizi köleleştirmek için değil onlara doğru yolu, iman yolunu göstermek için toplandık."

Özge, suratında belli belirsiz bir tebessümle gülümserken Ömer dışında odada bulunan diğer 4 kişinin nasıl da ciddileştiğini, Özge'nin kölelik esprisine güldükleri için nasıl da pişmanlık duyduklarını izledi. Sözcü devam etti:

"Gençlerimiz çok şükür akıllı ama akıl şeytanlığa çalışırsa kime ne yararı var. Aptal olsalar daha iyi. Murat Bey'in ekibi bizden yardım istediğinde koşarak geldik, baktık hayırlı bir amaç için toplanmışsınız, bilgimizi esirgemeyelim dedik. Şimdi..."

Adam konuşurken Özge ve Ömer dışında herkesin kafasını sallaması o kadar tuhaftı ki izlediği bu sahte saygı gösterisi içinde patlayacak gibi hissetti Özge. Adam önündeki dosyaları etrafındaki kişilere uzattı, sonuncuyu Özge'ye verdiğinde Ömer'e kalmamıştı. Ömer'i görmezden gelerek devam etti:

"Derginin ilk sayısında kullanacağınız konular burada."

Özge ve diğerleri dosyayı açtılar, ilk sayfadaki konu başlıklarını okudular:

1- Ülkenin en başarılı 5 genciyle yapılan röportaj.

2- Ülkenin en iyi üniversitesinde okuyan 10 gencin aldığı burslar.

3- Öğrenci kulüplerine kayıt olan öğrencilerle yapılan röportaj.

4- Okuldan mezun olan öğrencilerin iş bulmak için kayıt olması gereken kurumların tanıtımları.

Sözcü, herkesin listeyi okuduğundan emin olunca, elindeki ikinci dosyayı uzatıp devam etti:

"Başarılı 5 öğrencinin röportajları bunlar, fotoğraf çekimini sizin yapmanız lazım. Mavi ekranda yapıp dosyanın içindeki dış mekânlardan birine oturtabilirsiniz fotoğrafı. Dış mekân olması önemli. Detaylar dosyada."

Ardından üçüncü dosya geldi, "Burada da burs alan 10 öğrencinin burs koşul ve detayları. İkinci bölümde öğrenci kulüplerine kayıt olan öğrencilerle yapılan röportajları ve iyi bir işe girebilmek için kayıt olunması gereken kurum tanıtımlarını bulabilirsiniz. İçerik sınırını geçmeden çeşitli fotoğraflar ekleyebilirsiniz, tarz sizin Y kuşağınızın dikkatini çekecek şekilde olmalı tabii ki, onu da size bırakıyoruz. Şimdi... Sorusu olan?"

Özge donmuştu, dosyayı incelemeye devam ettikçe kalbinde hissettiği soğukluk bedenini kapladı, istem dışı hafifçe titreyip silkelendi. Dosyaların içinde ruhlarını para karşılığı belirli kurumlara satan genç insanların, en kârlı şekilde satabilmelerine olanak sunacak listeler, tanıtımlar vardı. Kafasını kaldırdığında kendisi ve Ömer dışında herkesin ellerini önünde birleştirmiş, onaylayan bir ifadeyle adama baktıklarını gördü. Hissettiği soğukluğu gülümseyerek sindirmeye çalıştı ve sözcüye sordu:

"Pardon, adınızı bağışlar mısınız?"

Adamın tüysüz yüzündeki cılız kaşlar havaya kalktı, kızın bilmemesi tuhaftı, cevap verdi: "Abdullah."

Gülümsedi Özge diğerlerinin suratında sıklıkla gördüğü gülümsemeyi taklit ederek ve Abdullah Bey'in kadınlarla tokalaşmadığını bilmeden elini uzattı, "Abdullah Bey, yardımlarınız için teşekkür ederim" dedi.

Abdullah Bey, bu karıların hepsi aynı, diye düşündü. Karşılarında birazcık otorite görmeyedursunlar önce ellerini, sonra namuslarını vermeye hazırdılar. Kız da güzeldi, canı çekti... tereddütle elini uzattı. Bu güzel kadının nasıl da kendisini gafil avladığını düşünüp el sıkışmasının sorumluluğunu ona atarak, bu günahkâr hareketin kendisine açacağı fantezilere teslim oldu. Birincil ihtiyaçların açlığında olan kişilerin sapkınlaşması, basit duyguları bile abartılı yaşamaları her zaman doğaldı. Kendi bedenine yasaklanmış, Yaradan'la arasına emir komuta zinciri girmiş biri nasıl sağlıklı olabilirdi ki.

Etraftakiler, sanki bir günaha tanık oluyorlarmış gibi özellikle önlerindeki dosyalarla ilgilenerek görmezden geldiler bu el sıkışmayı. Özge, "Ne güzel! Birilerinin bizim için her şeyi düşünmesi harika! Hadi bakalım! Size iyi günler" diyerek geri kalanlarla da selamlaştı ve toplantı salonunun kapısında kendisini bekleyen Ömer'le göz göze gelir gelmez konuyu yemekten açarak Ömer'in asıl konuşmak istediği şeyleri kamufle etti. Asansöre doğru yürürlerken yanlarına gelen sekreter Özge'ye bir not verdi. Asansöre bindiklerinde Ömer ikiye basarken Özge on dokuza bastı. Göz göze geldiler, birbirlerini bakışlarından tanıyacak kadar dert paylaşmışlardı. Ömer başını tamam anlamında sadece Özge'nin anlayacağı şekilde salladı. Sadık Murat Kolhan Özge'yi çağırmıştı.

4. Duru

Her taraftan markaja alınmıştı. Can'ı çoktan aramış olmalılardı. O gelmeden, bir şeyler düşünüp kaçmadığını anlatmalıydı. İyi ki yanına çanta falan almamıştı. Paraya çevirmek için eşofmanın altına taktığı mücevherleri çıkarıp yerine koymak istiyordu ama evin içinde her şeyin kaydedildiğini biliyordu. Sakince koltuğa oturup başını ellerinin arasına alıp Can'ı beklemeye karar verdi, birazdan hayatının oyunculuğunu sergilemek zorundaydı.

Can eve girdiğinde gayet sakindi, sanki ne olduğunu bilmiyormuş gibi salona çıkıp Duru'ya yaklaşırken "N'oluyor?" dedi. Duru ayağa kalkıp ağlayarak koştu ona. Sarıldı hıçkıra hıçkıra ağlarken. Can temkinli ve sakinleştirici, Duru'nun sırtını sıvazlarken mırıldandı: "N'oldu?" Duru bedenini geri çekip ağlamaktan kızarmış gözleriyle, "Hepiniz delirdiniz mi!! Ne demek n'oldu! Beni mi delirtmek istiyorsunuz!" diye bağırırken kapıya doğru gidip "Bu manyak güvenlikçiler beni yürüyüşe bile bırakmadılar. Aynen bu üzerimdekilerle çıkmıştım, yarım saat yürüyüş yapıp geri dönecektim! Tutsak mıyım ben!" dedi ve hıçkıra hıçkıra ağlamaya devam etti. Can Duru'ya yaklaşıp sarılırken, "Peki, niye bana haber vermedin, niye kulübeye görünmeden çıkmaya çalıştın?" dedi yine mırıldanarak. Duru hıçkırıklarının arasında "Seni aradım ama açmadın" dedi. Can, "Cevapsızın yok ama" diye sakince itiraz etti. Duru kafasını kaldırıp Can'ın kollarından kurtuldu, kaşlarını çatıp hırçınca baktı ona, "Yalan mı söyleyeceğim!" dedi hırlayarak.

Can alttan alarak "Senin güvenliğin söz konusu. Eğer eve biri girdiyse" derken Duru fark etti Can'ın kızarmış gözlerini ve ne kadar çaresiz göründüğünü, acaba göründüğü gibi mi hissediyordu yoksa bu da başka bir manipülasyon numarası mıydı? Duru Can'ın lafına daldı: "Eğer! Ne demek eğer! Sen değilsen kim yaktı evi, kim beni öldürmeye çalıştı!" deyip ondan uzaklaştı. Can hemen durdu, en son istediği şey Duru'nun savaş moduna geçmesiydi. Bu akşamki partiye katılmak zorunda olmasa, onu alıp jetine atlar ve uzaklarda sıcak bir adaya giderdi. Yanındaki koltuğa oturup sevgiyle konuştu Duru'ya: "Seni korumaktan başka yaptığım hiçbir şey yok. Evi yakan birileri varken tek başına sokağa çıkman sence güvenli mi? Yürüyüşe çıkmak istiyorsan çıkalım birlikte. Ne istersen yapmaya hazırım" dedi. Duru suratını silerek kalktı ve bahçe kapısının yanındaki pufa oturdu. Keşke kendisine olan koruma duygusu bu kadar saf olabilseydi. Dizlerini kendine çekip çenesini dayadı, Can'a baktı. Can kalkıp onun yanına gitmek istiyordu ama Duru'nun kendisini reddetmesinden korkuyordu, kıpırdamamaya karar verdi. Nasıl olmuştu da olaylar bu noktaya gelmişti? Can sessizce Duru konuşana kadar bekleyecekti. Duru, hıçkırıkları hafiflediğinde "Karnım acıktı!" diye mırıldandı. Can koltuğun ucuna kayıp hemen "Ne istersin? Ne istersen hazırlasınlar" dedi. Duru sehpanın üstünden aldığı mendile burnunu silerken "Sushisasha'ya gidelim mi?" dedi güzeller güzeli suratındaki muhteşem bir tebessümle. Can yutkundu, evet demeyi çok isterdi ama diyemedi çünkü bu gece kanalın partisi vardı, ev sahibi kendisiydi. Sokakta çıkan ayaklanmalara göz dağı vermek için hükümet tarafından istenmişti bu davet, diğer kanalların sahipleri dahil, bakanlar, milletvekilleri, herkes orada olacaktı. Duru'yu götürmek istemiyordu. Onu böylesine bir yere götürmek kurtlara tepside sunmak gibiydi ama bir şey diyemedi, sustu. Duru ayağa kalkıp "Üzülmekten yoruldum, biraz değişikliğe ihtiyacım var. Belki bir film izleriz yemekten sonra da" dedi. Cevap bekleyerek Can'ın suratına bakarken, Can "Bu akşam olmaz" dediğinde Duru'nun suratındaki neşenin kaybolması dehşet vericiydi, sanki güneşli bir günün fırtınaya bulanması kadar netti. Can devam etti: "Çünkü çok güzel bir partiye davetliyiz. Sana sürpriz yapmak istemiştim."

Duru'nun gözlerinin parlamasının, suratında beliren gülümsemenin ışıltısında kıkırdamasının, Can'ın yanına gelip yanağına sıcak ama küçük bir öpücük kondurduktan sonra ne giymesi gerektiğini sorarken soyunma odasına koşmasının her şeye değdiğini düşündü Can onu seyrederken.

5. Özge

Adamın gömlek yakasının üzerine çıkan gıdısının her lokmada kıpırdamasını birkaç saniye izledi Özge, bir insan kendini böylesine şişirecek kadar nasıl beslerdi? Televizyonda göründüğünden de daha iriydi Mahmut Konmaz. Bu kocaman adam ülkenin en aydın heriflerinden diye bilinirdi, bundan birkaç ay önce olsa bu yalanı da yutardı Özge, ülkenin en aydın adamlarının artık televizyonlara çıkarılmadığına emindi. Bu kadar salaklaştırılmaya çalışılan bir ülkede bilgi en büyük tehlikeydi. Entelektüellik Mahmut Konmaz gibi samimiyetle yalan söyleyebilenlerin, bilgileri değiştirip manipüle edenlerin olmuştu artık. Sadık yoktu, toplantı odasında kendisini bekleyen Mahmut Konmaz'ı görünce hiç şaşırmadı Özge. Elini sıkıp oturdu karşısına bunun bir düello olduğunu bilerek.

Adam aç mısın diye sordu, Özge hayır anlamında başını sallayınca yemeğinin son lokmasını da ağzına atıp konuşmaya başladı. Bu görüntüyle Özge artık gerçekten aç değildi! Sabırla dinledi.

"Kurumsal bir şirkette çalışınca artık her hareketin ciddiye alınır. İnsanlar seni ait olduğun kurumun bir parçası olarak görürler. Davranışların kurumun davranışları haline gelir. Bizim temsil ettiğimiz yayın organları ülkenin sinir sistemidir. Bir böcek seni ısırsa vücudunun sinir sistemi sayesinde bilirsin ısırıldığını, derinin üstündeki sinirler sana haber verir ve hemen harekete geçersin. Bu ülkede de bizim görevimiz bu, haber vermek. Sen artık bu ülkenin sinir sisteminin bir ucusun Özge Hanım. Her hareketin başkası için bir alarm olabilir. Bir toplantıya giriyorsan el sıktığın adamın inançlarını, geleneklerini ve adını bilerek gireceksin toplantıya. Abdullah Bey dindar bir adamdır. Kadınlarla el sıkışmaz. Gereksiz hareketlere, sorulara, konuşmalara dikkat etmen, kendini eğitmen şart. Aslına bakarsan senin bu iş için yeterli olduğunu düşünmüyorum, deneyimin bile yok"

Özge adamın buradan devam ederse nereye varacağını ve varmak istediği yerin kesinlikle kendisine uygun olmadığını biliyordu, oturduğu koltukta hafifçe kaykıldı, bacağını aynı Sadık'ın yaptığı gibi attı ve lafa girdi.

"Acayip yeterliyim! Evet, Abdullah Bey'i temsil etmiyorum ama yakalamak istediğiniz grubu temsil ediyorum. Onların neyi dikkate aldığını, nelerden ve neden nefret ettiklerini, kime nasıl saygı duyabileceklerini biliyorum. Siz bilmiyorsunuz. Size yabancılar ama bana değil. Ayrıca Sadık Bey'in hata yaptığını düşünmüyorsunuzdur umarım. Bu hiç hoşuna gitmez."

Özge dümdüz baktı adamın gözüne, bal gibi de meydan okuyordu. En kötüsü bu lanetli işten kovulurdu! Buraya bir amaç için gelmişti, o amaca giden yollar kapanacaksa burada işi neydi!

Adam lokmasını yuttu, masanın üstündeki gözlüğünü taktı. Ağzını peçeteyle silip dikkatle Özge'ye döndü. Kızın tarzı, tavrı iyice kafasını karıştırmıştı. Kızı buraya ayar çekmek için ça-

ğırmıştı ama ne diyeceğini dikkatli seçmeliydi çünkü kız Murat
Kolhan'a birinci adıyla hitap edecek kadar yakındı. Bu gezegen-
de erkekler için paradan daha önemli tek şey kadınlardı. Güçlü
erkekler kadınlarını güçleri orantısında önemseyebilirlerdi. Tak-
tik değiştirdi.

"Sadık'ın çıkarlarını korumak için buradayız. Onca işimin
arasında, sana da değer verdiğimiz için konuşmak istedim Özge
Hanım. Sana bakınca kendi gençlik yıllarımı hatırladım. Anlat
bakalım, bizim Y kuşağının derdi ne?"

Özge gülümsedi, gülümsemesindeki tehlikeliliğin Mahmut
Konmaz tarafından okunmasını bekledi. Kaykıldığı yerden doğ-
rulup, "Söz büyüğün, sus küçüğün. Yarın bana bir yemek ısmarlar,
önce siz anlatırsınız bilmem gerekenleri" dedi. Aniden ayağa fırla-
yıp elini uzattı, adamla tokalaşırken "Sizden öğreneceğim çok şey
var" dedi.

Adam hissettiği rahatlığın ifadesinde "Sevinirim küçükhanım"
dedi. Özge'yi kapıya kadar geçirirken Özge'nin sorusu şaşırtıcıydı:
"Partiye geliyor musunuz bu akşam?" Adam evet anlamında ka-
fasını sallarken Özge, "Görüşürüz o zaman" dedi. Kızın da partiye
çağrılmış olması şüphelerini doğruladı, bu kız önemliydi. Mahmut
daha önce hiç karşılaşmadığı bir yaratıkla karşılaşmışçasına tem-
kinli ve nazik, Özge yaşadığı her anı çekilmez kılan yaratıklar-
dan biriyle karşılaşmışçasına kamuflede tokalaştılar. Bu tokalaş-
ma Mahmut Konmaz ve onun gibi parazitlerin sonunu getirecek
bir başlangıcın el sıkışmasıydı. Özge'ye elini yıkaması gerektiğini
hatırlatan bir tokalaşmaydı. Böylesi bir sahteliğin içinde kimlik
bulan her can, yaradılışın utancıydı.

6. Ada & Göksel

Kadın gibi hissetmek, karşındakine verdiğin ilhamda huzur bulmak, istenmenin heyecanında kendini keşfetmek, iz bırakacak kadar değerli hissetmek, hafızada kalacak kadar var olmak... Ada balo için almaya karar verdiği kıyafetin içinde aynadaki yansımasına bakarken ilk defa hissettiği bu duygular aklında daha önce gitmediği yerlere götürdü onu. Deniz onu böyle görse ne düşünürdü? Artık büyümüştü, kamburunu düzeltmeyi, dik durup karnını içine çekmeyi bilir olmuştu ama Deniz yoktu. Deniz yoktu...

Burnunu sızlatan düşünce içine iyice sinmeden düşüncelerinden sıyrıldı. Deniz yoktu ama Tugay vardı. İlham vericiydi varlığı. Yedikleri yemekte saatlerce sohbet etmişler, Tugay'ın okul anılarını dinlemişler, gülmüşlerdi. İlk defa içini saran melankoliden çıkmıştı Ada, Tugay'ın arabada ikram ettiği ve alması için ısrar ettiği kokainin algısındaki etkisini düşünmeden mutluluk hissetmişti. Bir erkeğin daveti bir kadına ne kadar mutluluk verebilirdi?

Bu akşam baloya gideceklerdi, aynı filmlerdeki gibi. İnce askılı kırmızı daracık kıyafetin içinde kendini bulmuş hissederek geçti soyunma kabinine. İlk defa bu kadar pahalı bir elbise alacaktı ama umurunda bile değildi. Bir erkeğin daveti bir kadını ne kadar umursamaz yapabilirdi?

Elbisesini aldıktan sonra altına ayakkabı alabilmek için şehrin alengirli dar sokakları, bu dar sokaklardaki bin bir kafesi ve küçük dükkânlarıyla ünlü bölgesine geldi. Biraz tedirgindi, insanlar işten çıkıp sokaklara yığılmadan işini halledip eve dönmeliydi. Ne olmuştu bu ülkeye, niye herkes sabahlara kadar yürüyüşteydi, birileri vurulmuş, birileri ölmüştü... Nedendi? Önemli değildi, insanlar sokağa çıkmadan ayakkabısını bulmalıydı. Hızlıca ara sokaklardaki mağazalarda gezindi, istediğini buldu. Biraz daha uzun görünmesini sağlayacak kadar topuklu, bileğini kırmasını engelleyecek kadar konforluydu. Bileklerinin nasıl göründüğüne bakmak için pantolonunun paçalarını kaldırdı yukarı, aynanın önünde dikkatle turladı. Ne kadar da seksiydi bilekleri. Bir erkeğin daveti bir kadını ne kadar değiştirebilirdi?

İlk defa giydiği bu topuklulara alıştığına karar verdi, akşam kendini Tugay'ın yanında yürüyormuş gibi farz ederek adımlarken. Aynanın önünde dikkatini yine topuklara verip inceledi, mağazanın vitrininden kendisine kilitlenmiş Göksel'i fark etmeden.

Gecenin inmesine az vardı, beyaz gömleği ve yukarıdaki fırıncının dükkânına sakladıkları sopalarıyla Göksel ve arkadaşları, hazırlıksız yakalayacakları halka neredeyse hazırdı. Ara sokaklarda her zamanki gibi turlayarak başlamışlardı gezilerine ama Göksel mağazanın içinde Ada'yı görünce, yanındakilere fırıncıda buluşacaklarını söylemiş ve kilitlenmişti vitrine. Gruptan sorumlu Egemen Amir homurdanarak yürüdü yoluna. Bir psikopatı disipline nasıl zorlardı! Göksel mağazaya girmemek için zor tuttu kendini, Ada'nın ne işi vardı burada? Ayağındaki ayakkabılar da neydi? Onun masumluğuna, temizliğine yakışmayacak gariplikteydi. Niye böyle bir ayakkabı giysindi ki? Ama yine de rahatladı çünkü bu ayakkabılarla gece sokağa çıkan halka katılmayacağı kesindi. Ara sokaklarda yakaladıkları çocuklara yaptıkları geldi aklına, yaptıklarının Ada'ya yapıldığını düşündü bir an ve içindeki öfke öyle ani yükseldi ki, sıktığı yumrukları o an biri ona dokunsa dokunanı öldürebilirdi. İstem dışı sıkıca kıstı gözlerini, kafasından attı bu iğrenç düşünceyi. Yaşadığı sürece kimse zarar veremezdi ona! Nefes aldı, gözlerini açtı. Ada şimdi kasadaydı, birazdan çıkacak ve karşılaşacaklardı. Nasıl da özlemişti onu, müziği...

Ada çıktığında böyle dikilmek istemiyordu burada, eğildi, ayakkabısının bağını açıp bağlamaya başladı. Ada çıktı, kapının önünde bağcığını bağlayan Göksel'i gördüğünde durakladı ve hemen hızlandı. En son karşılaşmak istediği bu ahmaktı! Ada'nın hamlesine, yerden kalkıp ona seslenerek karşılık verdi Göksel. "Ada!" der demez pişman olmuştu, beyin sapı ona dönüp koşup uzaklaşmasını emrediyordu ama yapısını sürüngenlerden alan bu evrimleşmemiş bölümün hükmüne kapılmayacaktı Göksel. Dişlerini sıkarak bekledi. Ada derin, sıkkın bir nefes alıp döndü ona. Değişen bir şey olup olmadığına bakıp umursamazca kafasını çevirecekti ama Göksel de bir şey değişmişti. Kendini zor tutan hali hâlâ ordaydı ama başka bir şey daha vardı. Adını koyamadığı bir şey... Birkaç saniye içinde önemsizleşti bu düşünce ve Ada'nın umursamazlığı geri geldi aklına. Kaşlarını kaldırıp "Eee" dercesine baktı Göksel'in gözlerinin içine. Göksel daha önce Ada'nın hiç duymadığı bir tonda ve halde hesap sordu: "Ne işin var burada?" Ada resmen salaklaştı, bu ahmak hesap mı soruyordu kendisine! "Sana ne!" diye hırladı, kaşlarını çatıp çenesini uzatarak.

Göksel'in kendisine bir adım atması, kırarcasına yumrukladığı mühürlü avuçlarını açmadan onu omuzlarından sıkmadan tutması ve sıkı sıkı kapattığı dudaklarını Ada'nın aralık yakalanmış dudaklarına iyice bastırması... Geri çekilip Ada'nın gözlerine dikkatle, telaşla, kontrolsüzlüğün verdiği dehşetle, ilkelliğin verdiği güçle bakması, "Eve dön" demesi bir oldu. Göksel arkasını dönüp yürüdü. Ada'ysa şokta, olduğu yerde kalakaldı. Bu salak, ne yapmaya çalışıyordu? Kendisine yaşattığı tüm aşağılanmayı böylesine acemi, kuru bir öpücükle unutturacağını mı sanıyordu. Göksel'in hali her zaman tuhaftı ama asla bundan daha tuhaf olamazdı diye karar verdi Ada. Acaba ne arıyordu burada? Kendisini takip etmiyordu, emindi çünkü o zaman karşılaştıklarında bu kadar şaşırmazdı. Köşeyi dönüp yok olmuştu.

Göksel köşeyi dönüp 4 adım sonra durdu, yaptığı şeye inanamıyordu! Niye yapmıştı! Ne kadar aptaldı! Ada nasıl da tiksinmiş olmalıydı. Kafasına vurdu, yanından geçenlerin bakışlarına aldırış etmeden dövdü kendini. Onun güvende olduğundan emin olmayı hatırlar hatırlamaz geri döndü, onu takip etmekten başka çaresi yoktu.

Vatandaş kalabalıklarının sokaklarda birikmeye başladığını gören Ada, kuaföre gitmek için önüne gelen ilk taksiye bindi. Neyse ki kuaför evinin yakınındaydı. Tugay'ın kendisini almasına iki saat vardı. Keşke daha önce haberi olsaydı bu organizasyondan ama Tugay onu bu sabah arayıp davet etmişti. Saçı yapılırken ne kadar şanslı olduğunu düşündü, elbiseyi, ayakkabıyı hemen bulabilmişti ama en önemlisi Tugay'la tanışmış olmasıydı. Makyajı da bittikten sonra hemen eve koştu. Eve girip odasının penceresini açana kadar fark etmedi Göksel'i. Bu ahmakla uğraşacak vakti yoktu ama Tugay kendisini almaya geldiğinde bu ahmağın etrafta olmasını da istemiyordu. Tugay'a saldırabilecek kadar vahşiydi Göksel. Hızla giyindi, parfümünü sıktı. Bütün gün bir şey yememişti, anneannesinin hazırladığı börekten ağzına tıkıp ayakkabısını giydi. Çantasının içine makyaj malzemelerini koyarken hazırdı. Aşağıya inip Göksel'in ağzına sıçacaktı ama önce Tugay'ın gelmesini beklemeliydi. Duru'nun kendi üzerinde yarattığı baskının Deniz'e olan bağlılığını nasıl etkilediğini deneyimlemişti, Tugay'ın da Göksel'i görmesini, Ada'nın başka bir erkek tarafından nasıl istendiğini anlamasını istiyordu. Göksel kontrolünde olduğu sürece problem yoktu. Nasılsa Tugay'ın onun nasıl ilkel bir hayvan olduğunu anlaması imkânsızdı. Göksel vücudundaki gelişmiş insansı kaslarıyla beynindeki tuhaflığı rahatça kamufle edebilen bir hayvandı, Ada'nın hayvanı. Hiçbir işe yaramayan, güçlü ama aciz bir hayvan. Tugay aradığında Ada heyecanlandı. En son Deniz'e dokunduğunda çarpmıştı kalbi böyle. Birkaç dakika sonra evin önünde olacaktı. Anneannesini öpüp çıktı kapıdan.

Göksel Ada'nın eve sağ salim vardığından emin olmak için başlamıştı takibe ama şimdi nereye gideceğinin merakıyla bekliyordu sokakta. Ada kapıdan çıktığında hemen arkasını dönüp yukarı doğru yürüdü, iki apartmanın arasındaki dar sokağa girdi. Bir an bekledikten sonra telefonunun kamerasını açıp köşeden yavaşça uzattı, telefonu bir ayna gibi kullanmayı Egemen Amir'den öğrenmişti. Ada'nın kendisine doğru geldiğini anlar anlamaz telefonu çekti ama Ada varmıştı bile, tam karşısında dikiliyordu şimdi. Aynı anda telefon çaldı, Egemen arıyordu, Göksel tuşa basıp sustudu telefonu. Bırak bir polis amirini şimdi karşısına ordu bile gelse Ada'nın kendi üzerinde yarattığı baskıdan daha ötesini yaratamazdı kimse. Ada kaşlarını çatıp, "N'apıyorsun sen? Beni takip mi ediyorsun şimdi de!" dedi. Keşke Tugay şimdi burada olsaydı, erken mi çıkmıştı sokağa diye düşünürken çalan telefonu Tugay'ın biraz geride, evin önüne geldiğini anlatıyordu kendine. Ada Göksel'e "Gel benimle" diye buyurdu Tugay'ın arabasına doğru ilerlerken ve Tugay'ın kendisini izlediğinden emin birkaç adım attıktan sonra aniden durup Göksel'e bağırdı "Ne istiyorsun benden! İstemiyorum seni! Anlamıyor musun?"

Bir erkeğin daveti bir kadını ne kadar acımasızlaştırabilirdi?

Göksel hiç sesini çıkarmadı, bomboş baktı sadece Ada'ya. Ada dönüp gidecekti ama Göksel'in gözlerindeki şaşkınlığı gördü, vicdanı sızladı. Deniz'e hissettiği her şeyi bu hayvan da kendisine hissediyordu. Deniz asla incitmemişti kendisini, hep anlayışla tolere etmişti ilgisini. Ada kısık sesle mırıldandı: "Yarın gel, sana yeni parçamı çalayım. Şimdi problem çıkarmadan git buradan" dedi.

Göksel'in gözlerindeki uyanış ilk defa sevinen bir çocuğunki gibiydi. Ada bir hata yaptığını anlayıp hemen müdahale etti: "Eğer kaşın bile kıpırdarsa bir daha asla göremezsin beni! Ben arabaya binene kadar donmuş gibi bekle" dedi.

Ada Tugay'ın iki kapılı, küçük spor aracına binerken Göksel içindeki sevinci gömüp öylece izledi. Araba köşeyi dönüp uzaklaştığında Göksel'in neşesi bedenine yayıldı, sıçradı, zıpladı, telefonu ısrarla yine çalana kadar güldü. Arayan Egemen Amir'di, hayatın acımasızlığına dönüp ara sokaklarda ava çıkmanın vakti çoktan gelmişti. Geç kalmıştı.

7. Özge

Ömer mesajı alır almaz varmıştı Özge'nin odasına. Elindeki kurşunkalemi hayatın ritmine karşı gelircesine parmaklarının arasında sallayan Özge'nin hali onu durdurdu. Bir şey olmuştu, oluyordu. Göz göze geldiler. Özge elindeki kalemi dudaklarına götürüp ona sus işareti yaptı. Telefonu masanın üstüne bırakıp Ömer'in de bırakmasını işaret etti sessizce. Kalemi kulağının arkasına sıkıştırıp kendisini takip etmesini isteyen bir tavırla odadan çıktı. Ömer takip etti Özge'yi birazdan ne olduğunu anlamanın heyecanıyla. Asansöre binmeleri, binadan çıkmaları yetmedi, Özge hâlâ konuşmamıştı. Holdingin topraklarından çıktılar, eve gitmek üzere acele eden kalabalığa karıştılar. Metroya doğru ilerlerken Özge konuştu: "Dinliyorlar bizi. Her şeyimizi... Toplantı salonundan dışarı adım atar atmaz Mahmut Konmaz'ın yanına çağrıldım. Toplantıda geçen her şeyden haberi vardı. Anında!"

Ömer tepki vermedi, ne diyebilirdi ki, orada olmasının tek ne-

deni kendini işe yarar hissettiği tek yerin burası olmasıydı. Özge
ne yapılması gerektiğini nasıl olsa birazdan söyleyecekti, dikkatle
dinledi.

Özge sıkıntılı ama kararlı, "Bizden daha büyük bir şey bu... Va-
roluş nedenimiz gibi. Kötülükle savaşmak için cehenneme girdik
Ömer ve senin bunu tam olarak anlamanı istiyorum, riski görmeni
ve eğer benimle olacaksan bu riske rağmen yanımda olmanı isti-
yorum. Gerçekleşmesi neredeyse imkânsız bir hayalin peşindeyiz.
Sonumuz çok kötü de olabilir" dedi dümdüz Ömer'in gözlerine
bakarak.

Ömer tek bir kelime söyledi: "Olmayacak."

Uzun süre konuştular, kararlar aldılar. *Darbe*'yi yeniden açmak
için Ömer'in yurtdışında bulduğu servis sağlayıcılarının bütçesini,
ne zaman tekrar yayına geçebileceklerini, Sadık Bey'i konulardan
uzak tutmanın en doğru hareket olduğunu, çalıştıkları bu dergi
projesinin kendilerine bir sürü başka malzeme getireceğini, bu
malzemeyi de *Darbe*'de kullanabileceklerini, hükümet adı altında
işleyen mekanizmayı daha yakından tanımak için eğitim almaları
gerektiğini, beyni yıkanmış ve cehaletle sarmalanmış bir gençlik
yaratmak için kurulan bu negatif derginin varlığını nasıl pozitifte
kullanabileceklerini planladılar.

Özge'nin suratına yayılan gülümseme o gün Ömer'le arasında
kurulan bağın imzasıydı. Asla kopmayacak bu bağ onlara, dünya-
nın insan kalabalıkları tarafından değil, inisiyatif kullanabilecek
kadar evrimleşmiş, birbirine güvenen birkaç kişi tarafından değiş-
tirilebileceğini öğretecekti.

Çünkü yola çıktığınızda tek ihtiyacınız, inanç ve size inanan
birkaç kişiden başka bir şey değildi, adımlarınızı temiz attığınız
sürece gerisini hayat mutlaka verirdi.

8. Can Manay

Yaprakların arasından sızan güneş, güneşin ışığında parlayan kırmızı elmalar, yattığı yerin yumuşak kumu, o kumun avuçlarında bıraktığı ılık his... Can Manay nihayet cennetine kavuşmuş bir seyyah gibi yorgun, kirli, dengesiz varmıştı Denge'nin dünyadaki merkezine.

Can, soyunmuş, ılık suyun aktığı küçük şelalede yıkanmış, üzerine geçirdiği dünyanın en yumuşak bornozunun içinde o muhteşem çorbayı ve güveçte yapılmış bol sarımsaklı yahniyi yemişti her lokmanın tadını çıkararak. Neyi, nasıl sevdiğini nasıl bu kadar iyi bilebilirlerdi? Yaptıkları test nasıl her şeyi söyleyebilirdi?... Ağaçların arasında gezinirken dengenin kendisine gelmesini beklemiş, uçarcasına yürüyen kırmızı elbiseli kızların ve doktor kıyafetli adamın getirdiği tüpteki havayı vücudundaki her hücreye ulaştırmak için derin derin ciğerlerine çekmiş ve nihayet dengelenmişti.

Şimdi, çırılçıplak yumuşak ılık kumda uzanmış etrafındaki cenneti anbean izlerken aklında ne Duru'yla geçen fırtınalı günlerin ıstırabı, ne onunla sevişmek için bir dilenci gibi dilenir hale gelmiş olmasının acı veren gerçeği, ne ona sahip olmak için her an savaşmak zorunda kalmasının yorgunluğu kalmıştı. Özgürdü. Denge insanı önce bağımlılıklarından, sonra alışkanlıklarından ve de nihayetinde de şartlanmalarından arındıran bir haldi. Tanrı'nın var olduğu hal. Tanrı hali.

Denge bahçesinden çıktığında kendisini arabada bekleyen Ali'ye baktı dikkatle. Bu kadar çok şey paylaşırken ne kadar az konuşuyorlardı. Ali her zamanki gibi bir kitap okuyordu. Kitabın adına baktı: *Parfümün Dansı* yazıyordu kapakta. Arabaya bindiğinde hafiflemişti. İki gün sonra başlayacak yeni programının sorunları ve şanını borçlu olduğu insanlara yapmak zorunda olduğu hizmetin ağırlığı önündeydi ama adım adım her şeyin yolunda gideceğini biliyordu Can. Yaşadığı krizden sonra ve akşamki partiden önce buraya gelmesi müthiş olmuştu. Gelebilmek için iki haftadır bekliyordu. Başta sinirlenmişti ama sonuçta arayıp da arıza çıkartabileceği bir mecra değildi burası. Şimdi eve gidip gece için hazırlanan Duru'yu alacaktı.

Haftalardır sevişmemişti onunla, hastanedeki uyku ziyaretlerini saymazsak. Sayamazdık çünkü Duru'nun haberi bile olmamıştı o ziyaretlerden. Uyurken bile tahrik eden bir hali vardı. Onu becermek yaşamak gibi anlamlı ve doğaldı. Mastürbasyon yapmaktan nefret eder hale gelmişti Can çünkü her mastürbasyon ona Duru'yla yapamadığı sevişmenin duygusunu yüklüyor, bu duygu içinde iyice ağırlaşıyor, sahip olduğu her şeyi anlamsızlaştırıyordu. Ama şimdi dengedeydi, ona karşı duyduğu bu açlık artık kontroldeydi.

Eve vardıklarında tam arabadan inecekti ki Ali, "İyi misiniz?" dedi. Can bir an durakladı, sorunun ne anlama geldiğini ve neden şimdi sorulmuş olabileceğine odaklandı. Sakince "Sen ne dersin?" dedi. Ali ciddi cevap verdi: "Değilsiniz. Denge işe yarar ama sorunlarınızı sizin yerinize çözmez, sorunlarınızı çözmekte netleşebilmeniz için yardım eder o kadar. Bunu söylemek istedim" dedi. Can anladı. Kafasını tamam anlamında sallayıp teşekkür etti ve partiye giderken kendisine ihtiyaçları olmadığını söyledi, yeni aldığı spor arabasını kullanacaktı.

Eve girdiğinde havalar serinlemesine rağmen bahçe kapısı sonuna kadar açıktı ve içeri giren rüzgâr sanki evin içinde dans ediyordu. Duru bahçede olmalıydı ama yoktu. Evin her tarafına bakıp tam bulamayacağına karar verdiğinde onu salondaki koltukta otururken buldu. Dengede olmasına rağmen şaşırmıştı çünkü emindi içeri girdiğinde burada olmadığından. Yanına gitmek istedi ama gidemedi çünkü Duru'nun giydiği kıyafet ve güzelliği tarafından durdurulmuştu. Duru'ysa gözlerini kısıp dikkatle baktı Can Manay'a. Bir farklılık vardı onda. Daha önce ilişkilerinin en başında gördüğü sakin, dingin, derin adamda olan farklılıktı bu. Duru gözlerini kısıp, "Bir şey var sende... Farklısın. Ne var, ne yaptın?" dediğinde Can Duru'nun etkisinden çıkıp "Hiç" dedi ve yanına gidip onu elinden çekerek kaldırdı, baştan aşağı süzerek baktı. Üzerindeki elbise, ona ilk aldığı gece elbisesiydi, ünlü bir restoranın açılışına gidecekleri için almıştı bu elbiseyi ama Duru'yu elbisenin içinde görünce davete gitmek yerine sevişmeye başlamışlar ve evde kalmışlardı o gece. Krem rengi, üzerinde küçücük inciler bulunan, boynuna kadar kapalı, sadece omuz ve kolları açıkta bırakan ipekten bir elbiseydi. Elbisenin bu muhafazakâr modeli, Duru'nun bedeniyle birleşince fazla tahrik ediciydi. Can'ın istediğinin tam tersi bir etki yaratmıştı, şimdi Duru'yu incelerken elbiseyi o zaman yırtmış olmayı diledi. Bu kadar hassas bir durumda artık ondan elbiseyi çıkarmasını isteyemezdi. Sadece "Çok güzelsin" diyebildi mesafeli ve sakin.

9. Bilge

Can Manay'ın adını bir daha asla kullanamazdı ama zaten artık kullanmasına da gerek kalmamıştı, hastane polisi tanıyordu Bilge'yi. Hiç sevilmeyen bir mahkûmu ziyaret ediyor gibiydi Bilge, polislerin hepsi nefretle bakıyordu Murat'ın ziyaretçilerine.

Murat'ın ağlayan annesini seyretmek, babasıyla göz göze gelip söyleyecek tek bir kelime bulamamak, okuldan tanıdığı diğerlerine, üzerindeki şık kıyafete rağmen kamufle olmaya çalışmak katlanılırdı ama kafası kazınmış Murat'ı, ağzındaki hortumla hareketsiz yatarken görmek her gün ölmek gibiydi. Eti'yle yaptığı sohbetteki hafiflemesi şimdi daha da ağır bir suçluluk duygusu çöktü üstüne.

Üç operasyona rağmen uyanmıyordu Murat, beyninde şişme olduğundan kafatasını açıp basıncı almışlardı. Kurulun yarın sabah kararını açıklayacağını öğrenerek uzaklaştı hastaneden. Ulaşmak istediği bir hayalden uzaklaşan biri gibi...

Çaresizlik karşısında, vücudun verebildiği en hızlı tepkiydi ağlamak. Hastaneden çıkarken kendisine bakanları umursamadan ağladı Bilge. Kahrolası davete geç kalmak üzereydi, arabasına bindi.

Sahip olmaya bile kıyamadığı değerde bir şeyin nasıl da vahşice yok edildiğini ve kendisinin onu korumak için hiçbir şey yapmadığını, o an ona olanların farkında bile olmadığını düşünüp mahvoldu. Sürekli aklına gelen görüntüler tekrar tekrar ve hızlanarak geçiyordu kafasından. Murat'ın eli sopalı dört adam tarafından parçalanırcasına dövülmesinden daha ağır, acı veren nasıl bir düşünce olabilirdi ona âşık biri için. Salyasının sümüğe karışmasını önemsemeden, arkasında araç ya da insan olup olmadığına bakmadan bir hamleyle geri fırladı otoparktan, direksiyonu çevirip aracı bağırtarak çıktı caddeye, yola böyle fırladığı için kendisine korna çalan araçların varlığına dikkat etmeden sürdü arabasını. Sessizlik, daha doğrusu beynindeki sesler fazlaydı. Sesleri dindiremezse sanki beyni parçalanacaktı aynı Murat'ın bedeni gibi. CD'ye basıp yola aktı.

"An Eternety" adlı parça beynine indi, sesler sustu ama görüntüler gitmedi, müziğin etkisiyle sadece Murat'ın gülen yüzüne dönüştü. Yanaklarındaki çizgiler ne kadar da hayat doluydu. Yaşam dolu halleri geldi aklına. Onu ilk gördüğünde göz göze gelmişlerdi,

Murat okulun bahçesinde otururken, Bilge'nin kendisine odaklanmış şaşkın bakışına gözünü kırparak cevap vermişti. Bilge o gün hemen bakışlarını kaçırıp yoluna devam etmemiş olsa, o an gülümsemiş olsa, onunla o zaman konuşmuş olsa, onu gizli gizli izlemek yerine onu utanmadan dimdik bir yürekle tanımış olsa, ona kim olduğunu göstermiş, onu gerçekten görebilmiş olsa, düşünmeden, hesaplamadan, şansızlığından korkmadan onu yaşamış olsa, ödevleri teslim aldığı o gün korkaklığı bırakıp ona kendini bırakmış olsa, içindeki aşağılık kompleksinden kurtulmuş ve Murat'ın gözlerinin içine baka baka onu onunla paylaşmış olsa, ona onu sevdiğini söylemiş olsa, onun olmuş olsa, ona sahip olmuş olsa bir an bile...

Direksiyonu yumruklarken içinde büyüyen pişmanlıkta kayboldu Bilge, o pişmanlıktan kaçarcasına gaza bastı ve kendini en sol şeritte, önünde kendisi kadar hızlı giden araca korna basarken buldu. Önündeki araç sağa geçip yol verdi Bilge'ye. Bilge hızlandı, uçarcasına bir öndekinin de kıçına yapıştı. Öyle aceleyle basıyordu ki kornaya, araçlar bir bir sağa geçip yol verdiler ona.

Suratını sildi aceleci bir hamleyle ve bir küçük hareketle arabanın nasıl da savrulduğunu görünce direksiyona yapıştı yine. Vücudunda gezinen prolactin* ile adrenalinin birleşip acayip bir duygu kokteyline dönüştüğünü deneyimliyordu. Bilge hem acı çekiyor hem de bu kadar hızlı gitmenin özgürlüğünde keyif alıyordu. Acıdan keyif almak mıydı bu? Hayır. Acırken keyif almaktı. Kendi sınırlarını zorlamanın, anda olma farkındalığının keyfiydi bu, her an ölebileceğini bilecek kadar anbean yaşıyordu zamanı. Arkasında kendisine selektör yakan aracın ışığı aynadan yansıdı, güneşin kızıllığına rağmen kararan havanın içinde aracın selektörü rahatsız ediciydi.

---

* Pek çok şeyin yanında ağlamamızı da sağlayan bir hormon.

Bilge yol vermedi, gaza basıp hızlandı, bu kadar hızlı giderken kimseye yol veremezdi. Zaten arkasındaki araç hızını görünce kesin pes edecekti ama öyle olmadı. Birkaç saniye sonra araç arkasına yapışıp yine selektör yaptı, Bilge hız ibresine bakmadan gazı topukladı. Hızının 150'yi geçmek üzere olduğunu görmedi, görse de önemsemezdi. Ama arkasındaki araç da hızlandı, bir kez daha selektör yaptı. Bilge 180'e çıktığında dikkati önünde uzanan yolla arkasından gelen aracın dikiz aynasındaki görüntüsü arasında paylaşılmıştı. Arkasındaki araç da yine hızlandı ama Bilge'ye yaklaşmak yerine sağa kaydı. Bilge inanamadı bu kadar hızlı giderken arkasındaki aracın kendisini sağlamak istediğine, dişlerini sıktı. Bugün kimseye yol vermeyecekti hayatında ilk defa. Gözü arkasından sağa geçen araçta yine gazladı, ileride olmasına rağmen hızla yaklaştığı önündeki araca aceleyle selektör yaparak onu sağa kaydırdı, arkasından kendini geçmek isteyen aracın önünü böyle kesmiş oldu. Ama aracın bir hamle daha sağa kaydığını gördü, bir an karar vermeye çalıştı, bir sonraki çıkıştan mı çıkacaktı? Ama araç hızlanıp önündeki aracı geçip tekrar sola bir hamle yapmış ve yine yanına gelmişti, resmen Bilge'yi geçmeye çalışıyordu. Bilge yine bastı gaza, bir hapşırmasının dahi aracı kontrolden çıkarabileceğini bilerek ama korkusuz, içinde hissettiği tüm korkuları Murat'ın yattığı odada bırakarak çıkmıştı o hastaneden, artık ne olabilirdi ki! Murat zaten ölmüştü. Beynindeki düşüncenin farkına varır varmaz kafasını silkeledi, ölmemişti, yoğun bakımdaydı ve gaza yüklendi. Öndeki aracın kendisine yol vermesini beklemeden sağa kayıp kendini geçmeye çalışan aracın önüne atıldı ve hızlanıp üç araç geçtikten sonra sola kaydı. Önü 700 metre kadar daha açıktı. Gecenin karanlığında aynadan geride kalan araca bakarken bir anda en sağ şeritten bir aracın 3 metre önde sol şeride geçtiğini gördü. Bu o manyak olmalıydı! Nasıl yapmıştı bunca arabanın arasından sıyrılıp önüne geçmeyi! Bilge sağa kaydı, akan trafiğin arasında en hızlı hareket eden bir o vardı. Önüne geçen aracı geçti ve sola sinyal vererek kaçırmak üzere olduğu çıkışı seçti. Otobandan çıktığında sakinleşmişti.

Davetin yapılacağı gösteri merkezine geldiğinde iyice yavaşladı. Saatine baktı. Can Manay'ın gelmesine yarım saat daha vardı. İçer girip toparlanmalıydı. Suratını sildi, burnunu temizledi. Aracı merkezin arka tarafındaki çıkışta bekleyen VIP valesine verdi. Davete gelen herkes VIP idi ama ev sahipleri için hazırlanan bu arka çıkış Can Manay ve kanal sahibine aitti. Arka taraftan içeri girip hemen lavaboya gitti.

Suratını yıkadı, kuruladı, kızarmış gözlerini kalın camlı büyük gözlüklerinin arkasına sakladı. Saçını basitçe topladı. Nasıl göründüğü önemli değildi, sadece etrafındakilere rahatsızlık vermeyecek sıradanlıkta olması yeterliydi, her zamanki gibi.

10. Duru & Can Manay

Başka bir zamanda olsa, yani dengede olmasa, böyle bir organizasyonun ev sahibi olduğu için gurur duyabilirdi Can Manay ama dengenin verdiği farkındalık uyuşturulamaz, insan kendini adım adım ikna edip kandıramazdı. Gurur duyulacak hiçbir şey olmadığını, burada toplanan herkesin şeytanla anlaşma yaptıkları için burada olabildiğini bilerek yürüdü, kolundaki Duru'sunu böylesi çirkin insanların arasına soktuğu için kendinden nefret ederek. Ama onu bu partiye de getirmemesi imkânsızdı artık. Belki de bugün Denge'ye gitmek için iyi bir gün değildi, bu kadar farkındalık ağır gelmişti, keşke şu an dengede olmasaydım diye düşünerek insanları selamladı yol boyunca. Daha şimdiden dengesini kaybetmiş gibiydi.

Masalarına yaklaşmışlardı ki büyük kanallardan birinin genel yayın yönetmeninin kolunda Arzum Unsur'la karşılaştılar. Arzum, Can Manay'ın evindeki yemekten beri görmemişti ne Can'ı ne de Duru'yu, magazin haberlerini saymazsak. Ama Can anlaşmasına sadık kalmış, Arzum'un istediği gibi yurtdışından getirdiği programları satabilmesi için onu Utku'ya paslamıştı. Arzum yaptığı programlar sayesinde kuracağı medya krallığının daha en başındaydı. Can ve Duru'yu birlikte görmeye şaşırmadı bile, kafasıyla selam verip kocaman gülümsedi onlara. Can Duru'nun suratında bir kıskançlık görme umuduyla Duru'ya baktı. Duru, kendisine odaklanan Can'a istediği keyfi vermeyecekti, içinde en ufak bir kıskançlık olmadığını gösteren bir samimiyetle selamladı Arzum'u.

Nihayet masalarına vardıklarında Zeynep gelip selamladı onları. Can hemen Bilge'yi sordu. Yapacağı konuşmanın notları ondaydı. Zeynep birazdan burada olacağını söyleyip rahatlattı Can Manay'ı, Duru'ya selamını verip uzaklaştı.

Bu gece Duru'yu yalnız bırakmamasıyla ilgili verdiği talimatlardan sonra neredeydi bu kız? Duru'nun bir kuğu gibi incecik boynuna kaydı gözleri, incilerle bezenmiş kumaş tarafından kaplanmış boynu ne kadar da narindi. Bu gece geçecek, Duru'yla arasındaki bağı kurmak için ne gerekiyorsa yapacaktı. Böyle düşünürken yanında birinin dikildiğini hissetti. Döndüğünde Bilge'yi gördü. Can'ın seçtiği, Zeynep'in aldığı elbiseyi giymişti. Omuzlarında kalın askıları olan, köprücük kemiklerini ortaya çıkaran kare bir kesimle sınırlandırılmış dekoltesi açık değildi, bele kadar dar inip kalçadan sonra hafifçe bollaşan siyah kumaş eteğinin alt kenarında beyaz bir şeritle son buluyordu. Bilge'ye yakışmıştı, en azından göründüğü kadar memesiz olmadığını anlatıyordu, tabii o sırta yapışmış gibi duran kambur duruşu olmasa. Kalın gözlüklerinin arkasından emir beklercesine bakarken "Merhaba" dedi Can'a. Gözleri kıpkırmızıydı, acaba neden ağlamıştı? Hastanedeki arkadaşı yüzünden olmalıydı. Neyse, bir önemi yoktu. Can, Bilge'yi gördüğüne ilk defa mutlu oldu ve Duru'yla tanıştırdı.

Bilge tanıyordu Duru'yu, onu gördüğü o ilk günü nasıl unutabilirdi ki. Gösteri merkezinin yapılması planlanan o tepedeki duruşunu, tepeden aşağıya inerkenki çevik sıçramalarını. Duru'ysa yapmacık olmasına umursamadığı bir gülümsemeyle karşıladı Bilge'yi. Can Bilge'ye, Duru'yu yalnız bırakmamasıyla ilgili yaptığı konuşmayı hatırlatan bir bakış atıp Duru'yu omzundan öptü. Duru sakince ona dönüp gülümsedi. Yerine otururken kendisini merak etmemesini, misafirlerle ilgilenmesini söyledi. İçi acıdı Can'ın o an, Duru'nun samimiyeti kamuflaj olarak kullanabilmesi acıtıcıydı, kendisi gibi. Duru, Bilge'ye yanına oturmasını işaret etti, madem Can Manay bir gardiyan getirmişti, onunla biraz eğlenebilirdi.

Can ülkenin en tehlikeli konuklarını, emirlerine amade olduğunu gösteren bir üslupla selamlarken, Duru ve Bilge öylece oturdular yan yana. İlk konuşan Duru oldu. Bilge'ye ne zamandır Can'la çalıştığını sormuştu, Bilge'nin vereceği cevabın kendisini sersemleteceğini bilmeden.

"Deniz Bey'le yaptıkları proje hazırlığından beri" dedi Bilge. Duru, Bilge'nin kendisini iğnelemeye çalışıp çalışmadığına baktı. Bilge'nin suratındaki dürüstlüğü gördü, kalın gözlüklerine rağmen kızarmış gözlerini fark etti. Buraya gelmeden önce ağlamış olduğunu anladı. Bilge de Duru'nun ifadesindeki sarsıntıyı fark etti hemen. "Affedersiniz, sizi üzmek istemedim. Çok zor olduğunu biliyorum" dedi. Duru şok içindeydi. Ne diyordu bu kız! Çok zor olduğunu biliyorum da ne demekti! Duru kıza kızmakla soru sormak arasında gidip geldi, kızamazdı, oyunun en büyük kuralıydı bu, ayrıca partiye yeni gelmişlerdi ve her şeyin planladığı gibi gidebilmesi için sakince burada oturması şarttı. Sesindeki hesap soran tonu kısmadan sordu: "Neden bahsediyorsun?"

Bilge Duru'ya döndü, endişeli görünüyordu. Sakince cevapladı: "Sizi kızdırmak istemedim. Sadece üzgün görünüyorsunuz. Deniz Bey farklı biriydi. Onu sevmiyor olmanız imkânsız. İnsanın sevdiği birini artık görememesinin nasıl olduğunu biliyorum. Anlıyorum" dedi. Duru bu kalın gözlüklü kızın, bu sohbeti açması için Can tarafından görevlendirildiğine emin olacaktı ki Bilge endişeyle, "Ben sosyal sohbetleri becerebilen biri değilim. Bundan Can Bey'e bahsetmezseniz benim için bir iyilik yapmış olursunuz" dedi ve önüne döndü.

"Ne kadar çalıştın Deniz'le?" diyerek Duru temkinli sohbete devam etti.

"Onun çok özel biri olduğunu anlayacak kadar. Deniz Bey gidene kadar sanat merkezi projesinde çalıştık" diye açıkladı Bilge.

Duru dönüp Bilge'nin suratına baktı, Bilge'de hiç oyun yok gibiydi. Kaşlarını çatıp, "Sandığın kadar da özel değildi! Keşin tekiydi!" dedi, söylediği her kelimeyle kendi kalbine bıçak sapladığını hissederek.

Bilge, Duru'nun sakladığı acıyı sanki fark etti. Söylediklerimizin çok az zaman hissettiklerimizi ifade edeceğini biliyordu. Eliyle Duru'nun omzuna dokundu onu teselli edercesine. Duru dikleşti. Hemen kafasını çevirip kendisine konan şaraptan bir yudum almadan önce "Sen niye ağladın?" diye sordu Bilge'ye hiç bakmadan.

Bilge dondu, elini çekti. Kafasını öne eğdi. Suskunca bekledi.

Duru ona döndüğünde, kızın ağlamak üzere olduğunu fark etti. Can'a yaklaştığından beri insan olmayı unutmuş gibi hissetti.

Kendine kızdı. Yanında acı çeken biri vardı. Elini Bilge'nin bacağına koydu, yavaşça ona eğilip, "Ülkenin tüm timsahları burada, ağlayıp insan olduğumuzu belli edersek sonumuz açık büfe olur, ona göre" dedi. Bilge burnunu çekti yavaşça, kafasını kaldırıp Duru'ya baktı. Birbirlerinin gözlerinin içine bakarken ikisi de bir diğerinin ne kadar yaralı olduğunu düşünüyordu. Duru göz kırptı. Bilge, "Bu timsahların otobur olduğunu sanmıyorum, o yüzden açık büfede bana yer yok gibi gözüküyor" dedi. Duru kızın espriye karşılık vermesine şaşırmıştı ve gülümsedi. "Projeye ne oldu?" diye sordu fısıldayarak.

Bilge gözlüğünü silerken aynı fısıltıda cevap verdi: "Deniz Bey gidince proje iptal oldu ama yapılsaydı bambaşka bir merkez olacaktı" dedi. Kafasını kaldırıp etrafındaki bürokratları ima ederek, "Bunların asla yapamayacağı bir şey." Gözlüklerini takarken konuşmaya devam etti: "Şimdi depoda diğer çöplerin yanında duruyor maket ama ben arada hâlâ gidip bakıyorum, insanı uyaran bir etkisi var."

"Burada mı?!" diye sordu Duru şaşırarak. Bilge başını sallayıp "Depoda" dedi.

"Görmek istiyorum! Bana gösterebilir misin?" dediğinde Bilge'yle yine göz göze geldiler. Duru'nun çatık kaşları altında kararlılıkla parlayan gözleri çok netti, ne istediğinden emindi, fısıldadı: "Kimse bilmeden. Lütfen."

Bilge başına çok büyük bir iş açmak üzere olduğunu düşünerek "Şimdi mi?" diye sorarak zaman kazanmaya çalıştı.

Duru ona dönüp gözlerini Bilge'ninkilerden kaçırmadan elini sıkıca tuttu. Bilge "Ben yalan söyleyemem. Sorulursa" dediğinde Duru, "Sorulmayacak! Asla. Söz veriyorum" dedi, bakışları hâlâ Bilge'nin gözlerinde, eli hâlâ aynı sıkılıkta elindeydi.

Duru Bilge'nin elini bırakmadan kalktı. Bilge onu takip etmek zorunda kaldı. Kanalın genel yayın yönetmeniyle sohbet eden Can'a doğru yürüdüler el ele. Duru Can'dan öğrendiği gülümseme maskesini suratına takıp, "Bilge bana stüdyoları gezdirecek" diye fısıldadı Can'ın kulağına ve dudaklarını çekmeden hafifçe dokundurdu ona. Can bu dokunuşun etkisiyle nefes aldı. Duru çekilirken Bilge'ye baktı, "Tamam" dedi tereddütle ve salondan çıkmalarını izledi. Duru yürürken kıvrılan kalçalarına kaydı gözü, bu gece de ona dokunamazsa çıldıracaktı! Hemen dönüp masaya baktı. Duru'nun çantası, telefonu hâlâ masanın üzerindeydi. Zaten kendisinden habersiz binadan çıkması mümkün değildi. Duru'nun böyle oyalanması iyiydi.

Duru'nun varlığıyla dolan düşüncesinden sıyrılıp salona geri döndü. Etrafındaki insanlara baktı. Can hiç girmemişti siyasete ama şu son günlerde ayaklanan halk yüzünden ondan da üzerine düşeni yapması istenmişti. Program açılışında baş kaldıranları yermeli ve televizyon kanallarıyla sistemli bir şekilde uyuşturulan halka her zamanki yalanları söyleyerek haklının haksız, haksızın haklı gibi anlaşılmasına katkı sağlamalıydı. Sistemi korumak onun da göreviydi. Ne de olsa bu sistem onu buraya kadar yükseltmişti. Karşılama konuşması yapmak için sahneye çağrıldığında Duru'nun salonda olmamasına sevindi. Birazdan yapacağı yalaka konuşmanın kadını tarafından dinlenmemesi rahatlatıcıydı.

11. O an Ada...

Duru'nun gidişi ve Can Manay'ın konuşma için sahneye çıkışı, Tugay'ın ayağa kalkıp abartılmış bir coşkuyla Can Manay'ı alkışlaması... Ada kim olduklarını dahi bilmediği bu insan kalabalığının içinde kendi sahteliğine yabancılaşarak katıldı Tugay'ın alkışına.

Duru'yla aynı mekânda olmanın verdiği sıkıntıyı kalbinden atmak için derin nefes alarak çarptı ellerini. Ellerinin birbirine vurmasının acısından hınç alarak ve Duru'yu bir daha asla görmemeyi dileyerek.

12. O an Göksel...

Suratındaki gaz maskesi rahatsız ediciydi ama eline geçirdiği çocuğu tokatlamasını engelleyecek kadar da değil. Gazdan iki büklüm olan çocuğa vururken ekipteki 4 kişinin diğer çocuğu tekmeleyip yumruklamasına baktı, işlerin kontrolden çıkmak üzere olduğunu anladı. Geçen ayki olay tekrarlanmamalıydı. Öyle demişti Egemen Amir. "Kırın ama öldürmeyin"di emir.

Elindeki çocuğu saldı, ekibin arasına girip yerde iki büklüm kanlar içindeki çocuğu kolundan çekip aralarından aldı. Kendisi de göstermelik bir tekme atıp beyaz gömleklilere ilerideki sokağı işaret etti. "4 kişiler, çabuk!" diye bağırdı. Ekiptekiler koşarak Göksel'in gösterdiği sokağa daldılar. Göksel yerde bıraktığı çocuğun kendilerini köşeden izleyen bir grup tarafından taşınmasına baktı ekibin peşinden giderken. O an içinde Ada'nın müziğini dinlemenin hevesinden başka hiçbir duygu hissetmiyordu.

13. O an Duru...

Asansöre binene kadar Duru bırakmadı Bilge'nin elini. Adını bile bilmediği bu kız, uzun süredir ilk defa Deniz'e giden bir kapı açmıştı ona: Deniz'in hazırladığı projenin konulduğu Vizyon Terapi'nin deposu.

Deponun yüksek tavanlı yapısı, küme küme açılan ışıklarla ürkütücüydü. Duru tereddütle, Bilge nereye gittiğinden emin yürüdüler etrafa yığılmış, dosyaların, kostümlerin, kutuların arasından ve ulaştılar aradıkları şeye.

Etrafın sistemsiz dağınıklığının yanında Deniz'in projesi bir köşede, üstüne örtülen örtünün altında sanki huzur içindeydi. Bilge, toz içinde olmasına aldırmadan, sakince uçlarından katlayarak kaldırdı örtüyü Duru izlerken. Ortaya çıkan maket Deniz'in yapılması için gecelerce çalıştığı muhteşem gösteri merkezinin maketiydi. Verdiği duygu, bunu hayal eden insanın üstünlüğünü kabul ettiren güçteydi: İlham. Evrende var olan en değerli duygudur derdi Deniz. "İlhamla uygarlıklar kurulur, ilhamla acılar unutulur, ilhamla insan kim olduğunu bulur." Deniz'in sesi yankılandı Duru'nun kalbinde. Nasıl fark etmemişti Duru, Deniz'in yapmaya çalıştığı şeyi! Nasıl aklı kaymıştı! Onca gece gündüz ortalarda olmayışını nasıl bu projeye bağlayamamıştı. Duru gözyaşlarını tuttu o an, kendisinden onu alan şeye, Can Manay'a hissettiği nefretten ve Deniz'de uyandırdığı ilhama olan özleminden başka kalbinde hiçbir duygu bulunmadan, öylece inceledi gösteri merkezini... Deniz'i gömdüğü mezarlığa bakar gibi.

14. O an Özge...

Çaresizlik diye düşündü Özge partinin yapıldığı salona yaklaşırken... Yapılan tüm yanlışları, haksızlıkları tüm netliğiyle görebilme gücü vermişti hayat ona ama bu güç şimdi bir lanetti. Gördüğü kötülüğü engelleyebilmek için yaratıldığını düşünürken kötülüğün büyümesine seyirci kalma laneti bir zehir gibi geziniyordu düşüncelerinde. Görevliye davetiyesini verdi.

Ülkenin en önemlileri buradaydı, en önemli hırsızları, en önemli yalancıları, en önemli yalakaları, en önemli dolandırıcıları sahip oldukları her şeyi sanki yakalarına takıp gelmişlerdi.

Tüm devlet büyükleri buradaydı. Köleler ayaklanmış, sırtlarına binenlerin ilk defa yüzüne bakmışlardı. Kim olduklarını görmüş, bir nevi uyanmışlardı ama önemi yoktu, dünya uyuyanların uyutulduğu, uyutulamayanların hapsedildiği, hapsedilemeyenlerin öldürüldüğü bir gezegendi ve devletleri halkın sırtına binmiş birer parazite çeviren sistemin doğduğu yerdi burası. Bu partide boy göstermek, baş kaldıranlara hiçbir şeyin değişmediğini, kaldırılan başların önemsizliğini anlatmak için bir fırsattı ve en verimli şekilde değerlendirilmişti. Tüm medya patronları sınır tanımaz yalakalıklarını giyinmiş, sahip oldukları her şeyi korumak adına ne gerekirse yalamak için sıraya girmişlerdi.

Muhteşem büyüklükteki ihtişamlı salona baktı. Tavandan sarkan avizelerin ışıltısı, davete katılanların özenli halleriyle sanki takımdı. Cehennem kurallarının geçerli olduğu bir ülke olmuştu burası 10 yıldır. Ne yapıyorsanız tam tersini giyinip devletten destek alır olmuştunuz. Orman katilleri çevreci, toplum sağlığı düşmanları medikal hizmetkârlar, dolandırıcılar bankacı, halkı sömüren parazitler yasa koyucular, teröristler yardım derneği kılığında kamufle olmuşlardı. Bu cehennem kuralları sömürülmeye en uygun ortam sağlıyor, alttaki köleleri iyi yönetmek için şeytana yardım eden fırsatçılara iyi bir beslenme zemini hazırlıyordu. Kendini yorgun hissetti, Sadık Murat Kolhan'ın kendisini zor bulacağı bir köşeye geçip daveti izledi.

15. Can Manay & Duru

"Halkın seçimi demokrasinin koruyucusu olarak buradayız. Var olun ki var olalım!" diyerek bitirdi Can Manay konuşmasını ve salonda kopan alkış dinleyen herkesin var olma çabası gibiydi.

İnsan, evrimde çok geride, kendini kandırmada o kadar öndeydi ki doğaüstü bir yapısı vardı sanki. Bu düşünceyle indi Can Manay sahneden. Herkesin iştahla yemeklerini yemesine baktı. Aç değildi. Gösterinin başlamasını barın köşesinden izledi. Duru'nun nerede olduğunu merak etmeye başlamıştı ama Bilge'yi arayıp Duru'nun huysuzluğunu uyandırmak da istemiyordu. Önemli bir şey olsa zaten Bilge onu arardı. Sonra Duru'yu gördü.

Suratındaki parlak, sakin ifade o kadar güzeldi ki. Sevişirken inlediği anlar geldi Can'ın aklına. O güzel yüzün doğallıkla zevk içindeki hali muhteşemdi. Çok uzun zaman olmuştu o inlemeyi görmeyeli. Rahatlamış bir gülümsemeyle karşıladı onu Can Manay, Duru'nun kendisine doğru gelmesini izlerken.

Kalabalığın arasında ilerlerken etraftaki ilginin nasıl da Duru'ya kaydığını fark etti ve hissettiği rahatlama rahatsızlığa dönüştü. Onu kiminle tanıştırsa bir riske davetiye çıkaracağının farkındaydı. Bu kadar muhteşem bir yaratık sürekli saldırıya maruz kalırdı, özellikle de böyle bir ortamda. Keşke onu hemen eve gönderebilseydi. Diğerleriyle tanıştırılamayacak kadar değerliydi Duru. Gözlerini Duru'ya dikmiş bakanlara baktı. Hepsini kara listeye aldı.

Duru'ya döndüğünde kafasında onu eve göndermekle ilgili planı kurguluyordu ki bir anda irkildi. Gecede çalması için davet edilen DJ bozuntusu serseri Duru'yla konuşuyordu! Can içinde hissettiği dengenin kontrolünde kendi endişesini profesyonelce kamufle ederek sakin ama hemen yaklaştı onlara, her adımda bu DJ bozuntusunun hayatı boyunca hiçbir yerde bir daha asla iş bulamayacağına yemin ederek. Bilge onları bırakıp çoktan masaya geçmişti.

Suratına takındığı kocaman gülümsemeyle çocuğun karşısına dikildi. Duru ve adamın sohbetini bölmüş olmalıydı çünkü ikisi de bir an susup Can'a baktılar. Duru onları tanıştırırken çocuk sersemce tokalaştı Can Manay'la. "Bu Dicle, bizim okuldan... Bu gece o çalacakmış."

Can derin gözlerini çocuğun gözbebeklerine kilitleyip hiç göz kırpmadan, "E ne duruyorsun, davetliler seni bekliyor" dedi ve elini çekip Duru'ya döndü simsıcak bir gülümsemeyle. Çocuk mesajı almıştı, kelimelerden değil ama Can Manay'ın gözlerinden. İyi akşamlar dileyip hemen setinin başına geçti, Duru ve Can masalarına yürüdüler. Masalarına varana kadar Duru'nun gülümsemesi yüzündeydi, Can'ın çektiği sandalyeye oturdu, Can'ın da oturmasını bekleyip kollarını aniden onun boynuna doladı. Can bu ani hareketle şaşırdı ama hissettiği haz şaşkınlığını hemen aştı, Duru'nun dokunuşu her şeye değerdi. Duru, Can'ın suratına iyice yaklaşıp dudaklarını neredeyse Can'ın suratına sürüyerek kulağına ulaştı, birkaç salise durdu nefesinin Can tarafından hissedilmesinden emin olurken ve Can'ı mahveden bir tonda mırıldandı: "Dicle'ye takarsan hemen haberim olur!" Duru'da, konuşmasında, tavrında, bakışında bir farklılık vardı, sanki Duru uyanmıştı. Tedirginliği tamamen gitmiş, yerine tehditkâr bir şey geri gelmişti.

Can, Duru'nun ne dediğini, kelimelerinin ne anlama geldiğini saniyeler sonra anlayabildi, çünkü nefes almasını dinlemek, kelimelerini duymak, çıkardığı mırıltıyı teninde hissedecek şekilde kendisine yaklaşmasını yaşamak sersemleticiydi. Duru'nun çekilmesiyle etkisinden kurtulan Can ancak anladı cümleyi. Aldığı hazla duyduğu tehdit arasında sıkıştı bir an, şaşırdı. Gözlerini açıp kapadı.

Bilge ikisi arasındaki oyunu hissedip hemen masadan kalktı, bir gram aç olmasa da açık büfeden bir şey almaya gitmenin tam zamanıydı. Can donakalan gözlerini bir kez açıp kapayarak kendine geldi, Duru'nun narin, incecik kolundan tuttu sıkı denilemeyecek kadar gevşek, gevşek denilemeyecek kadar sıkı ve onun kendine döndürdü yavaşça, gözlerinin içine bakıp tane tane vurguladı: "Bir gece... Sadece bu gece... Senden sadece bu gece beni anlamanı istiyorum, hayatımın geri kalanında her anımı seni anlamaya adayacağım, söz veriyorum ama bu gece lütfen beni anla. Çok önemli bir davet bu... Teşekkür ederim." Duru'yu alnından öptü ve ona yüklemeye çalıştığı sakinliğin etkisini yitirmemesi için uzaklaştı masadan, Duru'yla yaşayacağı bir rezaletin burada olmasını riske edemezdi, rezil olmayı çok umursadığından değil ama ülkedeki tüm avcıların ağızları sulana sulana Duru'ya yaklaşmanın yollarını aramaya çalışacaklarını bilmesindendi önemsemesi. Duru'yla ilgili asla riske giremezdi.

Lanet olası DJ bozuntusunun müziğe başlaması, geri kalan davetlilerin de masalarını bırakıp dansa kalkması, herkesin eğleniyor olması harikaydı. Ta ki Can Manay topluluğu seyrederken yanında dikilen uzun boylu kişinin Murat Kolhan olduğunu fark edene kadar. Hissettiği dengeye rağmen bir stres dalgası geçti bedeninden, kendisinde olan bir şeyin bu adamda da olduğunu bilmenin etkisiydi bu: Güçte olmak uğruna sınırsız bir risk alma hali.

Murat Kolhan sakince baktı ona, göz göze geldiler. Aynı derinlikte ve tehlikede iki göz, yargısızca ama gördüler birbirlerini... Murat Kolhan, "Tebrik ederim, iyi bir davet oldu. Başarılı" dedi. Can Manay, "Ben sizi tebrik ederim, kanalınızın organizasyonu bu. Buradaki herkes aslında sizin misafiriniz, ben sadece ev sahipçiliği oynuyorum" dedi. İkisi de dansa kalkan kalabalığa odaklanıp birbirlerine bakmadan yan yana konuştular. Murat Kolhan, "Program açılışında sokaktakilerle ilgili yerici bir konuşma bekleniyor sizden. Mesajı aldınız mı?" dedi.

Can kafasını evet anlamında sallarken, "Elimden geleni yapacağım ama benim tasmalı köşe yazarlarınız gibi agresif olmamı beklemiyorsunuzdur umarım. Benim programımı seyreden kitlenin büyük çoğunluğu o sokaktakiler" dedi. Murat Kolhan kafasını çevirip dikkatle bakınca Can açıklamak zorunda hissetti: "İzleyicinin psikolojisini iyi hesaplamak lazım. Ayrımcılık yerine, haklılık üzerinden girmeyi planlıyorum" derken Murat Kolhan lafa girdi: "Birinin planlarını dinlemeyeli çok oldu. Planlarla değil sonuçlarla ilgilendiğim için bugün sana iş verebiliyorum ve sen de plan yapmak yerine uygun görüleni uyguladığın için buradasın Can Manay."

Can elinde tuttuğu içkiyi kafasına dikip yanındaki masaya koyduktan sonra gülümseyerek Murat Kolhan'a döndü: "Bugün burada olmamın nedeni, kimsenin yapamadığını yapabilecek cesarette ve dayanıklılıkta olmamdır. Dayanıklılığım güvenilirliğimden gelir, cesaretimse deliliğimden. Güvenilirliğimi korku, deliliğimi de kontrol edilebilir sanma Sadık Kolhan, hanımını hatırla ve benim kim olduğumu unutma. Senin büyüklerin benim dinleyicilerimdir, aynı hanımın gibi" dedi ve yıllar önce Murat Kolhan'ın kendisine hediye ettiği kolundaki saate bakıp ekledi: "Bu konuşmalar için çok geç olmuş."

Murat Kolhan'ın suratına kocaman bir gülümseme yayıldı, suratındaki gülümsemeyle konuşmaya başladığında bakışları hâlâ odanın diğer ucundaydı: "Sakın hayatın benimkinden önemliymiş gibi davranma Can Manay, sana bunun öyle olmadığını gösterebilirim" dedi ve gülümsemesi silinmeden Can Manay'a dönüp, "Ama bu benim için biraz yorucu, seninse sonun olur" dedi. Elindeki içkiyi Can Manay'ın eline tutuştururken, "Senin için geç olabilir ama gece yeni başlıyor. İzninle" deyip gülümsemesinin onu çektiği yere gitti.

Murat Kolhan'ın ardından bakakalan Can Manay ancak bir

an sonra onun birine doğru ilerlediğini, gülümsemenin kaynağını anladı. Bu bir kadındı, tanıdıktı ama kimdi çıkaramadı. Ta ki kadın dönüp dümdüz, yemyeşil gözlerle Can Manay'ın suratına bakana kadar. Gözleri unutulamazdı. Dergiden attırdığı kızın burada ne işi vardı! Murat Kolhan'la ne işi olabilirdi! Beyninin her hücresinin bu düşünceyle şok olması ve DJ setinin yanında Duru'yu fark etmesi, DJ'in normalde çaldığı müzikten daha kıvrak, daha ritmik bir müziğe geçmesi ve Duru'nun yeni başlayan ritmin içinde adım adım ortadaki piste süzülmesi... Sarsıldı Can. Duru ne yapıyordu! Dans etmek üzereydi ve Can Manay o an cehennemdeydi.

16. Sadık Murat Kolhan & Özge

Özge'ye doğru yürürken ona gönderdiği elbiseyi giymediğine hiç şaşırmadı Sadık. Hatta o elbiseyi giyseydi hayal kırıklığı yaşayacağını bildiğinden içi rahatladı. Bu kızın ehlileştirilemez özgünlüğü, bu özgünlüğün hayat bulduğu özgürlüğüydü Sadık'ın en çok ilgisini çeken. Etrafındaki herkes sanki gri tonlarında solukken Özge siyah elbisesine rağmen içinden fışkıran Çi'yle rengârenkti. Sanki buradaki tek renkti.

Sadık'ın kendisine gönderdiği elbise yerine diz altında, vücuduna oturan siyah bir elbiseyle gelmişti davete. Bu davetteki çoğu kadının sıradan bir toplantıda giyeceği bu sıradan elbise Özge'nin ince ama kıvrımlı hatlarında çok gösterişliydi. Kolundaki alçının varlığını bile geride bırakan bir şıklık vermişti ona. Sadık'ın yaklaşırken yansıttığı sıcak gülümsemeyi sonradan fark edecekti Özge çünkü gözleri Can Manay'a kitlenmişti.

Can Manay'ın gözlerinin içine bakabilmek, ona her şeye rağmen burada olduğunu gösterebilmek ve suratındaki şaşkınlığın tedirginliği içinde huzur bulmak rahatlatıcıydı ama hayal ettiği kadar değil. Şu son haftalarda yaşadıklarından sonra Can Manay o kadar da önemli değildi aslında, buz dağının gözle görülebilen tepesiydi, o kadar. Çok daha köklü, çok daha acımasız, Can Manay gibilere fırsat ve güç veren başka bir şeyle tanıştırmıştı onu hayat. O camide uyandığı o gün kafasını kaldırmış ve sistemin gözünün içine bakmıştı Özge. Magazin pisliği sadece kılcal damarlarıydı bu sistemli kötülüğün. Bir kanser gibi tüm toplumlara yayılmış, enerjisini insanın kısıtlanmış özgürlüğünden ve feda edilmiş potansiyelinden alan bir canavardı bu savaşmak için yola çıktığı şey. Ruhları yutan, kişilikleri parçalayan dev bir canavar.

Bir insanın bile doğru davranarak dünyayı değiştirebileceğini bilmese korkabilirdi Özge ama ona "Korkma" denmişti, korkması gereken artık kendisi değil, bu sisteme hizmet edenlerdi!

Bakışını Can Manay'dan alıp Sadık Murat Kolhan'a çevirdiğinde Sadık'ın sıcak gülümsemesiyle kendisine yaklaşmasını izledi, içinde bir gram bile heyecan hissetmeyerek ve o gülümsemeye karşılık vermeyen suratındaki ciddiyetin altında ezilmeden.

Ruhunu satın alırcasına kendisine teklif edilen işi kabul ettiğinden beri, aynı binada çalıştıklarından neredeyse her gün görür olmuştu onu. Asla kabul etmeyeceğini düşündüğü o işe girmişti sonunda. Sunuculara el konulduğundan beri *Darbe*'yi yayınlaması imkânsızlaşmıştı. Sadık Murat Kolhan olmasa kendisi de çoktan kara listeye alınırdı. Bu sığınma fırsatı sayesinde *Darbe*'nin servis sağlayıcılarını yurtdışına taşıyabilecek finansı ayarlayabilirdi. Kimseyle paylaşamadığı bu plan uğruna sisteme katılmıştı.

Kırılan sağ kolu yüzünden sol eliyle tokalaştılar. Özge kinayeli bir şekilde, "Arkadaşınızdan alıkoymasaydım sizi" dedi. Özge'nin Can Manay'ı kastettiğini anlayan Sadık, "Ortak arkadaşımızdan" diye düzeltti ve tüm dikkatini Özge'ye verip "Elbiseyi beğenmedi mi Özge Hanım?" dedi kızın huysuzlanmasını umarak. Özge'de başkaldırmaya yol açabilecek her fırsat çok eğlenceliydi.

Özge, "Bilmem, bakmadım bile. Bana elbise almanız çok tuhaftı, bence bununla ilgili yardım almalısınız" dedi. Sadık gülse mi, kızsa mı bilemedi. Özge'nin başkaldıran hali ne kadar keyifliyse bu ani patavatsızlığı da o kadar sinir bozucuydu. Can Manay'ın sevgilisinin aniden dans etmeye başlaması önce Özge'nin dikkatini çekti. Sadık da kızın güzelliğinden çok Can Manay'ın suratındaki korkulu ifadeyi ilgi çekici buldu. Sadık'ın baktığı şeye yönelen Özge de Can Manay'ın cehennemini o an fark etti. Herkes bu güzel ötesi kızı izlerken sadece Sadık Murat Kolhan ve Özge Can Manay'a odaklandılar. Adamın adım adım ama tedirginlikle sevgilisine yaklaşmasını, suratındaki mahvolmuşluğu, kocaman açılmış gözlerinin dans eden kızdan ayrılmadan kırpılmamasını izlediler. Can Manay'dan bu kadar nefret etmese ona acıyabilir, hatta sempati duyabilirdi Özge, sonuçta bu kadar akıllı olup da kendini böylesine tutkuya kaptıran çok az erkek vardı bu gezegende.

Can Manay gözlerini kırpmadan, izlediği şeyin mahremiyetini diğerleriyle paylaşmanın kahrında ve izlediği şeye duyduğu aşkın acısında yaklaştı Duru'ya.

17. Duru

Duru gözlerini Can'dan ayırmadan müziğin ritmine uygun sağ elinin bileğini ve parmaklarını oynatarak elini yukarı kaldırdı, sadece onun anlayabileceği şekilde meydan okuyordu. Seyreden kimse umurunda değildi. Ağına düştüğü ve kurtulmak için sahip olduğu her şeyi feda etmek zorunda kaldığı bu karakter celladının elinden kurtulmalıydı! Can Manay'ın içindeki ilkellik o kadar çiğdi ki, o ilkelliğe karşı tek silahı vardı Duru'nun; güzelliği.

Can'ın gözlerini kendisinden ayıramadan, yanında kendisiyle konuşanları bile duymadan kendisine odaklanmış halini, derin nefes alarak içindeki sancıyı hafifletme çabasını izledi ve hafifçe kalçalarını kıvırmaya başladı. Bu geceyi Can için unutulmaz yapacaktı. Bakışını Can'dan alıp havada kıvrılan eline çevirdi, tüm dikkati elinde, sanki eliyle eşleşen bir dansçı gibi kalabalığın tam ortasındaydı şimdi. İnsanlar, anbean dansını fark etmeye başlamışlardı. Yanından geçtiği herkes durup onu izliyordu ve yaklaşık 25 saniye sonra artık tüm salon Duru'ya odaklanmıştı. Salonda, Duru'dan başka hareket, müzikten başka ses yoktu. Gözlerini kapatıp kendini ritme bırakan Duru'dan daha güçlü bir görüntü olmazdı Can için. Can Manay ıstırap içindeydi çünkü bu muhteşem görüntü artık herkese sunulmuştu. Duru cezalandırıyordu onu. Hak etmişti, biliyordu. Kalbi parçalandı, elindeki bardağı yanındaki milletvekilinin eline tutuşturup Duru'ya doğru ilerledi. Duru'ya odaklanan insanların arasından ona doğru yürüdü yavaşça.

Duru hızla iki tur döndü, dönüş sırasında herkesi hayrette bırakacak şekilde ayağını, havaya uzanan elinin yanına kaldırdı ve dönüşünü tamamlarken indirdi, sanki buzda kayıyordu. Bacaklarını ayırıp sağ bacağını hızla çekerek ayağının parmak ucuyla yerde bir daire çizdi. Can izlediği şeyin etkisiyle daha fazla yaklaşamadı, kendini onun dansında kaybedecek kadar şaşkındı. Duru kalçasını oynatarak kendi çevresinde dönerken izlenmenin keyfi yayıldı bedenine. Ne kadar uzun zaman olmuştu böyle hissetmeyeli, kendi farklılığını böyle deneyimlemeyeli. Neredeyse unutmuştu bu duyguyu. Bedenini dansa bırakmanın doygunluğunu. Kendisini izleyenlerin çaresiz ilgisi ona kendini hatırlattı. Havada bir fırıldak gibi döndü, izleyenlerden hissettikleri heyecanın sesi yükseldi. Dönüşünü bitirdiği noktada önce bacaklarını kaydırarak açtı, 180 derece açık bacaklarının üstünde tam yere oturacaktı ki bacakları yine kapanmaya başladı. Birazdan coşkuyla karışarak çınlayacak alkışa hazırdı. Rahatladı. Dansa devam ettikçe Can'ın katlanılamaz varlığı hafifledi, önemsizleşti, dönüşleri bittiğinde kalabalığın arasından kendisine kitlenmiş o iki siyah gözü yine görene kadar.

Su gibi akıyor, hava gibi içe çekiliyor, ateş gibi yanıyordu Duru bembeyaz uçuşan elbisesinin içinde. Can ölmek istiyordu. Bu kadar masum bir görüntünün böylesine ihtiras hissettirmesi izleyenleri sarsmıştı. İçinde hissettiği ölüm duygusunu görünmez kılmak için suratına gülümseme maskesini taktı Can Manay. Bir an bile gözlerini Duru'dan ayıramadan, herkesin şu an onu nasıl istediğini bilerek. Onu seyreden herkesten nefret etti, kendisine ait olan bir şeyi nasıl cüretle izleyebiliyorlardı! Ölme isteği öldürmeye dönüştü. Duru'yu kimsenin göremeyeceği, dokunamayacağı, duyamayacağı, bilemeyeceği bir yere koymalıydı! Ama nasıl? Bu kadar parlak bir şeyi nasıl saklayabilirdi? Bir yolunu bulmalıydı. Çıldıracaktı.

18. Ada

Kendini dansa veren Duru. Ada'nın ölesiye nefret ettiği Duru. Onu görmeden geçen huzurlu günlerin sonunda, hayatında ilk defa kendisini kadın gibi hissettiği adamın yanında, yine onunla karşılaşması yetmezmiş gibi Tugay'ın Duru'ya kilitlenmiş ifadesi yıkıcıydı. Aralarında hiçbir şey olmamıştı henüz ama buraya gelirken arabada Tugay'ın ona kokain ikram etmesi, içeriye kol kola girmeleri... Bunların bir anlamı olmalıydı.

İnsanların arasında dikilen Can Manay'a baktı Ada, suratını görebilmek için birkaç adım yürüdü, adamın gözleri kırpmasız

kilitlenmişti Duru'ya. Tugay'a döndü, o da Duru'ya kilitlenmişti
salondaki herkes gibi. Çekip gitmek istedi. Gitmeliydi ama gide-
meyecek kadar yalnızdı.

19. Özge

Duru'nun dönüşleri bitmişti, müzik de dinmek üzereydi, hipno-
zundan fırlayan Can'ın Duru'yu elinden tutması ve onu insanların
arasından çekip kendine yaklaştırması, başlayan dans müziğinin
ritmine uygun bir hamleyle onu kollarının arasına alması ve için-
de hissettiği öldürücü kıskançlığını en usta şekilde kamufle ederek
Duru'yla dansa başlaması izlenmeye değerdi. Olanları izlerken bu
kızla tanışması gerektiğine karar verdi Özge.

Dansları bittiğinde, salonda kopan alkış eşliğinde Can Manay
Duru'nun elinden tuttu sıkı sıkı ve adım adım geçip gittiler in-
sanları.

Sıkı sıkı tuttuğu o narin, beyaz eli sahip olduğu tek şeyi koru-
yan bir adam gibi kavramıştı Can. Duru'ysa kendisini öldüresiye
koruyan muhafızına teslim olmuşçasına takip etti onu, bu gecelik
bu kadar yeterliydi, nasılsa öldürücü darbeyi vurmasına az kal-
mıştı.

Can Manay'ın kızı alıp götürmesiyle insanların alkışlama-
sının tuhaflığını sanki bir tek Sadık ve Özge fark ettiler. Kızın
dansı bu kadar güzel olmasa durduk yerde dans etmesi komik
bile sayılırdı ama dansın ahengi herkesi uyuşturmuş, gerçekliği
hafifletmiş, saçmalıkları tolere edilebilir kılmıştı. Özge gece bo-
yunca Sadık Murat Kolhan'la korudu mesafesini, çekildiği köşe-
den partiyi izledi, Kolhan'ın gözlerinin her fırsatta kendisinde
gezindiğini bilerek.

20. Ada

Ada sigortasının nerede attığını bilmiyordu ama çekip terasa çıkmıştı ve içeride çalan müziğin geçmesini bekliyordu. Nefret ediyordu Duru'dan!

Terasta üşümesine rağmen içeri girmedi, eve gitmek istiyordu ama eve giden çıkış kapısı Duru'nun dans ettiği salondan geçiyordu. Diğer müzik başladığında gücünü toplayıp salona geri döndü, kafasını hiç kaldırmadan çıkışa doğru ilerledi, insanlar hâlâ izlemekteydi. Neyi izlemeye devam ettiklerini merak bile etmedi, Duru olduğuna emindi, bakmadı, görebileceği şeyin kendisinde iz bırakabileceğini biliyordu. Adım adım çıkışa yaklaştı, çıkıp gidecekti ki vestiyerdeki adam paltosunu isteyip istemediğini sordu. Ada o an hatırladı, vestiyer kartı Tugay'daydı. Ne giydiğini tarifle buldurmak zorunda kaldı. Paltosunun bulunması az da olsa zaman aldı. Paltoyu giymek için döndüğünde kendisinden dört adım ötede aceleci yürüyen Can Manay'ı ve Can Manay'ın elinden tutmasına rağmen geriden yaylanarak yürüyen Duru'yu gördü!

Gitmek için hemen döndü, bu karşılaşmaya katlanamazdı! Ama Duru önce davrandı. Can Manay'ın elinden kurtulup hemen Ada'ya doğru hevesle ilerledi, yaklaşırken "Ada!" diye seslendi, ne kadar da neşeliydi ve ona sarıldı! Sarhoş muydu?

Kendisine gösterilen bu şefkatin nedenini anlayamayan Ada şaşkınlığını saklamadan durdu öylece Duru'nun kolları arasında. Sarılması bittikten sonra Duru, onun koluna girip dışarı doğru yürürken Can Manay'a paltosunu almasını buyurdu.

Dışarı çıkar çıkmaz Ada'nın sorgulamasına fırsat vermeden ona Deniz'i görüp görmediğini ve nerede olduğunu bilip bilmediğini sordu aceleyle. Sarhoşluktan eser yoktu!

Peşine Can Manay'ı takıp bir de Deniz'i mi arıyordu bu salak karı! Yetmiyor muydu ona dünya, her şeye mi sahip olmalıydı! İçindeki nefret iyice büyüdü, Duru'nun kolundan kurtuldu önce, tam ağzını açacaktı ki dışarı çıkan Can Manay'ın yanında Tugay'ı gördü. Tugay kocaman bir gülümsemeyle Can Manay'la konuşurken Ada'yı tanıştırdı Can'a ve kendisi de Duru'yla tanıştı.

Duru Tugay'la bir an tokalaşıp hemen Ada'ya döndü yine, Ada'yı dirseğinin üzerinden sıkıca tutup kendine doğru çekti, sarılırken kulağına "Çok önemli. Deniz'i bulmam lazım" dedi. Bedenleri ayrılırken Ada safça omuzlarını silkip, "Gerçekten bilmiyorum" dedi. Can Manay, Tugay kendisini lafa boğsa da Ada'nın ne dediğini duymuştu, Tugay'dan kopup Ada'ya neyi bilmediğini sordu merakındaki ciddiliği saklamaya çalışarak ama Duru yaklaşan arabaya dönerken Can'ı kolundan tutup, "Merak etme ben anlatırım sana" dedi ve arabaya binmeden Ada'ya öpücük gönderdi.

Can Manay ve Duru lüks arabalarına binip uzaklaşırlarken Tugay elini Ada'nın omzuna atıp "Üşüyor musun?" diye sordu. Duru'nun gidişine dalan Ada, Tugay'ın kendisine gösterdiği bu sıcak ilginin, biraz önce Duru'nun kendisine gösterdiği ilgiyi izlemiş olmasından kaynaklandığını anlamadı, anlayamayacak kadar yalnızdı kafasını hayır anlamında sallarken.

Tugay Duru'yla tanışmak umuduyla Can Manay'ın peşinden çıkışa ilerlemiş, çıkışta Ada ve Duru'yu samimi bir şekilde kol kola görünce fırsatı hemen değerlendirmişti. Ada'nın müziği Duru'nun dansıyla satılamayacak hiçbir şey olmadığına uyanmış, kolları arasına aldığı bu tatsız, renksiz kızı nasıl kontrol altına alacağını düşünüyordu.

Tugay eliyle arabasını getirmelerini işaret ederken, "Sana göstermek istediğim bir şey var Ada." dedi. Ada itiraz etmedi. Birlikte Tugay'ın arabasına bindiler.

Düşüncelerini Duru'nun varlığından zorlukla kurtaran Ada, Tugay'ın sohbet girişimine karşılık düşünceli oturdu ön koltukta, kendisiyle bu kadar ilgilenilmesi keyif vericiydi. Tugay'ın evine vardıklarında, insanların alışveriş merkezlerinin üst katında oturabileceğini bilecek kadar deneyimli değildi, önce anlamadı Ada. Alışveriş merkezine niye geldiklerini sorgulasa da sessizce indi arabadan, gecenin bu saatinde güvenliğin bulunduğu asansörlerden hayatında gördüğü en güzel eve çıktı. 360 derece manzarası vardı evin, kocaman bir salon, salonun ortasında bulunan kırmızı piyano, piyanonun yanında, salonun ortasında duran ince duvara asılmış bir sürü enstrüman... Bu evi sevdi Ada, yaşayacağı tüm travmaların başına burada geleceğini bilmeden kendini çok huzurlu hissetti. Bir baykuşun yuvasında konforla huzur bulan bir serçe gibiydi.

Hayat ne tuhaftı, bize zarar veren şeyler, aynı zamanda huzur bulduğumuz tek şey olabiliyordu ama Ada henüz bunu bilmiyordu.

Tugay'ın yönlendirmesiyle oturdu piyanoya, bir erkek tarafından izlenmenin ilhamıyla içindeki müziği çaldı. Tugay Ada'nın yeteneğine saplandıkça saplandı. Çaldığı parçaların her biri özgündü, her biri şahaneydi ve hiçbirini daha önce duymayı bile hayal edemezdi. Henüz teknolojisi keşfedilmemiş ama çok değerli olduğundan emin olduğu bir maden bulmuş gibiydi Tugay, Ada'yla ne yapması gerektiğini düşünürken... Önce onunla yatması gerektiğine karar verdi. Bir kadının yeteneğine giden yol yatağından geçerdi.

Ada'nın yanına gitmesi, piyanonun başında bir süre onu izledikten sonra yanına oturması, Ada çalarken onun saçlarını okşaması, piyanonun tuşlarına basan parmaklarına bakması, saçlarında gezinen elini yüzüne indirmesi, hâlâ çalmaya devam ederken eğilip dudağının kenarından onu yumuşakça öpmesi, onun kitlenmiş bir şekilde hâlâ çalmasına gülümsemesi... Kızda yarattığı heyecanla eğleniyordu, kızın yüzüne eğilip onu nefessiz bırakacak şekilde dudaklarından öptü. Bu öpüşle Ada çalmayı bıraktı, öpücüğe teslim oldu. Tugay bir hamlede Ada'yı kucağına aldı, oturttu ve kıpırtısız vücudunda elleri gezindi... Göğüslerine indi... Elbisesinin fermuarını açıp elbiseyi yarım indirdi... Ada'nın komik kalın sutyeni, birlikte olduğu onca güzel modelden sonra tüm sentetikliğiyle çıktı karşısına... Askılarını indirip sutyeni aşağı çekti. Sutyenin vücudunda bıraktığı o iz rahatsız ediciydi. İçindeki tüm isteği aldı. Gözlerini kapadı, kilitlenmiş bir asker gibi adım adım Ada'yı soymaya devam etti. Ada'nın çıplaklığı karşısında harekete geçemeyen erkekliğini kamufle etmek için onu kucağından indirip geri çekildi. Ona güya etkilenmişçesine bakarken mırıldandı: "Harika... Seninle bir şey paylaşmak istiyorum. Bana katılır mısın?"

İlk defa bir erkek bu kadar yaklaşmıştı ona. İstenmek muhteşem bir duyguydu, varlığa değer katan güçlü bir şey. Tabii ki ona katılmak istiyordu, ne olursa olsundu. Ada kafasını evet anlamında sallayınca kalkıp salondaki koltuğa geçtiler. Sehpanın üzerinde duran antik metal kutuyu açtı Tugay, içinden çıkardığı ince beyaz tüpü sehpanın üstüne süs olsun diye konulan ayna tepsinin bir köşesine, ince bir çizgi şeklinde döktü. Kutunun içinden aldığı bir çubukla çizgiyi burnuna çekti, ikinci çizgiyi de döktü ve diğer burnuyla onu da çekti. Üçüncü çizgiyi dökerken Ada'ya "Arabadakinden daha özel bir şey bu, benim için denemeni istiyorum" dedi. Ada çıplaklığının karşısındaki erkeği etkilediğini düşünerek keyifli, Tugay ne isterse denemeye hazır, aynanın üstündeki kokaini çekti burnuna. Tugay kalkıp müziği açtı, biraz sonra bir görev gibi yapmak zorunda hissettiği sevişmeye hazırlanmak kokaine rağmen zor geliyordu ama kızı soymuştu bir kere, artık becermek zorundaydı.

Koltukta güzel gözükmek için dik duran ve çıplaklığından utanmamaya çalışan Ada'ya baktı. Bir kadının kendisine hissettirebileceği hiçbir şey yoktu kızda ama biraz önce piyano çalarken nasıl da hoş gözükmüştü gözüne. Hatırladı. Müziği kapatırken Ada'dan kendisi için duyduğu en güzel parçayı çalmasını istedi. Ada kalktı, Tugay piyanoya gitmesini beklerken duvarda asılı olan kemanı aldı. Kısa bir akorttan sonra Godspeed You Black Emperor adlı grubun "Rockets Fall on Rockets" adlı parçasının girişiyle girdi müziğe. Yayı kemana vururken telleri baskılaması gereken parmaklarıyla notaları çekiştirmeye başladığında Tugay kızın yeteneğiyle yine sarsıldı. Sonra tellere vuran yay aniden kaymaya başladı tellerin üzerinde, dinleyenin ruhunda iz bırakırcasına. Müziğin Tugay'da iz bıraktığını görünce çıplaklığından gurur duyması gerektiğini, güzel göründüğünü sürekli kendine söyleyerek yeteneğinin Tugay'ı baştan çıkartacağının eminliğinde bastı notalara, kaydırdı yayı.

O gece, Tugay'ın salonundaki koltukta bekaretini kaybetti Ada, sahtelikle yapılan her şeyin insandan çok şey götürdüğünü bilmeden, istendiğini, sevildiğini zannederek kendini bıraktı Tugay'ın kollarına. Çiftleşirken Tugay'ın hiç kendisine bakmamasına, içine girerken canının çok acımasına ve Tugay'ın boşalamamasına, Ada'dan gelen kanı görür görmez telaşla onu tuvalete yollamasına, Ada tuvaletten çıktığında kapıda bekleyen taksiye bindirmesine aldırmadan, kendini kadın gibi hissetmeye takıntılı Ada yalnız başına vardı evine. O gece kendini kandırmanın hafifliğini öğrendi, kendine yalan söyleyerek mutlu olmanın kolaylığında kaybolan herkes gibi.

Sokağın köşesinde onu bekleyen Göksel'i görene kadar aklı gece boyunca Tugay'ın nasıl kendisini dinlediği, öptüğü, dokunduğundaydı. Taksinin sokağa girmesiyle içindekinin Ada olabileceğinin umuduyla ayağa kalkan Göksel araç yanından geçerken Ada'yla göz göze geldi. Ada'nın araçtan inip bir kez bile kendisine bakmadan eve girmesini izledi.

Ada eve girdiğinde keyifliydi, çünkü en sonunda biri onun değerini bilecek kadar erkekti. Göksel'in sokakta beklemesi sinir bozucuydu, yine kimle kavga etmişti, her tarafı yara bere içindeydi, yanındaki köpekler de neyin nesiydi! Düşünceler geldiği gibi gitti aklından, artık ne Göksel'e ne de kendisine istediğini veremeyen kimseye ayıracak zamanı yoktu. Bir tek Tugay vardı. Deniz'in boş bıraktığı yer şimdi dolmuştu.

21. Duru & Can Manay

Can ve Duru konuşmadan eve varmışlardı. Duru kafasını koltuğa yaslamış, gözlerini kapatmıştı ama uyumadığı belliydi. Can son birkaç saat içinde bir şeylerin ciddi değiştiğini hissediyordu, içi sıkılıyordu ama kurcalayıp içine doğan sıkıntının hayat bulmasını da istemiyordu. Meraktan ölse de Duru konuyu açmadan Duru'nun çıkışta karşılaştıkları kıza ne sorduğunu sormamaya karar verdi. En azından eve girinceye kadar bekleyecekti. Eve girerken başlayan yağmura baktı Duru. Kafasını kaldırıp gözlerini kapattı, yağmurun yüzüne düşmesini hissetti. Can arkasından yavaşça yaklaşmış, kollarını bedenine dolayıp iyice sokulmuş ve başını boynuna koyup kokluyordu onu, aynı ilk birlikte olmaya başladıklarında yaptığı gibi. Duru'nun içinde frenlediği nefret uyandı. Can'ı aşmıştı nefreti, daha kötüsüydü, kendisiydi nefret ettiği. Kendinden nefret eden bir kadın, en çok yakınındaki erkek için tehlikeliydi. Bu, Can Manay'ın tuzaklarında kaybolmasının, onun yemlerine atlamasının, kendi salaklığının, basitliğinin nefretiydi.

Can Manay onu koklarken, ellerini vücudunda gezdirip bedenini iyice kendine çekerken derin bir nefes aldı Duru ve Can'dan sakin bir hamleyle sıyrıldı, eve girdi. Kurulanmak için soyunma odasına girdi, uyumak için giyeceği ve tahrik uyandırmaması için özellikle seçtiği kıyafetleri alıp banyoya geçti, soyunurken Can'ın kendisini görme riskini alamazdı. Salona döndüğünde, Can iki kadeh şarapla karşıladı onu. Duru kendisine uzatılan kadehi alıp, eve yayılan kekin kokusunun kendisini çağırdığını söyleyerek mutfağa ilerledi. Açık mutfağın tezgâhında duran kekten bir parça kesti yavaşça, bıçağın kayışını izleyerek. Can'a bir parça ister mi diye sordu, istemiyordu.

Kek falan umurunda değildi Can'ın. Duru'nun bir an önce kendisine açılmasını, bu gece açılmayacaksa da elindeki şarabı içip uyuyakalmasını bekliyordu. Duru'nun yine istekli olmayacağı riskine karşı düşünüp özenle hazırlamıştı şaraba koyduğu karışımı. Bir kadeh içtikten sonra yarım saat içinde kesin uykuya dalacak, en az 6 saat uyanmayacaktı. Onunla istediği zamanı geçirebilmesi ve ona istediği her şeyi yapabilmesi için yeterli bir zamandı. Ama Duru epey acıkmış olmalıydı, dolaptan çıkardığı meyve tabağını da aldı. Can'ın yanına oturdu, "Ohh" diye derin ve yorgun bir nefes alarak meyve tabağını ve kadehini koydu sehpaya ve bir salkım üzüm alıp geriye yaslandı. Ayaklarını Can'a doğru uzatmıştı ki keki unuttuğunu hatırladı, ayağını Can'ın gövdesinde gezdirip mırıldanarak "Kekimi unuttum" dedi Can'ın duyduğu en tatlı şımarıklıkla. Can Duru'dan önce bir öpücük aldı, sonra kalkıp kekini getirdi.

Duru ayaklarını Can'ın kucağına tekrar uzatıp geriye kaykıldığında kucağına koyduğu keki yemeye başladı. Can onun ayaklarını okşarken bahçeye bakan pencerelerden giren gecenin gri renginde öylece baktı Duru'ya. Gözlerine hücum eden duyguyu yutkundu. Duru'ya şarabını uzatıp kadeh kaldırdı. Duru dikleşip şarabı alırken, "Var mısın fondip yapalım ama kusarsam saçımı tutarsın!" dedi kıkırdayarak. Can tabii ki de hazırdı fondipe, şarabın uyutacağı o bedene bu gece kesin ihtiyacı vardı. Can gözünü Duru'nun bardağından ayırmadan içmeye başladı ama Duru ilk büyük yudumdan sonra yutkunmak için bardağı indirdi ve gözlerini kısıp tüm tatlılığıyla Can'a meydan okurcasına ikinci büyük yudumla bitirdi şarabı aynı Can gibi.

Can Duru'nun kadehini alıp kendisininkiyle birlikte sehpaya koydu ve ona uzandı ama Duru hemen ayağıyla Can'ı göğsünden ittirip geriye yaslandı. Kalan keki ağzına tıkarken "Hâlâ açım ve ayaklarım ağrıyor" dedi. Can savaşmayacaktı, nasıl olsa yarım saat içinde Duru uyuyakalacaktı. Kekini bitirdi, meyvesini yedi, Can ayaklarına dokunurken onu sadece seyredebildi. Güneşin doğmasına saatler vardı, gecenin güzel geçmesi gerektiğine emindi.

Kapının açılma sesi olmasa belki de uyanmayacaktı ama Duru'nun yağan yağmurun altında bahçeye çıktığını görünce hemen kendine geldi, kalkıp kapıya ilerledi. Başı fena dönüyordu. Yüzünü yağmura sunan Duru'nun görüntüsü nefes kesiciydi, bir adım daha atamadan kapının yanında çivilenmiş gibi durdu Can. Duru'nun yağmur suyunu yüzünde hissetmesine, ağzını açıp damlaları diliyle karşılamasına, ıslanan kıyafetinin bedenine yapışmasına, iki yana açtığı beyaz, narin kollarının gökyüzüne uzanmasına baktı içinde hissettiği aşkın bu bedende hayat bulmasını izlercesine. Âşıktı ona. Ne gerekirse yapacak, ne gerekirse feda edecek kadar âşık.

Duru yağmurla kucaklaşmasını bitirdiğinde sırılsıklamdı, acele etmeden yavaşça girdi eve, gözlerini kırpmadan kendisine odaklanan Can'ı umursamadan durdu açık bahçe kapısında ve şiddetlenen yağmuru seyretti. Can, Duru'nun ıslak bedenine bu kadar yakın olup Duru'ya bu kadar uzak olmanın acısı içinde yaklaştı ona. Dokunmak, teninin sıcaklığıyla onu ısıtmak, ıslak bedeninden yayılan o muhteşem kokuyu içine çekmek, huzur bulmak istiyordu ama fena başı dönüyordu. Kolları Duru'nun bedenine dolandı. Partide içtiği viskinin üstüne şarap ağır gelmiş olmalıydı.

Kolları arasında duran Duru'nun kulağına sevgiyle mırıldandı: "Benimle ilgili ne düşünüyorsun?" Duru yavaşça Can'a döndü. Etrafında dolanan kollar sanki yokmuş gibi dümdüz baktı Can'ın kızarmış derin gözlerine... Duru'nun suratında tuhaf, küçük bir gülümseme mi vardı?.. Can'ın suratına yaklaştı, Can Duru'nun kendisini öpmek üzere olduğunu sanıp derin bir nefes aldı, dudaklarını araladı ama Duru dudaklarını Can'ın yanağına sürerek kulağına uzandı her dokunuşunun onu mahvedeceğinin bilincinde. Dudaklarını bir an kulağına değdirdi ve öldürücü darbeyi fısıldayarak indirdi: "Seni düşünmüyorum."

Can'ın kaskatı bedeninden sıyrıldı Duru, birkaç adım atmıştı ki Can onu kolundan tutmak için yalpalayarak uzandı, dengesini kaybetmek üzereyken onu tutabildi, kendi dengesiz sarhoşluğuna şaşırmaya fırsat bulamadan, "Düşünmüyor musun! Anlamıyorum. Biz birbirimize aidiz" dedi duyduğuna inanamayan bir acıyla ama Duru hazırlıklıydı, suratına yayılan gülümsemenin eşliğinde Can'ın suratına uzandı, elini yanağından kaydırıp boynuna indirdi, kavradı ve hafifçe sıkarken "Bana ait olmasını asla istemeyeceğim bir şeysin sen" dedi, onu boynundan ittirip yatak odasına doğru yürüdü. Can dengesini kaybetti, her anlamda. Kâbusta gibiydi. Silkelenip, kendi dengesini sağlamaya çalışarak Duru'ya yetişti, kolundan yakaladı onu, Duru kolunu çekip kurtardı ama yürümedi, öylece bekledi. Oynadıkları oyunun sonuna geldiklerini biliyordu Can, hissediyordu. Arkasından yaklaşıp omzuna tutundu ve dehşet içinde yalvarırcasına konuştu: "Seni ölürcesine, öldürürcesine istediğim için mi suçluyorsun beni... Seni, değer bilmeyen bir keşin elinden alabilmek için tüm varlığımla savaştığım için mi kızgınsın... Pişman olmadığım için mi cezalandırıyorsun beni! Sana verdiğim değer için mi tüm bu soğukluğun... Âşığım sana" dedi mırıldanarak, sonra bağırarak tekrarladı: "Âşığım sana! Bir tek sana."

Duru dişlerini sıkarak döndü Can Manay'a, ayakta zor duruşuna bakarken suratına keyif yayıldı. Dengesini kaybettiğini, bir vuruşta yıkılacağını görüyordu.

Dengesini sağlamak için kendisine yapışan bu adamı kendinden koparırken sakin, soğuk, kararlı konuştu: "Yemeğime ilaç kattığını bilmediğimi mi sanıyorsun. Bana tecavüz ettiğini! Beni sürekli takip edip işimi engellediğini! Her yerden, her an beni izlediğini! Sapıksın sen! Aşkınsa benim lanetim!"

Her kelime Can'ı parçaladı. Kalbinde kimsenin giremediği yerlere girdi Duru'nun kelimeleri ve vücuduna pompalanan kanla her hücresine yayıldı. Tutunmak zorunda hissediyordu yoksa ayakta duramayacaktı, gözleri kapanıyordu. Duydukları kendi evreninin yok olması gibiydi ama bu kadar basit olamazdı. Kapının kapanma sesi Can'ı etrafında hızla dönen bu kâbustan uyandırdı, onun peşinden yatak odasına gitti. Peki Duru neredeydi! Banyodaydı, kapı kapalı ve kilitliydi. Kapıyı açmaya çalışırken Duru'ya seslendi, cevap gelmedi. Kapıya vurdu, cevap yoktu. Kapıyı yumruklamaya başladığında odanın diğer tarafından Duru da kapıya bir tane geçirdi. Can Duru'nun sesini duymak için sessizleşti. Ama Duru konuşmadı, sessizlik içinde bekledi... Sonra suratını kapıya dayadı. Avuç içlerini kapıya yapıştırdı, parmaklarını kapının ahşap dokusunda gezdirirken gözlerinden inen yaşları silmeden,

"Duru... Konuş benimle... konuş" derken içinde biriken hıçkırıkları bastırmak imkânsızdı.

"Konuş benimle" dedi yine ama Duru'dan ses gelmiyordu. Can'ın kelimeleri dışında hiç ses yoktu. Ağlamasının sızıntısı bir an yayıldı atmosfere ama Can hemen toparladı kendini, sessizleşti. "Duru?" diye seslendi, cevap gelmedi. "Duru konuş benimle... Konuş benimle! Konuş!" diye bağırmaya başladığında konuşmasındaki deformasyonu fark etti, öfkelendi ve kapıyı kırarcasına kafasını kapıya geçirdi. Kafasını kapıya vururken avuçları yumruğa dönüştü, kapıyı yumruklamaya başladı. Böyle devam ederse ya kendini ya kapıyı kıracak ya da uyuyacaktı.

Can'ın "Konuş benimle!" çığlıklarının arasında Duru'nun sesi duyuldu. Can ne dediğini anlamamıştı ama hemen sustu, yumrukları, darbeleri durdu, dinledi. Duru "Git" dedi yine. Can bir adım geriye çekildi, kızaran gözlerinden suratını sırılsıklam ıslatan yaşları sildi, titreyen elleri kıpkırmızı olmuştu. Kapının önünde önce sağa döndü, sonra sola ama gidemedi, kalbi o odanın içindeyken nasıl gidebilirdi? Kapıya yöneldi, yine elini kaldırdı ama vurmadı, eli havada kaldı bir an ve sessizce sadece parmak uçlarıyla dokundu kapıya, içindeki fırtınayı bırakırcasına bıraktı duygularını. Ağlaması bir çöküşe dönüştüğünde Can Manay kapının dibinde yere yığılmış, başını dizlerinin arasına almıştı.

Duru kapının kırılma ihtimaline karşı elindeki ahşap elbise askısıyla hazırlıklıydı, ta ki sessizliğin içinde Can'ın ağlayışını duyana kadar. İçindeki öfke dindi önce, sonra devam eden ağlayışın etkisi çarptı. Can Manay. Koca Can Manay kapının önünde ağlıyordu, çok çaresiz olmalıydı. Çok seviyor olmalıydı. Duru bir an yumuşadı ama sadece bir andı, Deniz'e yaptıklarını, Can Manay'ın Deniz'e yaptıklarını unutamazdı. Kendisine yaptıklarını aşkın içine sarıp kamufle edebilirdi ama Deniz'le ilgili söylediği yalanlar, kurduğu tuzaklar affedilemezdi. Derin bir nefes aldı Duru. Gardını indirdi. Can'ın ağlamasının mırıltısı içinde rahattı şimdi, uzun süredir ilk defa her şey tam planladığı gibi gitmekteydi.

22. Can Manay

Can yatakta iki büklüm olmuştu, saçlarının arasında gezinen elin farkındalığıyla uyandı. Gerilen bedeni gevşedi, gözlerini açtı. Yatağın kenarına oturmuş kendisini okşayan Duru'yu gördü. Üzerindeki ince beyaz elbise hafifçe içini gösteriyordu. Duru ellerini Can'ın aslan yelesi saçlarında gezdirirken, "Oyun oynama artık" dedi, ciddiydi. Can dikkatle baktı Duru'ya, gözlerinin içine yüklediği ihtirasla sakince cevap verdi: "Sana oyun gibi gözüken her neyse o, benim sana karşı olan hassasiyetimdir. O hassasiyet sayesinde dünyanın en güçlü kadınısın, en azından benim için."

Duru, Can'ın elini aldı, ağzına götürüp kendi dudakları üstünde gezdirmeye başladı, hafifçe yaladı. Can diğer eliyle uzanıp Duru'nun memesini okşadı, sıktı. Eli memesinden yukarı, yüzüne kaydı, suratını kendi yüzüne çekti. Duru, Can'ın üstüne çıkarken elbisesini yukarı sıyırdı, öpüşmeye başladılar. Can da hızla pantolonunu çıkarmak için kemerini açtı ama pantolonun düğmesi bir türlü açılmıyordu, düğmeyi bulamıyordu. Pantolonun düğmesiz olduğunu keşfetti önce, sonra bacaklarını saran kumaşın tüm vücudunu, kollarını sardığını fark etti. Kafasını kaldırıp tavandaki aynadan kendisine baktığında sadece gözlerini açıkta bırakan, kollarını arkada bağlayan bir deli tulumunun içindeydi Can! Uyandı.

Nefes nefeseydi. Hemen kafasını kaldırıp tavandaki aynaya baktı, tulum falan yoktu, kötü bir kâbustu. Rahatlayacaktı ama Duru neredeydi? Banyo kapısı aralıktı. Hızla kalktı. Başı korkunç ağrıyordu. Banyo boştu ve ışıklar yanmıyordu. Salona gitti, bahçenin açık kapısı perdeleri uçuşturan rüzgârla çarpıyordu. Duru'yu bahçede bulabilme umuduyla fırladı bahçeye, yoktu. Çalışma odasında da yoktu. Alt kattaki havuzda, dans odasında, saunada da yoktu... Duru yoktu. Güvenliği aramak için telefonu aldı eline ve koşarak çalışma odasına daldı yine, bilgisayarı açacak, video kayıtlarına bakacaktı ama o an ekrana yapıştırılan not kâğıdını gördü. Nefesini tutup dokunmadan okudu.

"Sakın arama beni, bulsan da asla sahip olamayacaksın."

Can not kâğıdını eline aldı korkuyla, elleri titriyordu. Ne olursa olsun Duru'yu kaybedemezdi! Güneşle birlikte içine doğan karanlıkta telaşlı, kontrolsüz ve bağımlı Can Manay.

23. *Deniz*

Yüzüne doğan güneş uyandırdı Deniz'i. Sabahın ayazını bir nefeste içine çekti. Sadece bir divan bulunan küçük odadan bahçeye çıktı. Köylüler Deniz için yapmışlardı bu odayı. Üzerinde eski bir fanila ve parçalanmak üzere bir eşofman altıyla yalın ayak dikildi güneşin karşısına. Doğmasını izledi.

Milyonlarca insana ilham verecek ve birçoklarını harekete geçirecek o müzik o an akmaya başladı içine.

Bir daha kimsenin, hiçbir şeyin yağmalayamayacağı bu bitmiş bedende ilk tohumun filizlenmesi gibi dinledi içine akan müziği... Sakin, kontrolde ve hiçbir şeye ihtiyaç duymadan. Acı gitmiş, yerine müzik gelmişti.

ᘓ 4. BÖLÜM ᘓ

1. Deniz

Avuç büyüklüğünde küçük bir taş ve onu oyarak bir gitara dönüştürmeye çalışan Deniz, kendisini seyreden çocukların ilgisinden aldığı motivasyonla gitarın sapında olması gereken oyuntuyu vermek için küçük küçük vurdu darbeleri taşa sakince konuşurken: "İşte bizi de böyle şekillendirir hayat... Olmamız gereken şeye dönüşebilmek için küçük küçük darbelere ihtiyacımız vardır. Maalesef darbeler acıtır, büyürken acırsınız. Ama ancak acıyarak kendimizi bulduğumuzu kimse söylemez bize, belki de korkacağımızı sanırlar. Halbuki ruhumuz acıdıkça kabuğumuz soyulur... İçimizdeki güzellik dışımıza çıkana kadar. Aynı taşın içindeki bu heykel gibi."

Elindeki heykelciği çocuklara göstermek için kaldırdı. Küçük Kaan, "Büyük şeyler de yapabilir misin? İnsan heykeli mesela" dedi.

Deniz gülümsedi, "Çok çalışırsam ve zamanımın tamamını bir süre onu yapmaya ayırırsam yapamayacağım hiçbir şey yok" diye cevap verdi ve Kaan'ın gözlerine bakıp, "İnsan vazgeçmediği her şeyi yapabilir" dedi. "Ben acımayı hiç sevmiyorum Deniz Abi" dedi heykelciğin bitmesi için sabırsızlanan küçük Elif. Acıda kalmıştı aklı.

Deniz, "Merak etme Elif, büyüdükçe bedenin daha az acıyacak. Daha az düşeceksin, artık ayak parmağını o kadar da vurmayacaksın, dizlerin kanamayacak çünkü bedenin acıya acıya kendini daha iyi taşımayı öğrenecek" dedi.

Ruhi kaşlarını çatarak baktı Deniz'e, tilki tarafından ısırılan köpeğini vurmak zorunda kalmıştı babası, kalbi çok kırıktı. Sanki dünyadaki tüm tilkileri yok ederse ancak rahatlayacaktı. Deniz özellikle ona bakarak devam etti konuşmasına: "Büyüdükçe artık bedenimizin değil, ruhumuzun acıdığı şeyler yaşamaya başlarız. Benim başıma neden bu geldi derken bulursun kendini. Ama nasıl bu darbeler olmasa elinizdeki heykelcikler ortaya çıkamazsa, hayatın ruhumuza yaşattığı acılar olmasa da biz, biz olamayız, olgunlaşamayız. Çünkü acı hisseden kişiden bir şey doğar: İntikam ya da anlayış. Seçim bizim. Kendine acıyanlar intikamı seçerler ve sonunda intikamını almaya çalıştıkları şeye dönüşürler. Haksızlığa uğradığı için intikam peşinde koşan biri haksızlığa uğratır. Anlamayı seçenlerse olgunlaşırlar. Bırakın hayat sizinle uğraşsın, acıtsın. İntikama düşmeyin, anlayın, anlayın ki öğretsin, değiştirsin. Bırakın hayat sizi kendinizle tanıştırsın."

Gitarın oyması bitmişti, Elif'e verdi. Bir gün buradan giderse geride kendinden bir parça bırakmak istemişti daha hiç gitmeye niyeti olmasa da. Geride bıraktığı parçanın bu küçük heykelcikler değil, çocukların verimli beyinlerine ekilmiş ilham tohumları olduğunu düşünmeden başladı son taşı oymaya, bu taş Ruhi'nin köpeği içindi.

O köyden bir sanatçı çıkacaktı.

Elif, yazdığı üç kitapla kitlelere ulaşıp farkındalık yaratacak, o kitabı okuyan bir müzisyen esinlenip yeni bir müzik yaratacak, çalışırken o müziği dinleyen genç bir kimyacı amgdalinden leatral üretmeyi başaracak; kanserden ölmek üzereyken kimyacının ürettiği leatrali kullanan bir avukat kanseri yenip çocuk haklarını esas alan çok önemli bir yasanın meclisten geçmesi için savaşıp kazanacak; meclisten geçen yasa sayesinde hayatı kurtulan bir çocuk milyonlarca insanın hakkını yağmadan kurtaracaktı... Şükürler olsun ki hayat her an, hepimizden daha akıllıydı. Tek yapmamız gereken ilhamımızı bulmak ve ölesiye onu korumaktı. Çünkü evrende tesadüf yoktu.

2. Ada

Telefonun sesi birkaç saat önce daldığı uykusunu böldü. Hayatının gecesini yaşamıştı. Kendisini kimin aradığını merak ettiği için telefonu eline aldı, yoksa telefon açmak niyetinde değildi. Hâlâ çok uykusu vardı. Arayan Tugay'dı! Vücuduna yayılan heyecan o kadar yoğundu ki hemen uykusu kaçtı. Kendi kendine alo provası yaptıktan sonra cevap verdi. Tugay'ın neşeli sesi, "Uykucu, uyanma zamanı" diyordu. Ada gülümseyerek en tatlı sesiyle cevap verecekti ki Tugay beklemeden konuşmaya devam etti: "Bir araba gönderdim, yarım saatte seni alacak. Beni çok heyecanlandıran bir şeyi seninle paylaşmak istiyorum. Hazır olur musun?"

Ada "Hemen hazırlanıyorum" dediğinde Tugay öpücük gönderip telefonu kapattı.

Ada kendi celladını mutlu etmekten başka beklentisi olmayan bir kurban gibi itaatkâr, hazırlanmaya başladı.

3. Özge

Mahmut Konmaz'ın kendisini aramasını beklemedi Özge. Sabah ilk iş onu arayıp randevusunu aldı. Konuşması, biraz emrivaki ve emrivakiliğini gizleyecek kadar da saftı. Akşamki partiye katılanların hiçbiri henüz işe gelmemişken Özge, Mahmut Konmaz'ın kapısındaydı.

Bu adam gibi, kirini hukukla örtmeyi becerip sonra da yayın organlarında bir kist gibi kendine yer edinmiş bir sürü parazit tarafından ele geçirilmişti ülke. Bu hükümetin devletinin tüm organlarında neredeyse sadece avukatlar vardı. Adaleti korumak için değil yönetebilmek için hukuk fakültesine giden soysuzlardandı bazıları. Aynı kalın ense, gömlekten sarkan aynı sarkık gıdı, aynı ışığı gitmiş gözler, aynı sözler... Aynı türe ait parazitlerdi hepsi. Diğerlerinin hakkıyla beslenen ve asla doymayan parazitler.

Özge içeri girmesini söyleyen sesi duydu, kocaman bir gülümseme ve elindeki çöreklerle girdi. Mahmut Konmaz'ın gülümsemesinin kendisininkinden çok daha iyi yapılanmış olduğunu görünce şaşırmadı, bunların hepsi maske uzmanıydı. Mahmut, Özge'ye yarım sarılarak hemen konuya girdi: "Emrindeyim Özge kızım. Dile benden ne dilersen." Dün akşam Murat Kolhan'ın Özge'ye nasıl baktığını kendi gözleriyle gördükten sonra evlat bile edinmeye hazırdı bu kızı.

Özge, Mahmut Konmaz'ın karşısındaki koltuğa otururken, "Bilgi. Sizden bilgi diliyorum" dedi. Getirdiği çörekleri açarken Mahmut Konmaz çay söyledi. Odanın diğer köşesindeki toplantı masasına geçtiler, çaylar gelene kadar trafikten, havadan, yeni yasa tasarılarından bahsettiler. Özge çayını karıştırması bittiğinde yalan söyleyerek konuya girdi: "Sadık sizden başka kimseyle konuşmamamı, bir tek size güvenmemi tembihledi. Ama lütfen bunu siz bilmiş olmayın. Aramızda konuşulanların paylaşılmasını sevmiyor."

Cümlelerinin Mahmut Konmaz'ın gözlerinin içinde nasıl da yer ettiğini izledi. Adamın suratındaki sinsi gülümseme gitmiş, yerini dahil olmak için bir sürü pisliği yapmaya hazır olan birinin heyecanı almıştı. "Ne öğrenmek istersin? Nerden başlayalım?"

Özge "Bu dergi işi çok hassas. Bir mayın tarlasında yürür gibiyim ama mayına basarsam ben değil siz patlayacaksınız gibi de ciddi bir sorumluluğun altındayım. O yüzden kim kimdir önce bunu öğrenmek istiyorum" dedi.

Mahmut Konmaz nereden başlasa diye düşündü bir an, sonra Özge'ye eğilip "Ne biliyorsun önce onu bir anlamak lazım" dedi.

Özge omuzlarını silkerek, "Sadık'ın dediğine göre ana rahminden yeni çıkmış gibiymişim. Hiçbir şey. Hiçbir konuda hiçbir fikrim yok desem" deyip gülümsedi.

Mahmut Konmaz, "Kim kimdir yetmez! Ne nedendir bunu da anlatmak lazım sana" dedi.

Özge'nin kaşları çatıldı. Karmaşasını bastırıp, "Dinliyorum" diyebildi.

Mahmut Konmaz ayağa kalkıp ceketini alırken "Hadi, yürüyüş yapmamızın vakti geldi" dedi. Özge itiraz etmeden ayağa kalktı, giyindi. Bu karanlık düzenin neden ve nasıl var olduğuna dair yürüyüşe çıktılar.

4. Bilge

Can Manay bugün ofise gelmeyecekti. Bilge, yarınki iki toplantı için hazırladığı sunumları finalize edecek, Can Manay'ın önümüzdeki haftaki seanslarını düzenleyecek ve işlerini bitirecekti. Sabaha karşı eve gelmiş olsa da erkenden yine de ofisteydi, işlerini bitirip zaman kaybetmeden hastaneye, Murat'ın yanına gitmek istiyordu. Bilgisayarı açılırken sabahın sakinliğinde yeni uyanmış şehre baktı ofisinin penceresinden ve huzur buldu. Çalışmak terapi gibiydi. Açılan bilgisayarı ve Can Manay'ın biriken dosyaları, aklını dünyanın tüm sorunlarından alacağı ve düşünmeden var olacağı birkaç saat vaat ediyordu.

Sunum dosyasına tıklamıştı ki cep telefonu çaldı, arayan Eti'ydi. Sabahın bu saatinde araması ilginçti. Hemen cevap verdi Bilge, "Günaydın?" diyerek. Eti direkt konuya girdi: Can Manay'a ulaşamıyordu ve ulaşması kesin gerekiyordu. Güvenlik de cevap vermiyordu... Bilge hemen güvenliğe cepten ulaşıp durumu öğreneceğini belirtti ve kapattılar telefonu.

Önce normal hattan aradı güvenliği. Şaşkındı, Can Manay'ın güvenliği telefonları asla cevapsız bırakmazdı. Güvenlik şefini aradı hemen cep telefonundan, adam "Buyurun Bilge Hanım?" derken sesi bıkkın, hatta ağlamaklıydı. Bilge hemen ne olduğunu sordu. Can Manay'ın güvenlikçileri kovduğunu duyunca şoke oldu ama adam da aslında ne olduğunu bilmiyordu. Can Manay sabaha karşı kapının önüne çıkıp, tekme tokat saldırıp, üç güvenliği de hakaretlerle kovmuştu.

Telefonu kapatıp Eti'yi aradı ama sonra kapattı. Düşündü. Bir şeyler oluyordu. Eti'nin şüphelendiği bir şeyler... Can Manay açısından en doğrusunu yapması gerekiyordu. Can Manay'ı aradı cepten, arama telesekretere düşene kadar uzun uzun çaldırdı. Evden de aradı, cevap alamadı...

5. Eti

Damarından vücuduna yüklenen sıvıya baktı Eti, bitmesine daha vardı. Manşetinde Can ve Duru'nun olduğu sonuncu gazeteyi de katladı. Tüm gazetelerde dün akşamki partinin haberleri vardı ve hepsinde de Can'la Duru'nun fotoğrafları. Kızın harikulade dansından bahsediyordu hepsi, Can çıldırmış olmalıydı. Sevgisini ancak tutkuyla yaşayabilen Can gibi bir erkek için kadını, önce objeye dönüşür ve tutku yayan bir tılsım halini alırdı. Bu tılsımın diğerleri tarafından fark edilmesi dehşet verici olmalıydı. Nihayet Bilge aradı, konuşurken sesi tedirgindi. Can'a ulaşamadığını, güvenliğe cepten ulaştığında adamın kendisine neler söylediğini anlattı. Eti sessizce dinledi Bilge'yi kolundan damarına giren iğneleri sökerken.

Telefonu kapattığında ayakkabılarını giymiş, odaya giren ve kendisini engellemeye çalışan hemşireyle yüz yüzeydi şimdi. Hemşirenin telaşlı tepkisine, ısrarla kendisini durdurmaya çalışmasına aldırmadan çıktı hastaneden.

6. Özge

Parka ulaşmaları yaklaşık yarım saat sürdü. Şehrin ortasında bir tepenin üzerine uzanan güzel bir parktı burası. Özge öğrencilik yıllarından beri gelmemişti buraya, Mahmut Konmaz'ın haftada en az bir kez buraya geldiğini öğrendiğinde şaşırmadı, önemli toplantılarını burada yapıyor olması nedense doğaldı.

Mahmut Konmaz cebinden çıkardığı bir paket yemi güvercinlere atarken, "Dünya düzeniyle ilgili ne biliyorsun?" dediğinde Özge, "Genel geçer şeyler... Sizin anlatacaklarınızı bilmediğime eminim" dedi.

Mahmut Konmaz çok sıradan bir ses tonuyla sanki yemlediği güvercinlerle konuşuyormuş gibi başladı sözlerine: "Eskiden insanlar altınla değiş tokuş ederek alışveriş yaparlardı. Bugünse para var. Aslında hiçbir değeri olmayan, hatta aslında karşılığı dahi olmayan bir kâğıt parçasıyla alışveriş yapıyoruz" derken Özge sorguladı: "Nasıl karşılığı olmaz?"

Mahmut Konmaz, "Dünyada kaç ton altın, yani paranın yerine geçebilecek değerli maden var, biliyor musun?" diye sordu. Özge bilmiyordu. Mahmut Konmaz devam etti: "Bugüne kadar çıkartılan tüm altının toplam değeri 1.89 trilyon dolar. Tüm ülkelerde, tarihler boyunca basılan ve harcanan parayı düşün, tabii ki 1.89 trilyon doların katbekat fazlası! Ayrıca bu altının büyük çoğunluğunun belirli bir kesimin elinde toplandığını ve piyasaya sürülmediğini hesaba katmıyorum bile. Kısacası kullandığımız paranın aslında bir karşılığı yok. Karşılığı olmayan bir şeyi var olan en değerli şey haline nasıl getirebilirsin? Bunu düşünmeni istiyorum. Sistemi anlaman için, yaratılan bu gerçekliğin nasıl olduğunu anlaman şart. İnsanlığa nasıl bir garanti verirsin ki ellerindeki altını kâğıt parçasıyla değiştirebilsinler? Tarihteki ilk bankacılık, hasatlarını korumak için yer arayan insanlara, hasatları koruyacak kadar gücü ve yeri olanların yardım etmesi ve bu yardım karşılığında da hasatlarının bir kısmını almalarıyla başladı. Zamanla her gelenden, sakladığı malın belirli bir yüzdesini alan depocu, biriken hasadın değersizleştiğini görünce, müşterilerinden depolama karşılığı, ürün yerine daha farklı şeyler talep etmeye başladı. Ama bu sadece bir başlangıçtı. Koruması altındaki hasadı, altınla ya da gümüşle değiştirmeye başlayınca işler büyüdü. Depocular, müşterilerinin mallarını kullanıp daha da zenginleştiler. Mallarının kullanıldığını anlayan müşteriler ayaklanınca faiz çıktı ortaya. Bu sefer malını getirenler, malın kullanılması karşılığında depocudan altın ve gümüş almaya başladılar. İşte banka böyle doğdu. Ama burada bir sorun vardı, hâlâ da var. Bankalar koruyuculuğunu yaptıkları paranın tamamını koruyamazlar. Birinin para kazanması için birilerinin kaybetmesi şarttır. Paranın bir kısmı erir, el değiştirir. Kâra geçsen bile yeni yatırımlar yüzünden gelecek paraya daima ihtiyacın vardır. Ama herkes kazandığını bankaya yatırmaya devam ettiği sürece problem de yoktur aslında."

"Peki, herkes aynı anda parasını çekerse ne olur?" diye cevabını bildiği soruyu sordu Özge sadece kurcalamak için.

Mahmut Konmaz, "Böyle bir şey asla olmaz. Olamaz. İzin vermezler. Sistemi anlıyor musun?" dedi.

Özge evet anlamında başını sallarken gülümsedi ve "Bankacılar paranın pezevengidir. Bankalarsa değerin pazarlandığı yer. Anlaması o kadar da zor değil" dedi.

Mahmut Konmaz Özge'ye baktı, gülümsemesi kısılan gözlerinin etkisiyle baskılanırken "Niye anlatıyorum bunları sana, biliyor musun?" diye mırıldandı.

Özge evet anlamında yine salladı kafasını. "Kerhaneyi yıkmaya çalışmak yerine nimetlerinden faydalanmam için" dedi.

Mahmut Konmaz abartılı bir kahkahayla gülerken "Erkek olmalıymışsın Özge Hanım. Çok rahat ederdik" dedi. Özge dinlediğini anlatan bir ifadeyle gülümsedi.

Mahmut Konmaz, "Neyse, ekonomimiz artık üretimden değil, reklam ekonomisinden para kazanır hale geldi çok şükür. Reklam ekonomisinde" derken Özge sordu: "Reklam ekonomisi? Reklamdan televizyonların ve reklamı yapılan malın üreticisinin dolaylı olarak para kazanmasını anlarım ama ekonominin tamamını reklama bağlamak biraz abartılı değil mi?"

Mahmut Konmaz açıkladı: "Sana kabaca anlatayım. Bir düşün, üretim değeri 0,01 olan bir şeyi 1 liraya satabiliyorsun. Bir satıştan 100 kat değer elde edebiliyorsun. Üstelik 100 kat kâr edebildiğin şeyi tüm dünyada pazarlayabiliyorsun, toptan satış gibi. Hepsi reklamlar sayesinde!"

Özge'nin, "Bir ürün nasıl 100 kat kârla satılabilir! Mantık dışı" diye itirazına hemen karşı çıktı Mahmut Konmaz: "Değil. Çünkü hedef, malın yarattığı etki değil, hissettirdiği şeydir. Bugün piyasada bal diye satılan şeyin bal olduğunu mu sanıyorsun? Bal, aslında taş gibi donan, kaşıkla falan zorla alacağın sertlikte bir şeydir. Peki markette satılan ballar nasıl öyle akıcı sapsarı olabiliyor? Çünkü bal değiller. Hatta şeker bile değiller. Çoğu mısır nişastası! Reklam olmasa kim mısır nişastasını bal diye satabilirdi! Bu durumun ekonomiye nasıl bir katkı sağladığını görmüyor musun? Satılamazı satabildiğin bir sistem bu. Her şeyden para kazanabileceğin, fırsatlarla doldurulmuş bir sistem."

Özge anlamamıştı, kafasını sallarken "İnsanları mısır nişastası gibi bir zehirle beslemenin bir sonucu olmalı! Kâr, zarara göre hesaplanmaz mı?" diye sorguladı, sakin olması gerektiğini kendine hatırlatarak.

Mahmut Konmaz heyecanla daldı lafa: "İşte ben de bunu anlatıyorum! Zarar yok artık. Sadece kârın olduğu bir ekonomi bu."

Özge'nin gülümsemesi sanki bıçakla kesildi: "Hayır... Zarar, satıcı daha doğrusu reklam sahibi açısından olmayabilir, tabii kendi ürettiği balı yemiyorsa. Ama yüzde 80'i früktoz olduğu için tatlandırıcılığı şekerden bile güçlü olan bu kadar zararlı bir madde nasıl olur da hemen hemen tüm paketli gıdaların içinde olabilir? Früktoz vücutta kullanılmayan, depolanan bir şey. Kanda depolanıyor, yağa dönüştürülerek! Yani diyabet, koroner kalp hastalıkları, karaciğer yağlanması, hipertansiyon ve kanser! Hepsi şu kârlı reklam ekonomisinin ürünleri."

Mahmut Konmaz açıkladı: "Büyük resmi görmüyorsun Özge Hanım! Reklamla yayılan bir satış anlayışının diğer ekonomileri de nasıl hareketlendirdiğini, nasıl hayat verdiğini görmüyorsun! Bak şimdi, ufak tefek sağlık problemleri insanların hastanelere gitmelerine, sürekli olarak ilaçlar kullanmalarına, tahliller yaptırmalarına neden oluyor, evet tamam. Ama büyük resme bak. Sağlık sektöründen beslenen milyonlarca insanı düşün. Sigorta sektörünü düşün. İlaç fabrikalarında çalışanları, laborantları, doktorları, sağlık personellerini, bu personeller için malzeme üretenleri, hayatlarını bu sektörden geçindiren milyonlarca insanı düşün. Senin zararlı gördüğün früktoz sayesinde birçoğu ailelerine yemek götürebiliyor. Çünkü çark dönüyor. Sonra güzellik sektörünü düşün. Früktozla aldıkları kilolardan kurtulmak için para harcayan insanları... Çark döndüğü sürece güvendeyiz. Görmüyor musun, her şey reklamla başlıyor, bankalarla devam ettiriliyor ve sistem sürekliliğini koruyor. İstikrar var." Özge donmuştu. Yaptığı tespitin netliğinde eğlenen Mahmut Konmaz'a bakamadı bile, adamın, koca insanlığın, birbirlerinin acıları, zayıflıkları, yaraları üzerinden beslenen bir parazit organizmaya dönüştürülmesini alkışlaması tüyler ürperticiydi. Yemlerini yiyen kuşlara bakarken hayretle şaşkınlaşan aklından çıkan kelimeler ağzından dökülüverdi: "İnsan kanıyla dönen bir çark."

Mahmut Konmaz Özge'nin mırıltısını anlamak için ona baktı. Omzunu omzuyla hafifçe dürtüp, "Fare kapanında daima beleş peynir vardır" dedi ve ekledi: "Her şey tıkırında aslında ama bir sorunumuz var. Dikkat etmezsek ciddi bir tehlikeye dönüşebilecek bir sorun bu... Sistemi sabote etmeye çalışan bir grup var: Hayalperestler. Başta bankalar olmak üzere her şeye karşıdır bunlar. Borsaya, medyaya, reklama, ilaçlara, modaya, kısacası bu sistemi besleyen her şeye."

Mahmut, Özge'nin suratındaki umutsuzluğu gördü. Çok geçmişteki silik bir anı gibi hatırladı bir zamanlar içinde var olan savaşçıyı. Ruhunun o en sevdiği parçasını nasıl da öldürmek zorunda kalmıştı. Ciddileşti. Konuşurken daha fazla oyuna gerek olmadığını biliyordu: "1980'lerin sonunda CIA* Ortadoğu'da petrol durumunu kontrol edebilmek adına Standart Oil**'in çıkarlarını

---

* Merkez Haberalma Teşkilatı
** Dünyanın en zengin ailelerinden Rockefeller'ların kurduğu dünyanın en büyük tekel petrol şirketi.

korumak için Sovyetler'e karşı hareket edecek bir baskı grubu kuruyor. Bu baskı grubunu, tabii ki kendi ordusunu Ortadoğu'ya göndererek kuramaz, savaş çıkar. Peki ne yapıyor, ortamdaki işsiz gençleri kutsal bir amaç uğrunda toplayabilecek ve bölgeyi iyi bilen küçük bir ekip gönderiyor. Bu ekip, ihtiyaçlarını karşıladıkları Müslüman gençleri kısa zamanda örgütlüyor ve zaten biat kültürü içinde yetiştirilmiş, soru sormadan emri uygulayan bu gençleri asker gibi eğitmeye başlıyorlar. İşte El Kaide böyle kuruluyor Amerika tarafından. Amaçları da güya tüm dünyaya egemen bir Sünni-Müslüman imparatorluk kurmak. Ekibin kurucusu ve başkanı kim biliyor musun?"

Özge hayır anlamında başını salladı. Konunun El Kaide'yle ne ilgisi vardı!

Mahmut Konmaz devam etti: "CIA'nın en yetkili ajanlarından Tım Osman yani Usame Bin Ladin. Usame adım adım CIA'nın verdiği talimatları yerine getirip kendisine gönderilen dolarlarla ciddi bir örgütlenme oluşturmayı başarıyor. İlk işi Sovyetler'in Afganistan'a girmesini engellemek oluyor. Sonra aktif bir şekilde kendini Allah'ın savaşçısı gibi göstererek, Ortadoğu'da sisteme başkaldıran kuruluşları, kişileri ortadan kaldırmaya başlıyorlar."

Özge'ye dikkatle baktı, kız şaşırmamıştı, sordu: "Şaşırmadın? Bunları biliyorsan anlatmayayım."

Özge kafasını hayır anlamında sallarken "9/11 diye bir belgesel seyretmiştim, James Hanlon diye bir itfaiyecinin topladığı kanıtların sunulduğu bir belgeseldi. Uçağın ikiz kulelere çarpmasından sonra binanın en alt katından üst katına kadar bombaların nasıl patlatıldığını çeken onlarca video görüntüsü ve hatta bina yıkıntısının en altındaki patlayıcıların analizleri bile vardı. İki gökdeleni olduğu yere yığılacak şekilde yıkmak bir uçağın çarpmasıyla olabilecek bir şey değil. Eğer o binayı uçak yıkmış olsaydı bina devrilir, etrafındaki binaların üstüne yıkılırdı. Bugün kafası çalışan herkes zaten kulelerin CIA tarafından yıkıldığını, uçağın çarpmasının falan her şeyin organize edildiğini biliyor. Usame'nin CIA ajanı olduğunu da biliyordum ama El Kaide'nin kurucusu olduğunu bilmiyordum. Lütfen devam edin" dedi.

Mahmut devam etti: "Northwood Operasyonu*. Araştır bunu. 1963 yılında Küba'daki sosyalizmin yıkılması için özellikle tasarlanmış bir operasyondur. Operasyonun detaylarını anladıkça göreceksin ki 9/11, Northwood Operasyonu'nun bire bir kopyasıdır. Neyse... Bugün düzeni korumakla görevli olanlar artık taktik geliştirdiler. El Kaide gibi desteklenmiş ama bu sefer işi terörle değil de hukukla halletmesi gereken bir sürü yapı yarattılar. Terörün modası geçti artık. Demokrasiyi hukukla ele geçirme operasyonu hem daha kansız hem de daha ekonomik. Bunun için tüm Ortadoğu'da 22 ülkede, aynı konseptte hatta aynı adla partiler kuruldu ve buna İslam Kardeşliği adı verildi ki El Kaide'nin korumasında bir yapıya dönüşebilsin. Tüm bu partileri biat kültürüyle şekillenmiş bir kitlenin üstüne oturttular. Soru sormayan, itaat eden bir halktan daha iyi köleler olabilir mi?"

Mahmut sustu, dümdüz Özge'nin gözlerinin içine bakıp sakince, "Şimdi sana niye anlatıyorum bunları açıklayayım: Karşında El Kaide ile aynı kaynaktan gelen ve en az onun kadar tehlikeli bir kurulum olduğunu, bu kurulumun köklerinin, sahip olduklarını korumak için seni ve senin gibi milyonlarcasını bir hamlede öldürmeye hazır bir sisteme dayandığını; bu vahşilerin silahlarının hukuk, güçlerininse senin vergilerinle kurulmuş bu devletin kaynakları olduğunu bilesin ve kendine gelesin diye! El Kaide'nin, girdikleri köylerde tecavüz ettikleri kadınlara sonra

---

* Küba'ya açılacak haksız savaş için halk desteği alabilmek adına ABD ordusunun sanki Küba yapmış gibi vurulması planlanmıştı. CIA tarafından düzenlenen operasyonu Kendy reddetti.

cinsel organlarını keserek işkenceler uygulaması buradakilerin yanında uygar kalır. Bunlar, önce inandığın her şeyi yağmalar, çocuklarını öldürür, sonra sen bu vahşete seyirci kalamadın diye seni bir deliğe tıkar, yemeğine koydukları ince ayar radyasyonla kanser olmanı sağlarlar, seni izleyen herkese, Allah'a karşı geldiğin için acılar içinde olduğunu ibret olarak gösterir ve seni tedavisiz hapsederek dünyanın en acı veren hastalığının eline bırakırlar. İşkenceyle ölmekten çok daha ötesini yaşatırlar sana, sadece hayattan değil varoluşun kendisinden bile nefret edersin. Listeleri vardır, ismin bir kere girdi mi, bir de üstü çizildi mi bitersin" dedi.

Mahmut yemi bitirmişti, elindeki poşeti çöpe atıp ellerini silkeledi ve Özge'ye döndü, birkaç saniye kızın gözlerinin içine baktı yine. İlk defa, kertenkeleden evrimleşmiş birinden çok insana benziyordu şimdi.

"Seni Sadık'ın bana göndermediğini biliyorum Özge Hanım. Haberi bile yok! Ama sana ilgisi var. Bu benim için yeterli. Bu sohbeti, seni önemseyen bir abinin nasihati gibi al. Kendine gel, tek başına kadın halinle kalkıp dünyaya kafa tutabileceğin yanılsamasına düşme. Sana verilen bu şansı iyi değerlendir" dedi ve iki adım gerideki banka doğru ilerlerken, "Bedenim çok yaşlı" dedi. Özge kıpırdayamadı, Mahmut Konmaz oturup tekrar konuşana kadar dikildiği yerde durdu. "Bankacılık sistemi olmasaydı, yani düzen böyle kurulmasaydı, zenginler değil zorbalar kuracaktı sistemi. Dua edelim ki bu bankacılar ve hukukçular kan görmekten hoşlanmayan tipler. Yoksa eli silahlı çetelere, psikopatlara kalacaktık. Evinin takım elbiseli yani beyaz yakalı bir grup adam yerine, elinde işkence aletleri bulunan serseriler tarafından basıldığını düşün. Hapis yerine çalışma kamplarında üzerinde deneyler yapıldığını düşün... Dünyadaki her bir bireyin kendi haklarına sahip çıkacak ama aynı zamanda diğerlerinin haklarına da saygı duyacak seviyede gelişmiş olması, yani polise ve orduya ihtiyaç olmayacak bir dünyada yaşayabiliyor olmamız şartıyla farklı bir düzen kurulabilir. Hayalperestlerin en büyük fantezisidir bu. Sanki herkes eğitilebilirmiş gibi ha bire köy enstitüleri, halk evleri adı altında sokak sokak gezen insanlar var bu ülkede, sokak zavallıları bunlar. Onlardan olma Özge Hanım."

Özge uzaklara dikmişti gözlerini, kendi kendine konuşur gibi mırıldandı: "Eğitmediğimiz, hor gördüğümüz, yardım etmediğimiz herkesi bir gün karşımızda göreceğiz... Üstelik ellerinde silahlarla."

Sessizlik Mahmut'un kahkahasıyla bozuldu ve ayağa kalkıp Özge'nin sırtını sıvazladı: "Evet, tabii biz işimizi iyi yapmazsak. Bu kitleyi gütmek bizim işimiz. Madem eğitemiyoruz hizada tutmanın yollarını bulmak için buradayız. Düzeni koruduğumuz sürece yönetebiliriz de. Bu düzen olmasaydı, zekâsı senin yarın kadar olan ama senden daha fazla korku salan biri senin yerinde oturuyor olabilirdi."

Özge düşündü, zaten öyle değil miydi! İçindeki adalet savaşçısını daha bebekken öldüren bir kesim, adaletli bir yaşam için savaşmaya hazır bir kesimi resmen yağmalıyordu. İnsanlığı korkutarak kontrol eden, korkuyla beslenen bu sistem başı sıkıştığı her an, korku salan bir düşman yaratıyordu. Bu düşman bazen bir terör örgütü, bazen açlıktan ölen insanlık, bazen bir ülkenin ürettiği nükleer silahlar, bazen bir salgın hastalıktı ama her zaman vergilerimizden kesilen paraların gittiği yerdi korkularımızın kaynağı.

Eğitimin amacı artık insan yetiştirmek değil, düzene insan yetiştirmek olmuştu. Bu düzenin içinde çalışacak, görev alacak kişileri düzene en iyi hizmet edebilecekleri şekilde biçimlendirmekti. Eğitim insanlık adına yapılan bir şey değildi! Peki neydi? 1900'ler-

de sanayi devrimiyle oluşan işlerde çalışmaları için toplumu sınıf-
landırmaktı. Sanayi devrimi öncesini düşündü Özge, o zamanlar-
da usta-çırak ilişkisiyle yapılanmış, yemeğini topraktan çıkaran,
yeteneklerine göre sınıflandırılan bir organizmaydı insan. İnsanı
kalıplara sokmak değil, içindekini mükemmelleştirmekti aslolan.
Bu yüzden, 1900'lere kadar insan gelişimi hep yukarı doğru yol
alabilmişti ama sanayi devrimiyle birlikte uygulanmaya başlayan
milli eğitim, bireyin kendini keşfine savaş açarcasına sanayiye
köle yetiştiren bir şekil almıştı. İnsan ruhunu ezen bu damar, bu
düzeni besleyen en kalın damardı. Artık insanlık değil teknoloji
ilerliyordu, uygarlıklar değil teknolojiler gelişiyordu sadece. İlk-
çağdan itibaren hatta kiliselerin yağmasındaki ortaçağa rağmen
daima gelişebilmişti insanlık, bugünse artık insanlar meraklarını
televizyonda izlediklerine, bedenlerini zehirli kimyasallarla dolu
hazır yiyeceklere ve mutluluklarını paraya teslim etmiş, potansi-
yellerine adanmak için var olduklarını unutmuş, insanlık dışı ya-
şar olmuşlardı.

Özge'nin düşünceleri Mahmut Konmaz'ın konuşmasıyla dağıl-
dı: "Benim yemim bitti. Yem bitince iş biter" dedi, göz kırptı. Ya-
nında kıpırtısız duran genç kızın haline baktı, ne kadar da savun-
masızdı. İnsan potansiyelini bir yakıt gibi tüketerek beslenen bu
toplumun güçlendirdiği birindense, potansiyelini beslemek için
hayatını vermeye hazır bu kız tarafından sonlandırılmak ne kadar
da huzur verici olurdu diye düşündü, Sadık Murat Kolhan'ın kızda
gördüğü şeyin ne olduğunu ilk defa anlayarak. Arkasını dönüp git-
meden önce son sözünü söyledi: "O listeden kimse sağ çıkmamıştır
şimdiye kadar, listeye girmediğin sürece görünmezsin. Listeye gir-
din mi gidersin."

7. Eti & Can

Boş güvenlik kulübesinden geçti Eti, sonuna kadar açık bırakılmış kapıyı kapatan düğmeye bastı. Büyük demir kapı kapanırken bekledi. İçeride karşılaşacağı manzaranın etkisiyle belki öngöremeyeceği önlemleri şimdiden alması gerekliydi. Evin kapısına geldiğinde kapı kilitliydi. Çantasındaki anahtarı çıkarıp açtı kapıyı, içeri girip sessizce kapattı. Salona uzanan merdivenleri çıkıp dikkatle etrafa baktı. Parçalanmış camdan giren rüzgâr perdeleri kaldırırken yerler cam içindeydi, koltuklar devrilmişti, sehpanın kenarına saplanan büyük bıçakta kan, viraneye dönmüş salonda da kimse yoktu. Güvenliğin kovulması Eti'yi rahatlatmıştı çünkü Can'ın saklayacak bir şeyi olsa asla güvenliği kovmayacağını, elindeki her kartı kendini kamufle etmek için sonuna kadar kullanacağını biliyordu. Sessizce yatak odasına ilerledi, aynı parçalanmışlık ve kimsesizlik burada da hâkimdi. Çalışma odasının önünden geçti, birkaç adım atmıştı ki beyni farkına vardı, çalışma masasının üzerindeki bilgisayarda bir kayma, yamukluk vardı. Sakince geri döndü, adım adım büyük antik çalışma masasına yaklaştı, bilgisayar yamulmuş, klavye kablosundan askıda yere sarkmıştı, bilgisayar da düşmek üzereydi. Klavyeyi masanın üstüne kaldırmak için uzandı ve onu gördü. Can masanın altında, kafası bacaklarının arasında hareketsiz, sanki bir sığınaktaydı. Sakince klavyeyi yerine koydu ve hızlı ama sessiz tüm evi gezdi, evde başka kimsenin ve hiçbir yerde kan olmadığına emin olduktan sonra misafir odasındaki banyoya girdi, dolması için küvetin çeşmesini açtı. Can'ın banyosuna geçti, banyodaki buzdolabını açıp içindeki ilaçları inceledi. Aradığını buldu. Mutfaktan bir bardak su aldı, misafir banyosuna dönüp elindekileri bankonun üstüne koydu. Küvetin dolmasını beklerken pardösüsünü ve ayakkabılarını çıkarıp kenara bıraktı, küvet dolmuştu. Yatak odasının duvarındaki panele gitti. Teknolojiyle arası pek iyi değildi, sesi kısıp şarkıyı buldu. Sesi yükseltti. Petite Fleur başladı.

Sakince çalışma odasına gitti, masanın altına girip Can'a dokundu, kim bilir ne kadar zamandır buradaydı, çıplak vücudu buz gibi olmuştu. Bacaklarının altına kilitlediği ellerine ulaştı, elini çekip çıkarırken elinde sımsıkı tuttuğu voltaj yükselticisini zorlanarak çekip aldı. Can kafasını bacaklarının arasından kaldırıp Eti'nin yüzüne baktı, gözleri kan çanağıydı. Eti küçük, kuru ama samimi bir öpücük kondurdu Can'ın alnına ve onu narince elinden tutup dansa kaldırır gibi çıkardı masanın altından. Sıkı sıkı tuttu Can'ın elini, yıllar önce hastaneden onu çıkardığı gündeki gibi.

Adım adım takip etti Eti'yi Can, hissettiği tek şey kendi soğuk elini kavrayan Eti'nin sıcacıklığıydı.

Eti, küvete soktu Can'ı. Bir bardak su ve uyumasını sağlayacak ilacı verdi, küvette dinlenmesini bekledi önce. Sonra başından başlayıp tüm vücudunu bir çocuğu yıkar gibi yıkadı, yıllar önce onu evine ilk getirdiği gündeki gibi. Küvetten çıkardı, kuruladı. Perdeleri kapalı, karanlık misafir odasındaki yatağa oturtup aslan yelesi saçlarını kuruladı yıllar önceki gibi. Yatağa yatırdı, üstünü örttü. Alnından öptü. Odadan çıkmadan önce kulağına fısıldadı yıllar önceki aynı kelimeleri: "Hayat sadece bir an. Ya efendisi olursun ya da kölesi."

8. Özge & Sadık

Sanki dünyanın adaletsizliği çökmüştü adımlarına, yerçekimi artmış, bedenini yavaşlatmıştı. Yürüdüğü yol sanki hiç bitmeyecekmiş, istediği yere asla varamayacakmış gibi hissetmeye başlamıştı Özge. Mahmut Konmaz'dan sonra bir süre yalnız başına öylece oturmuştu bankta. Sonra işe gitmek yerine eve gitmeye karar vermişti. Dünkü partiden sonra nasılsa çoğu bugün işe gelmezdi. Ömer'i aramayı düşündü ama içine yayılan karanlığı onunla paylaşmak bir dosta yapılacak büyük kötülüktü. Parktan çıkıp evin yolunu tuttu. Bu uzun yürüyüşler adaletsizliğe katlanmasını sağlar olmuştu.

Yokuşları tırmandı, balkonlarında çamaşır asılı mahallelerden, önlerinde takım elbiseli güvenlikçilerin bulunduğu semtlere yürüdü, gitmek istediği yere varamayacağını yeni anlayan birinin ısrarsızlığında adım adım geçti yolları. Evine varması öğleni buldu, sokağa girdiğinde içi bomboştu. Hissettiği tüm öfke güçsüzlüğün zehriyle birleşmiş, çaresizlik olarak yayılmıştı bedenine. Ölmek istediğini düşünmeden ama yok olmanın, hissettiği bu çaresizliğe tek cevap olduğunu bilerek sokağın sonundaki evine vardı. Tek istediği eve girip ağlamaktı. Çaresizliğin zehri sanki sadece ağlayınca akıyordu bedenden. Apartmanın önüne gelmişti ki omzunda hissettiği dokunuşla irkildi. Döndüğünde Sadık Murat Kolhan duruyordu karşısında.

Sadık parktan beri izliyordu Özge'yi. Kızın çektiği acının böylesine bir samimiyetle var olduğunu bilmek, emin olmak kendisine öğretilen her şeyi altüst etmişti. Etrafında, güç için her şeyi feda etmeye hazır, hayata sahip olabilecekleri yanılsamasına kapılmış, dünyayı yaşanamaz bir yere çevirme pahasına güçte kalabilmek için her şeyi göze alan yüzlerce insandan sonra Özge'nin varlığı inanılmazdı. Bir kız, sadece hak için, "herkes için adalet" adına ölmeye hazırdı. Omuzları düşmüş, başı önde yürümesini izledi. Böylesine parlak ve mental bir rahatsızlığı olmayan biri neden feda etsindi kendini, Sadık bunun merakına kapılıp Özge'ye yaklaşmıştı ama şimdi ona yaklaştıkça onun gördüğü dünyayı görür, onun yaratmak istediği şeye saygı duyar olmuştu, bunun kendi sonu olacağını bile bile.

Özge ağlamıştı, belliydi. Yeşilin kırmızıyla iyice renklendiği gözlerini görmezlikten gelecek hızda araca dönerken "Konuşmamız lazım. Sana bir teklifim var" dedi ve araca bindi. Özge, Sadık'ın arabaya binmesini bir an bekleyip hemen gözlerini sildi. Hissettiği güçsüzlüğü göstermemeliydi.

Sadık ve Özge arka koltuğun iki ayrı ucunda, iki ayrı pencereden, kendileri için var olan iki ayrı dünyaya bakarak sessizce yaptılar yolculuklarını. Dışarıda yağmur çiselemeye başlamıştı. Sadık'ın şoförüne "Mahalleye çek" demesiyle araba U dönüşü yapıp diğer yöne doğru yola koyuldu. Mahalle de neresiydi?

9. Bilge

Bitirdiği dosyaları Can Manay'ın odasına bırakma bahanesiyle çıkmıştı bu kata belki Can Manay buradadır umuduyla. Manay'ın katı bomboştu. Dosyaları bıraktıktan sonra ne yapması gerektiğini bilmeden sıkıntılı çıktı Manay'ın ofisinden. İşlerini bitirip Murat'a gitme hayali altüst olmuştu, hayal kurmaması, hiçbir konuda beklentiye girmemesi gerektiğini binlerce kere tekrarlasa da neden bir türlü öğrenemiyordu diye kızdı kendine. Can Manay'a ulaşamıyordu, Eti de telefonunu açmıyordu, zaten Zeynep de Bilge'nin telefonuyla uyanmıştı, konuyu ona da anlatıp kafasını karıştırmak, bu tatil gününde ona sıkıntı vermek anlamsızdı. Sıkıntısını ancak diğerlerine bulaştırınca rahatlayan o zayıf tiplerden olmayacaktı. Koridorda öylece dikildi Bilge, kendi kontrolü dışında gelişen bu anlamsız olayın kendisini nasıl da hareketsiz bıraktığını düşündükçe kaşları çatıldı. Murat'a gitmek istiyordu, Manay'ın hakkında en ufak fikri bile olmadığı problemleriyle uğraşmak, hissedemediği bu sorumluluk duygusunu yaşatmaya çalışmak yerine içinden geleni yapmak, kalbinin sesini dinleyip koşarak Murat'a varmak istiyordu. Gözlerini kapadı. Murat'ın yanı başında dikilip onunla konuştuğunu, incelmiş, sakallanmış o güzel yüzüne dokunduğunu, gözlerini araladığında yanında olduğunu düşündü. Murat'ın aralanan gözlerinin hayali, beyninin derinliklerinden bir volkan gibi patlayıp o hayalin içine akan, dayak yediği o görüntülerle aniden kirlendi. Yerde iki büklüm olmuş Murat'a ellerindeki odunlarla vuran beyaz gömlekli koca koca adamlar bir anda kapladı beynini. Hemen gözlerini açtı Bilge, hızlanan kalbinin göğüs kafesine vuran ritmine dokunurcasına bir elini kalbinin üstüne götürdü, diğeriyle otomatikman kendi yüzüne dokundu ve ancak o zaman anlayabildi ağladığını. Burada ne işi vardı! Murat ölüm döşeğindeyken burada dikilmiş neyi bekliyordu? Donakaldığı yerden sanki bir kapandan kurtulmuş gibi çekti çıkardı kendini. Koşarcasına asansöre gitti, hızlı hızlı bastı düğmelere. Burada ne işi vardı!

Asansör geldiğinde daldı içeri. Karşısında dikilen Ali'nin iri bedenini ve "İyi misiniz?" diye soran yumuşak sesini duyunca sıçradı. Hemen arkasını döndü, suratındaki yaşları sildi, ağladığı kesin belli olmuştu. "Evet" derken asansörün paneline atıldı, Ali'nin belki de Manay'ın katında ineceğini ama kendisini böyle görünce şaşkınlıktan asansörde kaldığını düşünerek kapıları açan düğmeye telaşla basarken "İnecektiniz?" dedi. "Önemli değil, aşağıya iniyorum aslında" diye yalan söyledi Ali, bu karşılaşmanın olması için bugün izinli olduğu halde işe geldiğini belli etmeden. Asansör aşağıya inerken Ali'nin kendisine odaklanan bakışlarını dayanılmaz kılan sessizliği bölmek için "Can Bey'le konuştunuz mu bugün?" diye sordu. "Hayır" dedi Ali kısaca. Asansör kata geldiğinde, ona hiç bakmadan iyi günler dileyip indi Bilge aceleyle.

Ali'nin de kendi katında indiğini ve peşinden geldiğini, odasına doğru dönerken kaçamak bir bakışla arkasına bakınca anladı. Adımları hızlandı, tuhaftı! Odasına girdi, hemen kapısını kapadı ve kapıya yaslandı. Eşyalarını toplayıp hastaneye gidecekti... Hatta telefonunu bile kapatabilirdi, kendini çok cesaretli hissetti. Yaslandığı kapının ittirilmesiyle hafifçe sarsıldı, hemen kapıdan bir adım uzaklaşıp döndü.

Ali'nin kapıyı açmasını, kapı açılınca yine hiç kıpırdamadan konuşmasını bekledi. Ama Ali konuşmadı, sadece baktı ona, suratında hafif bir acı ama gözlerinde ışıl ışıl bir parlaklıkla. Ağladığını gördüğü için ilgilenmek zorunda hissetmiş olmalıydı, bu çok can sıkıcıydı!

Bilge konuya kendisinin girmesi gerektiğine karar vermişti ki Ali adım adım yaklaştı. Kollarını açtığında Bilge hâlâ anlamamıştı. Ali Bilge'ye kocaman sarıldı, Bilge'nin şaşkınlığı tepkiye dönüşecekti ki "Başın sağ olsun" dedi Ali. Bilge bir adım gerilemesi gerektiğini düşündü ama kıpırdamadı, çünkü durduğu yerde, bu sarılmada huzur vardı, hissetmemesine imkân olmayacak yoğunlukta. Bilge ancak bir an sonra sıyrılınca kendisine söylenen cümleyi anlayabildi. Niye başı sağ olsundu! Kimse ölmemişti ki. O zaman Ali'nin kollarından kurtuldu, bir adım gerileyip kafasını kaldırdı, ona bu kadar yakın olmanın Ali'yi etkilediğini fark bile etmeden sorguladı: "Niye!"

Ali, Bilge'nin bilmediğini o an anladı. Daha önce Can Manay'ın arabadaki konuşmalarından, polisler tarafından dövülen ve sosyal medyada fenomen haline gelen Murat adlı çocuğun Bilge'nin arkadaşı olduğunu ve Bilge'nin hastanedeki arkadaşını Can Manay'ın adını kullanarak her gün ziyarete gittiğini biliyordu. Çocuğun bir saat önce organ yetmezliğinden öldüğünü öğrenmişti. Haber sosyal medyada hızla yayılmıştı. Asansörde onu gördüğünde suskunluğunun ölüm haberinden olduğunu varsaymıştı ancak şimdi öyle olmadığını anladı. Omuzları düştü, burada destek vermek için değil haberi vermek için bulunan birine dönüşmüştü bir anda. Donakaldı...

Bilge bir saniye sonra anladı. Ali'nin suratındaki ifadenin kendisine acımadan kaynaklandığını biliyordu. Başka ifadeler değil ama bu ifade diğerlerinde sıklıkla gördüğü, deneyimlediği duygunun ifadesiydi. Ali'nin kolunu tuttu sıkıca ve sinirlendi, "Acıma bana! Söyle!" dedi. Bu binada tanımaya değer bulduğu tek insanın beyninde bu anla hatırlanacaktı, içindeki sıkıntıyı bedeninden atarcasına kafasını kaldırdı, tavana baktı, sonra kolunu sıkan Bilge'nin elini avuçlarının arasına aldı. "Bunu benden duyduğun için şu an nasıl kendimden nefret ediyorum bilemezsin. Çok üzgünüm..." derken Bilge'nin gözlerine hücum eden yaş kalın gözlük camlarına rağmen o kadar yoğundu ki Ali sustu, cümlesini Bilge tamamladı: "Murat öldü..."

10. Ada

Stüdyoya girdiğinden beri Tugay'ı henüz görmemişti Ada. Kendisini stüdyonun kapısında karşılayan bir grup, sürekli ne kadar yetenekli olduğunu, Tugay Bey'in daha önce kimse hakkında böyle konuştuğunu duymadıklarını anlatıp durmuş, yaklaşık 3 haftadır tamamlanamayan parfüm reklamının müziğiyle ilgili danışmak istediklerini açıklamışlardı. 2 saatin sonunda Ada kendisini bu reklama müzik yaparken bulmuştu. Çaldığı her notanın, camın gerisinde kendisini dinleyenler üzerinde yarattığı etkiyle tanrıça gibi hissediyordu. Sanki bu insanlar daha önce müzik dinlememişlerdi. Halbuki, ruha varoluşunu sorgulatacak nitelikte müzikler üretebilme yeteneğinin bu insanlara fazla gelmesinin doğallığını anlayamayacak kadar yabancıydı aslında insanlığa. Bu yabancılık kişiyi üretmeye yöneltirken, ürettiğinin yağmalanmasına da rahim olabilirdi.

Stüdyodan çıktığında Tugay'ın nerede olduğunu soracaktı ki, ilerideki deri koltukta oturmuş telefonla konuşurken buldu onu. Tugay telefonu kapatıp ayağa kalktı, kollarını kocaman açıp sarıldı Ada'ya, havaya kaldırıp döndürdü. Ne de olsa bu iki saatlik sürede, artık sadece parfümün değil, markanın diğer ürünlerinin de ajansı olmuştu. Etrafta herkes olmasına rağmen dudaklarından öptü Ada'yı ve gitmesi gerektiğini söyledi.

Tugay gitmeden önce, akşam ünlü şarkıcı Şadiye Reha'nın evine davetli olduklarını, Ada'yı Şadiye'yle tanıştırmak için nasıl da sabırsızlandığını açıklamış, ekibe Ada'ya çok iyi bakmalarını tembihlemiş ve akşam gelip onu alacağını söyleyerek gitmişti. Tugay'ın ardından bakarken çok mutluydu Ada. Kendisinden istendiği gibi akşama kadar tam üç farklı reklama müzik yaptı, haklarını koruyacak tek bir kâğıt imzalamadan. Yaptığı müzik bir ürünü satmaktan çok daha ötesini yapabilecek güçteydi. İnsanların sadece müziğini dinlemek için milyonlarca kez tıkladıkları reklamın müziği böyle doğdu: Bir yeteneğin yeteneğini göstermeye dalıp etrafında olanlara uyanmak yerine kendini kandırıp yağmalanmaya açık hale gelmesiyle. Evren tarafından görevlendirildiğini unutup alkışa kapılan bir sanatçıdan daha kötüsü, alkışa kapılmış yeteneği sömürenlerdi.

11. Özge & Sadık

Mahalle, Sadık Murat Kolhan'la ilk defa tanıştıkları o tuhaf binanın bulunduğu bölgenin hemen yanındaki tek yerleşim yeriydi. Başladığı noktaya döndüğünü düşündü Özge, araçtan inip yerleri yağmurun ıslaklığıyla çamurlaşan, gecekondulardan oluşmuş mahalleye bakarken.

Sadık konuşmadan yürümeye başladı ve Özge, aralarındaki iki adımlık uzaklığı korumakta kararlı, konuşmadan takip etti. Sadık Murat Kolhan'la, ruhunu sahip olduklarına satan bu adamla yürümüyor, onu takip ediyordu.

Varoluşunun, dünyayı olması gereken hale dönüştürmekte bir kıvılcım olduğunu anlamadan, savaşmaya karar verdiği devin yanında kendini bir nokta gibi hissederek, Sadık durup ona dönene kadar yürüdü. Issız yolda durduklarında Sadık "Planın ne?" dedi. Özge, Kolhan'ın kendisini en başından beri okuduğunu artık biliyordu, emindi. Bu insanları kandırabileceğini düşünerek bile asıl kendini kandırmıştı. Ama kaybedecek hiçbir şeyi yoktu, gerçekten de Can Manay'ın o gün hayatını altüst ettiği o noktaya dönmüştü. Parçası olmayı kabul ettiği şeyi değiştiremiyorsa o zaman sistemin içinde yitip gideceğini biliyordu. Asla bu sistemin bir parçası olmayacağına emindi, yapman gerekeni yapamadan yitip gitmek de sisteme hizmet etmekti. Kolhan'a yaklaşıp kızaran gözlerini kısarak, içindeki hayal kırıklığını kaşlarıyla sınırlayarak sordu: "Asıl sizin planınız ne?"

Sadık gülümsemekle anlamak arasında gitti geldi bir an. Sonra "Ne saçma bir soru bu şimdi!" dedi. Özge bir küçük adım daha yaklaşıp, "Benimle ne işiniz var? Koleksiyonunuza katacağınız biri değilim ben. Peki niye buradasınız ve niye buradayız?"

Sadık, Özge'nin suratına eğildi ve fısıldadı: "Milletvekili olmak ister misin?"

Özge ruhuna yumruk yemiş gibi sarsıldı. Sadık Murat Kolhan'ın, bağlı olduğu o iğrenç sistemi yıkmak için Özge'nin canını o an, hemen oracıkta vermeye hazır olduğunu görmemesi imkânsızdı! Neyin oyunuydu bu...

"Yanımdan yürürsen konuşabiliriz" dedi Kolhan arkasını dönüp yürümeye başladığında.

Özge şaşkınlıkla bir an bekledikten sonra hızla yaklaştı Kolhan'a, yan yana yürümeye başladılar, Sadık açıkladı: "Hâlâ görmüyor musun? Ne istersek yapabiliriz."

"Siz?" dedi Özge, Kolhan'ın çoğul konuşurken kimi kastettiğini sorgulayarak.

"Evet, biz" dedi Kolhan kendinden abartılı bir eminlikle.

"Siz kimsiniz?" diye sordu Özge. Kolhan durup Özge'ye döndü. "Daha fazla oyun oynamayalım Özge Hanım, hadi gel, bu seferlik aklımızda ne varsa koyalım ortaya" dedi. Özge bu adamın asla aklındakini ortaya koymayacağını biliyordu ama yine de kafasını salladı. Kolhan, "Bu sana verdiğim son şans. İçeri gireceksin ama sonra yalnızsın. Yaptığın her hatanın sadece seni değil değer verdiğin her şeyi yok edeceğini bil. Sevdiğin her şey için en büyük tehlike haline geleceğini bil. Cehennemi temizlemek mi istiyorsun, önce içeri girmen gerek" dedi.

Özge dümdüz sordu: "Sizin bundan kazancınız ne?"

"Hiçbir şey" derken yine yürümeye başladı Kolhan.

Özge hemen yetişip, "Hiçbir şey! Bir şeyleri falan imzalamamı istemeyecek misiniz? Hiçbir şey olamaz" dedi.

Kolhan, "Senden hiçbir şey istemeyeceğim Özge Hanım" diye yineledi elleri cebinde, etrafındaki gecekondulara bakarken.

Özge gözlerini kıstı, bu işin içinde bir iş mutlaka vardı. "Benim zehirli bir şeylere dahil ya da alet olmamı falan da istemiyorsunuz?" dedi.

Kolhan bir an durdu ama Özge'ye dönmedi. "Zehirli bir şeylere dahil olmanı isteseydim sana evlenme teklif ederdim" dedi ve yürümeye devam etti.

Sadık neden böyle söylediğini bilmeden, düşünmeden etmişti bu cümleyi. Söylediği şey o kadar absürddü ki ve öyle düşüncesizce ağzından çıkmıştı ki sanki bilinçaltı konuşmuştu. Özge çivilenmiş gibi kaldı yerinde. Beyni Kolhan'a yetişmesi gerektiği sinyallerini verirken yürüyemedi, ta ki Kolhan'ın iri gövdesinin kahkahalar içinde sallana sallana güldüğünü görene kadar.

Dalga mı geçiyordu! Yarısı çökmüş ıslak duvara dayandı Özge ve Kolhan'ın saçma gülmesinin bitmesini bekledi ama o yürümeye devam etti, gittiği yeri bilen biri gibiydi. Aralarındaki mesafe o kadar açıldı ki Özge, şaşırdığı için kendini aptal gibi hissederek şaşkınlığından silkelediğinde fırlayıp ona yetişti, konuyu değiştirip, "Burası sizin mahalleniz. Burada büyüdünüz" dedi. Sadık cevap vermedi, yürüdüler. Mahalleden çıkıp yarısı kazınmış kocaman bir tepenin olduğu boş araziye yaklaşmışlardı ki Kolhan, "Evet" dedi.

Özge anlamaya çalışıyordu, böylesine fakirlikte büyümüş biri bu kadar zengin olduktan sonra kendisiyle aynı acılara hapsolmuşlara yardım etmek yerine, nasıl onların sırtına binerek yükselebilirdi? Cevap içinde doğduğu anda kendini tutmadan ona aktardı: "Bu insanlara yardım etmek istiyorsunuz. Onların yaşadığı sıkıntıları biliyorsunuz ve yardım etmek istiyorsunuz!" Kolhan sadece gülümsedi, bu insanlara yardım etmek falan değil, yok olmalarını istiyordu aslında!

Özge, "Ama bu yardımın parayla olamayacağını da biliyorsunuz!" dediğinde gülümsemesi dondu Kolhan'ın. Özge devam etti: "Çünkü para farkındalık veremez, farkındalığa ulaşmadan, parayla buradan çıkan biri, çocukluğu boyunca yüklendiği bu açlıkla sadece yağmacıya dönüşebilir, bir daha aç kalmamak için her şeyi göze alan bir yağmacıya. Ne kadar zengin olursa olsun hep daha fazlasını isteyen, tatminsiz bir yağmacıya."

Yıllar boyunca sadece kendisine sakladığı bir düşüncesi vardı Sadık'ın, kimsenin anlayamayacağını bildiği bu düşünce bir anda Özge'nin dudaklarında hayat bulmuştu, sanki kız aklını okumuştu yine. Kolhan'ın nutku tutuldu. Bu nasıl bir anlayıştı. Her kelimesi doğruydu ve içindeki bu duyguyu ifade etmek istese bu kadar güzel ortaya koyamazdı. Kendisinin ancak yaşayarak edindiği böylesine bir analizi bu kız nasıl yapabiliyordu!

Özge "Anlamıyor musunuz? O yüzden hayat beni gönderdi size. Yapılması gereken şeyi, sizin yapamadığınız şeyi yapmam için" dediğinde Sadık irkildi, bu doğru olabilir miydi! Sadece gülümseyebildi içindeki şaşkınlığı kamufle edercesine. Şaşkınlığı o kadar artmıştı ki birden yabancılaştı, burada ne işi vardı! Niye ateşle oynuyordu! Kıza milletvekili olmak ister misin demişti, kafayı mı yemişti! Bu lanet olası yerden çıkalı yıllar olmuştu ama şimdi bu kızla yine buraya dönmüştü. Derin bir nefes alıp kafasını kaldırdı, Özge'nin etkisini azaltmak istercesine etrafına bakındı. Bu an, burada, içinde çok derinlerde var olan bu duygunun başladığı bu yerde bitirmeliydi bu kızla olan tüm ilişkisini!

Özge'ye dönüp bir daha kendisini rahatsız etmemesini söyleyecekti, kestirip atacaktı ki... söyleyemedi. Özge'nin suratına yayılan gülümseme, kızaran gözlerinin yeşilindeki ışık, çiseleyen yağmurla ıslanan saçlarının çocuksu hali, soğuktan kızaran burnunun pembeliği, gülümsemeyle kendini gösteren güçlü dişlerinin krem rengi parlaklığı, hayatında ilk defa doğruyu yapmak üzere olduğunu kendisine hissettiren bütün duyguları tetikledi. Yaptığı yüzlerce yanlışa, yağmaladığı yüzlerce hakka, çaldığı onca paraya, ait olduğu gücün çevresindeki herkesi zehirleyen etkisine rağmen, bu kıza vereceği desteğin sanki her şeyi affettireceğini hissetti Sadık, Özge vurucu darbeyi vururken: "Tek bir doğrunun tüm yanlışları götürebildiği bir gezegendeyiz. Korkmayın." Soğuk elleriyle Sadık'ın iki elini tutarken mırıldanmıştı bu cümleyi.

Sadık gözlerini kapadı. Hissediyordu, ilk defa hissediyordu, buraya kadar geldikten sonra geçmişin hiçbir önemi yoktu. Özge'nin soğuk ellerini sıkarak "Sadece kendini öldürtme" dedi ve ellerini çekip, arkasını dönüp giderken ekledi: "Burada bekle, şoför seni eve götürecek."

Özge yolun ortasında durup Sadık'ın yalnızlığını izledi.

12. Ada

Bu stüdyo daha önce böyle bir coşku yaşamamıştı. Tugay'ın dehasına duyulan saygı Ada'nın varlığıyla iyice köklerini salmış, rakipsizleşmişti.

Ada kendisine hipnotize olmuş kalabalıktan cevap beklerken "Bitti mi?" demişti, aslında her şey yeni başlıyordu. Tanımadığı insanlar tarafından coşkuyla tebrik edilirken veda gecesindeki gösteri sonrasında etrafında toplanan öğrenciler ve hemen ardında da Deniz geldi aklına. Müziğini dinlese nasıl da gurur duyardı, tabii reklam müziği olması problem olabilirdi ama müzik müzikti, ne fark ederdi ki! Deniz'e ihanet ediyor olma düşüncesi kızdırdı kalbini, niye ihanet olsundu! Üretime destek vermenin nesi kötü olabilirdi! Deniz'i kafasından uzaklaştırmayı başardığında stüdyo yönetmeni elinde iPod'la geldi, iPod'un kendisine hediye olduğunu söyleyerek kaydettiği müziklerin kopyasını Ada'ya verdi.

Tüm o coşkudan sonra stüdyonun girişindeki koltukta tek başına oturup Tugay'ın kendisini almasını bekledi Ada. Tugay ancak 2 saat sonra gelebildiğinde Ada bayılmak üzereydi, uyandığından beri hiçbir şey yememişti çünkü kimse sormamıştı.

Yola çıktıklarında çok acıktığını söylemek zorunda kaldı. Ama Tugay toplantıda yemişti, Ada'ya biraz kokain ikram etti. Şadiye'nin evine vardıklarında Ada bomba gibiydi.

Ne kadar sevgi vardı bu evde, bu insanlarda. Herkes ne kadar da ince, ne kadar da ilgiliydi. Bir prenses gibi karşılanmıştı

Ada Tugay'ın kolunda içeri girerken. Yorgunluğundan, açlığından eser kalmamıştı. Boğazın kıyısındaki muhteşem bir konaktı Şadiye Reha'nın evi. Etrafında bahçesi, önünde denizi, karşı kıyıya uzanan manzarasıyla çok konforlu döşenmişti. İçerisi biraz serin ve kalabalıktı, hayranları, bu kadının klan şeklinde yaşadığını bilirdi ama Ada içerdeki kalabalığın koltuklara nasıl da kaykıldığını, nasıl da rahat olduklarını görünce kendini kocaman bir ailenin içinde hissetti. Bu ev, masanın üstünde sıra sıra dizilmiş kokainin herkese ikram edildiği, insanların kucak kucağa şakalaştığı bir aile gibiydi.

Şadiye, "Kulaklarıma inanamadım dinlerken, sen nereden çıktın böyle!" diyerek kollarını açarak karşıladı Ada'yı. Ada anlamamıştı, Şadiye neyi dinlemişti? Tugay açıkladı: "Beni o kadar heyecanlandırdın ki, kayıt biter bitmez bir kopyayı Şadiye'ye gönderdim."

Ada gülümsedi sadece, Şadiye şişman vücuduyla kendisini kucaklarken. Salona geçtiklerinde koltuklara yayılmış olan insan topluluğu çil yavrusu gibi kaçışıp yer açtılar Şadiye'ye. Erkeklerin çoğunun makyajlı ve kadınsı olduğunu fark etti Ada, Tugay'ın kolu omzunda otururken koltuğa. Şadiye koca vücudunu yığarken, "E, anlat bakalım Adacığım. Nerelerde saklanıyordun sen?" dedi. Ada okulunu ve geçmiş dönemde yaptıklarını anlatırken Şadiye'nin suratındaki ifadenin solmasını izledi. Anlam veremedi ama Şadiye sordu: "Deniz ne yapıyor? Nerelerde, hiç gözükmüyor."

Deniz'den bahsetmediği halde, okuldan bahsedince bağlantıyı kurmuş olmalıydı Şadiye. Ada "Uzun süredir görmüyorum onu" dedi konunun kendisi üzerinde yarattığı gerilimi dizginlemeye çalışarak. O gerilim sanki bir problemmiş gibi göründü Şadiye'ye, "Deniz'le benim de iyi geçindiğim söylenemez" derken. Tugay konunun hassasiyetini bildiğinden lafa girdi: "Ada'nın mentoru Deniz." Sonra Ada'ya dönüp onu başından öperken "Ama şimdi ben varım. Asla yalnız bırakmam" dedi. Ada'nın suratına yayılan samimi gülümseme Şadiye'yi rahatlattı, Tugay'ın oltasına takıldığının kanıtıydı.

Şadiye ve Tugay bakıştılar, Deniz konusunun hassasiyetinde anlaştılar. Şadiye "Uzun süredir senin gibi birini arıyordum. Gökte ararken yerde buldum derler ya, aynen öyle oldu. Artık umudum kalmamıştı ki Tugay bana kaydını gönderdi. Aç mısınız?" dediğinde Tugay hayır anlamında kafasını sallarken Ada Tugay'a baktı ve aç olmadığına karar verdi. Şadiye "Hadi o zaman geçelim stüdyoya" deyip ayaklandı.

Stüdyoya geçerken Tugay sehpanın üstündeki ikramı gösterip "Birer parça alalım derim" dedi. Önce Şadiye, sonra Tugay'ın yardımıyla Ada ve Tugay kokainden birer sıra çektiler.

Stüdyoya geçtiklerinde Ada hayatında ilk defa kendini bedensiz hissediyordu. Biraz önce serin gelen hava şimdi üstündeki ceketi çıkartacak kadar ısınmıştı. Hayatında gördüğü en güzel stüdyoya girerken, daha önce hiç hissetmediği bir rahatlık geldi haline. Duvara asılı olan enstrümanlar, ses sisteminin ortasındaki dev piyano, iç yapısı altından yapılmış muhteşem bir müzik sistemi, stüdyonun kenarındaki divan ve üzerindeki yastıkların davet eden renkleri... Cennet böyle bir yer olmalıydı. Tugay ve Şadiye kendilerini divana bırakırken Tugay evde kendisine çaldığı parçayı çalmasını istedi. Ada sırasıyla içindeki tüm müziği paylaştı onlarla. Gece, müzik yaparak ve arada kokain çekerek uzayıp devam etti. Daha önce hiç bu kadar bütün hissetmemişti Ada, artık kesinlikle yalnız değildi. Kendisine tapan Tugay vardı. Daha önce kimseye hissetmediği sıcaklığı hissettiği Şadiye vardı. O gece Şadiye'nin yeni CD'si için 3 parça kolayca çıktı. Hepsi çok mutluydu. Ada parçaların Deniz'in bestesi olduğunu belirtse de önemli değildi, Deniz de kimdi?

Tugay ve Şadiye'nin alkışlarıyla, hayran bakışlarında yeniden doğdu Ada. Alkışlara, bakışlara muhtaç olan her sanatçı gibi, yoğun ilginin keyfi içinde sanata ihanet etti. Sanata ihanet, evrene, yaradılışa ihanetti...

13. Bilge & Doğru

Sabahın 5.00'i olmuştu. Uyumadığı yatağından kızaran gözlerinden akan yaşları umursamadan kalktı Bilge. 1 saat sonra Doğru'nun servisi gelecekti. Onu giydirmeli, beslemeli ve işe gitmeliydi. Odasına girdiğinde Doğru gözlerini açtı. Sanki, akşamdan sabah kalkması gereken saati söyleyerek kurabileceğiniz bir makineydi. Bilge her zamanki özenle giydirmeye başladı Doğru'yu, arada gözlerinden istem dışı süzülen sesiz yaşları hemen eliyle silerek. En son kazağını kafasından geçirdi, üstünü düzeltiyordu ki Doğru başparmağıyla Bilge'nin o an yanağından süzülen yaşa dokundu. Göz göze geldiler. Doğru ilk kez alnını Bilge'nin alnına dayadı yavaşça... Yıllardır aynı hareket paterni içinde Doğru'yla iletişim kurmaya alışmış Bilge bir an şaşkınlıkla nefesini tuttu, alnına yaslanan alnı rahatsız etmemek için hiç kıpırdamadan yavaşça burnunu çekti ve Doğru'nun elini omzunda hissetti...

Bilge'nin içindeki yıkıma teslim olması, Doğru'ya sıkı sıkı sarılıp gözyaşlarını kayaları parçalayan okyanuslar gibi bırakması, Doğru'nun hiç kıpırdamadan, eli Bilge'nin omzunda, dünyanın en sert kayası gibi öylece dik durması... Bilge içine gömemediği acısını boşalttıkça Murat'a yapılan haksızlıkla doldu beyni. Kafasından düşünceleri uzaklaştırmak istedikçe ağrıdı yüreği. Kendi varlığını aşacağından, tüm bu yaşadıklarının, zamanı geldiğinde yapılması gerekeni yapabilmesi için evren tarafından özellikle tasarladığından habersiz, çaresizliğe gömüldü Bilge, içindeki kurtarıcı uyanana kadar.

14. Ada

Ada eve dönmek istemiyordu, anneannesine haber verirdi, Tugay'la uyanmak istiyordu ama bunun düşüncesinin bile Tugay'ı nasıl tiksindirdiğini bilemezdi. Tugay sorumluluk sahibi olmakla ilgili konuşup öperek arabaya bindirdi Ada'yı. Artık sadece reklamcı değil, müzik yapımcısı da olmuştu. Yol boyunca şarkılar söylediler. Eve geldiklerinde Ada'ya küçük bir hediye verdi Tugay açıklarken: Kokainden sonra uyuyabilmek için esrar içmesi şarttı, yoksa kokainin etkisi geçene kadar yerinde duramazdı. Sarılmış jointi heyecanla alıp çantasına koydu Ada. Arabadan inip kapıya koştu, el sallamak için döndüğünde Tugay çoktan yola koyulmuştu.

Güneşin doğmasına birkaç saat vardı ama tüm yorgunluğuna rağmen uykudan haber yoktu. Aslında kendini yorgun da hissetmiyordu. Kafasında bestelediği iki yeni parçadan sonra viyolonselini eline almamak için kendiyle savaşınca jointi içmeye karar verdi, yoksa sabahın köründe yapmaya kalkacağı müzikle anneannesi başta olmak üzere komşuları uyandırabilirdi. Jointi ve kendisine verilen iPod'i alıp indi bahçeye.

Hava soğuk olmalıydı ama üşümüyordu. Daha önce sigara içmeyi denemiş, nefret etmişti. Jointi yakarken kokusunun farklı olduğunu fark etti. İlk nefesle birlikte sanki yokmuş gibi hissettiği çevresindeki dünya geri geldi, ikinci nefesle Ada bedenine geri indi. Üçüncü nefesle tüm kaslarını hissetmeye başladı, acayip ağırlaştı. Dördüncü nefeste Göksel'i fark etti. Acaba ne kadardır o duvarın dibinde çöktüğü yerden kendisini izliyordu? Kulağındaki müziği çıkardı, bedeni iyice ağırlaşmış, hatta üşümeye başlamıştı. Eliyle Göksel'i çağırdı. Göksel, sessizce Ada'ya yaklaştı. Ada ayağa kalktığında başı dönmeye başladı. Göksel'e yaslanıp mırıldandı: "Beni yukarı çıkar... Sessiz ol!" Göksel bir hamlede kucakladı Ada'yı ve hiç zorlanmadan yukarı çıkardı.

Yatağına yatırdığında mırıldanarak sordu: "Niye?" Ada cevap vermek yerine "Bu senin" dedi masanın üstündeki CD çaları göstererek. Göksel heyecanla aldı CD çaları, Ada'ya döndü, çoktan uyumuştu. Üstünü örtüp çıktı evden. Bahçe kapısını nasıl kilitleyebileceğini çözmeye çalıştı ama sadece içerden kilitlenebiliyordu. Evin güvenliği için Ada'nın anneannesi uyanana kadar beklemeliydi. Divana oturup CD'yi dinlemeye karar verdi. Heyecan duyamayan kalbinde küçük bir kıpırtı oldu. Kulaklığı takıp müziği başlattığında kıpırtı ritme dönüştü, dehşet verici şeyler yaparken, yapılmasını izlerken hızlanmayan, tek bir adım atmayan bu kalp şimdi sanki koşuyordu.

15. Bilge & Can Manay

Sanki ölüm her yerdeydi, her an. Murat'ın yokluğu sinmişti gezegene, anlamsızlık ve umutsuzluk içinde. Kendisine anlam verecek bir görüntü, bir iz ararcasına arabasıyla güneşin ışığına muhtaç, karanlık sokaklardan geçti Bilge yavaşça. Ofise geldiğinde güneşin doğmasına daha vardı. Uyuklayan güvenlikçilerin şaşkınlığına aldırmadan girdi içeri, kendi odasına çıkıp aceleyle çalışmaya başladı. Acelesi bir şeyler yetiştirmek zorunluluğundan değil, içindeki acıyı bastırmanın tek yolunun düşünmeden çalışmak olmasındandı. Okuması gereken ders notlarını okudu, finallerden sonra vermesi gereken iki ödevi hazırlayıp şimdiden gönderdi, kliniğin arşiv listesini yeniledi, müşteri listesini güncelledi, hatta sezon sonunda yapılacak parti için geçen senedeki listelerden davetli listesini bile hazırladı ara ara gözlerinden sızan, yanaklarından süzülen yaşlara dokunmadan, kendinden kaçan herkes gibi işe sığındı Bilge.

Dosyaları bırakmak için Can Manay'ın ofisine çıktı. Asansörün aynasındaki yansıması ona Murat'ı hatırlattı, Murat'ın dokunduğu yere dokundu yanağında ve asansörden indiğinde anlamsızlık her yeri kaplamıştı yine, anlamsızlığı kovarcasına çığlık attı Bilge. Katta yankılanan çığlık neyse ki güvenliğe ulaşmadı. Şükürler olsun ki ofis bomboştu, insanların gelmesine en az 1,5 saat vardı. Derin bir nefes alıp gözlerinden akan yaşı sildi. Dikleşip elindeki ağır dosyaları düzeltti. Can Manay'ın odasına girdi, oyalanmadan masasına gitti, dosyaları Manay'ın istediği gibi ikiye ayırıp koydu ve bununu çekerek yürüdü.

Odadan çıkmasına üç adım kalmıştı ki, "Niye bağırdın?" diye soran Manay'ın sesini duydu. Bilge sıçrayan reflekslerini kontrol edemese de atmak istediği çığlığı tuttu içinde, sadece bir an dönüp sesin geldiği yöne odaklandı, yerde sırtını dolaba dayayarak kaykılmış Can Manay'ı gördü. Bu saatte burada ne işi vardı? Neyse ki bakışı dışarıdaydı, Can sakince döndü Bilge'ye, karanlığın bir parçasıymış gibi parlayan gözlerle baktı bir an konuşmadan, sonra sakince tekrar sordu: "Neye bağırdın?"

Şaşkınlığından kurtulup suratındaki yaşları sildi Bilge, Can Manay'ın fark etmemiş olduğunu umarak. Ama cevap veremedi. Sadece dümdüz gözlerle baktı ona, içindeki acıyı nasıl ifade edebilirdi ya da nasıl saklayabilirdi. İki büklüm oldu cevapsızlığının altında ezilircesine ama saygısızlık olmasın diye kaçırmadı gözlerini, Can Manay'ın kendisini serbest bırakmasını bekledi.

Can ayağa kalktı, pijamasının üstüne giydiği yağmurlukla cidden tuhaftı. Masasına yürüyüp Bilge'nin bıraktığı dosyalara baktı, üsttekileri kaldırıp altta kalanları kontrol ederken "Nedir bu?" diye mırıldandı. Can Manay niye bu kadar tuhaftı? Bilge, Can'ın neyi kastettiğini anlamaya çalışarak iki adım yaklaşıp "Efendim?" derken, Can bir anda ona döndü, Can Manay'ın bakışları onu durdurdu. Kaşları çatıldı, güçlü çenesindeki kas gerildi, dişlerini sıkmış olmalıydı, elindeki dosyayı Bilge'nin ayaklarının dibine fırlatırken "Bu!" dedi.

Bilge ürkekçe hemen eğilip dosyayı aldı, nerede hata yapmıştı? Eti'yle birlikte üzerinden geçtikleri Ahmet Bey'in dosyasıydı bu, Eti'nin analizini Can Manay'a bıraktığı dosya. Bilge sesinin titremesini kontrol altına alamadan "Eti Hanım bu dosyanın kendisini aştığını, sizin ilgilenmenizin daha doğru olduğunu" diye açıklamaya çalıştı ki Can kükredi: "Burada kararları kim veriyor!"

Can'ın sesi yükseldikçe, Bilge'nin gözleri kısıldı. Kamburu çıktı. Duru'yla yaşadıklarından, en değer verdiği varlığın ihanetinden sonra ciddiye alınmanın rahatlamasına ihtiyacı vardı Can'ın. Hele Bilge gibi kafası çalışan birinin üstünde böyle bir etki kurabilmek ona kendini olması gerektiği gibi, Can Manay gibi hissettirdi. İçindeki rahatlamayı analiz ettiği anda kendine geldi. Kendini fabrikasının ayarlarına döndürmeliydi. Karşısında iki büklüm olmuş Bilge'ye dikti gözlerini, aslında cevap falan beklediği yoktu ama öylece bekledi ürettiği gerilimde huzur bularak.

Bilge sesindeki titremeyi kontrol altına alabilmek için boğazını temizleyip nefes alarak açıkladı: "Siz veriyorsunuz, Can Bey... Kararları bir tek siz verdiğiniz için dosyayı size getirdim, ben verseydim dosyayı kendim de işleyebilirdim. Çalışma kitapçığında koyduğunuz kurallara uydum. Bana kızmak yerine kitapçığı değiştirmelisiniz."

Ukalalıktan eser yoktu açıklamasında ve verdiği cevap çok da doğruydu. Can sakince yaklaştı Bilge'ye, adım adım, her adımda Bilge'nin suratında oluşan etkiye bakarak. Tam dibinde durdu, Bilge kucağındaki dosyaya sarılırken gözleri yerdeydi, Can Manay bakışlarını kapıdan ayırmadan Bilge'nin suratına yaklaşıp "Seninle uğraşacak zamanım yok... Çık" diye mırıldandı, verdiği her nefesin Bilge'nin tenine değdiğinden emindi.

Bu yakınlıktaki tuhaflığa isim koyamadı Bilge, salak gibi kıpırdayamadı da çünkü Can Manay yine mırıldanana kadar "Çık" kelimesinin işten çık demek olup olmadığını düşünmekle meşguldü beyni! Can "Sana lavanta sevmediğimi söylemiştim" dedi, omzundan aşağı inen örgüsünün ucundaki saça parmaklarının ucuyla bir an dokunurken.

Bilge, lavanta falan sürmemişti. Elindeki dosyaya sanki bir kalkanmış gibi sarılıp hemen arkasını döndü ve hızlı ama sessiz kapıya ulaştı, kapıyı kapatmak için uzanmıştı ki Can'ın hipnotize eden sesi "Açık kalsın" dedi.

Bilge küçük adımlarla sessizce asansöre doğru yürüdü. Can Manay kapıyı kapatırken kalan bir parmak aralıktan baktı. Giydiği düz ayakkabılar, boynuna kadar iliklediği gömleği, dizlerinin altına inen eteği, sımsıkı örülmüş saçının ucundaki lastik... Asansör kapısının açılmasını bekleyen ürkek, kambur hali... O küçük poposunu saran kocaman pamuklu bir külot giydiğine emindi. İçinde, en derinde, özünde olan bir şey hissettiriyordu bu kız. Yıllar önce, karakterinin prehistorik zamanlarında var olan bir şeyi... Bir tehlike, tıkanıklık, bir ilginçlik... Aklına Duru gelir gelmez hızla kapıyı kapattı.

Bilge asansöre bindiğinde, sıkıca sarıldığı dosyaları gevşetti, ağlamayacaktı. Nesi vardı bu adamın! Onu bu hale ne getirmiş olabilirdi? Nefesini yanağında hissetmenin verdiği etkiyi düşündü, niye saçının ucuna dokunmuştu ki! Örgüsünü alıp baktı. Hiçbir şey anlamadı. Can Manay'ın içindeki öfke o kadar yoğundu ki, nükleer bir santralden sızan radyoaktif etkisinde, her nefeste bulaşıyordu etrafına. Sersemleştiren, kafa karıştıran, heyecanlandıran bir etkiyle.

∽ 5. BÖLÜM ∾

1. Göksel

Kafasına vurulana kadar dikkatin kendisine kaydığını fark etmedi Göksel, yemeğini yerken kulaklığını takmış, Ada'nın kendisine son verdiği CD'yi dinliyordu. Gece yarısına kadar süren kapışmaya ve Egemen'le olan gerginliğe rağmen müzik sayesinde huzurluydu. Ekiple birlikte, akşam boyunca göstericileri yine ara sokaklarda kovalamış, yakaladıklarını bir daha sokağa çıkmayacaklarına emin olacak şekilde tartaklamış, ortalık sakinleştikten sonra, göreve çıktıkları gecelerde evlerine dağılmadan önce uğradıkları çorbacıya gelmişlerdi. Bir zamanlar, gece yarısı eğlencesini sonlandıranların yeri olan bu çorbacı artık neredeyse sadece polislere hizmet veren bir yer olmuştu. Göksel CD çaları kapatırken Egemen, "Burada laf anlatıyoruz lan! Çıkar şunu!" dedi, birkaç saat önce olanlardan sonra hâlâ Göksel'e sinirliydi, "Hem bu tek-noloji o kadar eskidi ki, sokaktaki orospu çocukları bunu görseler seni geçmişten geldin sanırlar ha!" diye ekledi abartılı ve rahatsız edici kahkahasıyla.

Egemen, "Yarın akşam da yürüyüş varmış! Bu seferki öğrenci birliğinin çağrısı. Yaşadık ha! Bir sürü çıtır çıkacak sokağa! Yarın akşam üniversite bölgesinde toplanacağız. Geç kalmak yok. Çıtır avı bu!" dedi ve hemen dibinde oturan asına, "Bu akşamki karıyı nasıl inlettim ama! Yanındaki cılız çocuk da ibne miydi neydi, ben kıza dayayınca bakışını gördün değil mi?" dedi. Çocuk da mecburi gülümseyip lokma alırken Egemen devam etti: "Kız giy-miş daracık bir pantolon, üstünde uzun ceketi vardı ama ben kızı köşeye sürüklerken icabına baktım, ceketi kaldırıverdim, nah böyle çıktı kıçı, soktum elimi içeri, kız nasıl tepiniyor, azmış bel-li. Cılız, çelimsiz çocuk geldi yanıma sırtıma vuruyor ibne, tut-tum çocuğu kenara savururken, 'Bu orospuyu sikeyim sıra sana gelir, sıranı bekle' dedim. Kız iyice hiddetlendi, elim de durmu-yor, cılız ibne de gene saldırıya geçti ama sonra bizim Efgan koştu yardıma, önce ibneye bir çaktı, çocuğun suratından fışkıran kan nah bana kadar geldi" deyip ceketindeki kan lekesini gösterdi. Efgan'la gülüştüler. Efgan, "Copla vurdum, elimde kalacaktı siv-risinek!" diye ekledi. Egemen "Dur lan kesme, en heyecanlı ye-rine geldim... Ben kızı çevirdim, yapıştırdım bir kenara, girdim bacaklarının arasına, kaldırdım havaya, kız hafif, 16 falan daha. Başladım sürtünmeye, kız nasıl çığlık çığlığa! MOBESE'ler falan kapalı ya, apartmanın kapısı açılsa alacam karıyı içeri ama kapı açılmıyor! Kapının camını kırsam mı derken..." deyip Efgan'a döndü: "Geçen haftaki karıyı hatırlıyon mu! Aynı ordaki du-rum!" Sonra kendisine odaklanan 4 çocuğa anlatmaya devam etti: "Tam o sırada bu salak gelmez mi!" Göksel'i gösterdi. "Beni bir çekti. Abi gazeteciler geliyor diye! Ben de bıraktım kızı tabii, tabana kuvvet doğru sokağın başına ama sonra bir döneyim dedim, gazeteci falan yok. Geri döndüm hemen ama kız gitmişti. Zillere basıp apartmana girmişler." Ekmekten bir lokma ağzına tıkıp kafasını sallarken "Eminim. Çünkü apartmanın ışığı yanıyordu, şimdi bu moda ya, bizden kaçanı eve alıyorlar! Ama eve alanlara da hesabını soracağız. Suça ortaklık etmek ne demekmiş göstereceğiz! Az kaldı!" dedi ve o iğrenç anılarını anlatmaya başladı yine. Ara sokaklardaki çoluk çocukları köşeye sıkıştırma yöntemlerini, kızların popolarını sıkıp kıyafetlerinin üstünden nasıl taciz ettiğini, sokağa çıkanların başlarına gelen her şeyi göze aldıklarını, hatta bu eylemci kızların tecavüze arandıklarını, hakkın, adaletin bahane olduğunu anlatıp durdu onu dinleyen diğerleri ara ara gülerken.

Bir ara sohbet o kadar iğrençleşti ki Göksel çocukluğunu hatırladı, kulaklığı takmak zorunda kaldı. Çünkü çocukluğunda kendi başına gelenlerin şimdi oturduğu bu masada nasıl da ballandırılarak anlatıldığını duymak fazlaydı. Kulaklığı takmak zorunda kalmıştı, kendi sakinliği ve yanındakilerin iyiliği için.

2. Ada

"Telefonu sakın kapatma! Sokağa çık, evin önünde yüzünü yola dön ve gözlerini kapat" dedi Tugay. Ada elindeki telefonu sıkı sıkı tutarak heyecanla indi aşağıya, ayakkabılarını giydi, çantasını ve ceketini aldı, sokağa çıktı, "Tamam, sokaktayım" dedi. Tugay "Bekle bir dakika... Tamam, şimdi kapat gözlerini... Kapattın mı?" diye sorguladı. Ada "Evet!" dedi heyecanla. Tugay "Sakın açma, kapat, bekle öyle... Sakın açma" dedi yine. Ada gözleri kapalı öylece bekledi, Tugay'ın karşısına çıkacağını düşünerek, heyecanlı.

Önüne yanaşan aracın sesini duydu ama gözlerini açmadı çünkü Tugay hâlâ sakın açma deyip duruyordu. Aracın kapısının açılma sesini duydu, bekledi... Yanına kimse gelmeyince "Açayım mı artık?" diye sordu. Tugay "Aç" dedi.

Önünde duran son model kırmızı bir BMW ve arabanın yanında dimdik duran takım elbiseli, şapkalı bir adam, şoför...

Ada ne olduğunu anlayamadı, arabanın arka bölümüne yürüyüp arka koltukta oturan biri olup olmadığına baktı, kimse yoktu. Tugay neredeydi? Telefona "Nerdesin aşkım?" dedi. Tugay "Nasıl, beğendin mi?" diye sordu. Ama Ada emin olamadı. Tugay heyecanla "Tepki versene, arabayı beğendin mi?" diye sordu. Ada şaşkınlıkla "Evet, çok güzel de... Nasıl yani?" diyebildi. Olduğunu sandığı şeye inanamıyordu! Ona araba almış olamazdı! Tugay "Bu artık senin, şoförüyle birlikte!" dedi. Ada bir an sevinç çığlıklarıyla zıpladı, sonra heyecanını Tugay'la paylaşmak için kapıyı açıp arabaya bindi ama Tugay'ın çok işi vardı, gönderdiği kâğıtları imzalaması gerekiyordu, evraklar bir saat içinde kendisinde olmalıydı, bu kâğıtlar onun haklarını korumak içindi. Konuşacak zamanı yoktu, toplantıya girmeliydi. Araba Ada'yı Şadiye'nin evine bırakırken kâğıtları da şirkete getirecek, sonra onun yanına geri dönecekti. Ada, Şadiye'nin albümündeki son şarkıyı bugün finalize etmeliydi. Önümüzdeki hafta albümün lansmanı vardı.

Ada, Tugay'ın zamanını daha fazla almamak için onu dinleyip uslu bir kız gibi kapattı telefonu, hemen imzaladı 57 sayfalık anlaşmanın her sayfasını ve Şadiye'nin evine doğru yola koyuldu. Toplamda yaptığı 8 şarkının sonuncusunu gözden geçirecek ve akşam Tugay'ın evindeki kutlama davetine gidecekti. Çok büyük bir parti olacaktı. Ada çok mutluydu.

3. Özge

1,5 saattir oturduğu yerde hâlâ beklemedeydi. Kolhan burada beklemesini istemişti. *Darbe*'nin Londra'dan yayına başladığını, engellemeye rağmen sosyal medyada hızla yayılan son sayının skandal fotoğrafları yüzünden, insanların dergiye VPN* üzerinden bağlanmaya başladığını duymuş olmalıydı, bakanlardan birinin evli, sofu oğlunun Rus sevgilisiyle çekilmiş müstehcen fotoğraflarını görmüş olmalıydı. Dakikalar geçtikçe işin ciddiyetini daha da anlar olmuştu Özge. Bugün, bu işteki son günü olmalıydı.

Ayağa kalktı Özge, daha fazla beklemeyecekti. Sekreterin yanına gidip, aşağıda bir sürü yapması gereken işi olduğunu, derginin yeni sayısının bu gece baskıya gireceğini, Sadık Bey çıktığında gerekirse kendisini çağırmasını söylerken kapı açıldı... Sadık kapıda dikilmiş, eliyle ona gel diyordu. Ciddiydi.

Dikleşerek içeri yürüdü Özge, birazdan maruz kalacağı baskıya hazırlanarak. İçeride bir adam olduğunu görünce şaşırdı. Siyah takım elbiseli, uzun boylu, yakışıklı deneyemeyecek kadar düz kafalı, çirkin denemeyecek kadar fit duruşlu biriydi. Tanıdıktı... Özge ancak iyice yaklaştığında adamı nereden tanıdığını anladı. Muhalefet partisinin başkan yardımcısıydı. Politik pisliğin içinde temiz durmayı becerebilmiş biriydi ya da en azından iyi kamufle olmuştu, çünkü bu pisliğin içinde hayatta kalabilenlerin sadece virüsler olduğunu biliyordu Özge. Sadık onları tanıştırırken el sıkıştılar. Umut Bey, kendini tanıttıktan sonra açıkladı: "Bağlar bölgesinden üçüncü sıradan milletvekili adaylığınız açıklanacak Özge Hanım, hayırlı olsun!"

Özge ne diyeceğini bilemedi şok içinde adamla tekrar tokalaşırken. Ancak kendine gelebildiğinde içtenlikle teşekkür etti.

---

* Virtual Private Network – Sanal özel Ağ

Umut Bey, "Bana değil Murat Bey'e teşekkür etmek lazım" dedi. Özge kendisini çocuk gibi beceriksiz hissederek Sadık'a dönmüştü ki Sadık adamla tokalaşıp onu çıkışa doğru götürdü. Geride kalan Özge, ne yapması gerektiğini bilemeden öylece bekledi onlar uzaklaşırken. Etkilenmişti. Sadık'ın kendisine bu kadar sahip çıkması hayal değildi. Aylar öncesinde konuşulan bu konu sanki geçmişte kalmış bir sohbet gibiydi. Bir daha hiç açılmamış, hiçbir detay planlanmamıştı. Milletvekili çıkarma ihtimali olan siyasi partilerin hepsi aday adaylığı başvurularında bile ücret talep ediyordu. Resmi rakamlar her parti için farklıydı ama kadın ya da engelliyseniz aday adaylığınızın fiyatı daha düşüktü. İşte bu sistemdi meclise girenleri birer yolsuza dönüştüren, çünkü milletvekili olabilmek için çok daha büyük paralar verenler, adaylıklarını garantileyenler vardı, verdikleri paraları yatırım gibi görüp milletvekili oldukları andan itibaren yatırdıkları parayı, yani sermayelerini nasıl çıkaracaklarının, nasıl kâra geçeceklerinin peşine düşüyorlardı. Kâra geçenler bu fırsatlar yelpazesini keşfedip daha fazla nasıl kazanabileceklerini hesaplıyorlar ve meclisin katmanlarında adım adım yükselirken bu iğrenç sistemin koruyucusu haline geliyorlardı. Halkın sütüne konan sinekler gibiydiler, hangisinin ne sürede süte konacağı, en çok oy toplayan partinin başındaki büyük sinek tarafından karar veriliyordu, kaybeden daima halk oluyordu.

Sadık, Umut Bey'i uğurladıktan sonra geri döndü toplantı odasına, içeri girip hemen kapıyı kapattı ve güdümlenmiş adımlarla, kararlı Özge'ye yürüdü.

Sadık Murat Kolhan'ın adımları o kadar hızlı, hareketleri o kadar seriydi ki Özge, poposunu dayadığı masadan kalkıp doğruldu, her an her türlü harekete hazırlıklı... Neyse ki Sadık aynı serilikte Özge'nin hemen yanındaki sandalyeyi çekip oturdu ve kaykılıp bacak bacak üstüne attı. "E, beni akşam nereye yemeğe götüreceksin?" dedi güzel dişlerini sergileyen muhteşem bir gülümsemeyle, hemen dibinde ayakta dikilen Özge'nin tetikteki ifadesine bakıp eğlenirken.

4. Deniz

İnmek üzere olan güneşin sarılığında yeni mahsulleri kamyona yüklemeye başladıklarında jandarma geldi. Deniz yorgundu. Kimlik yoklaması yaptıklarını söylediler. Deniz'i fark edip ona kim olduğunu sordular. Deniz sakince kendini tanıtırken bölgede herkesçe tanınan Mustafa Abi, kendisinin misafiri olduğunu ekledi. Deniz'in kimliği yanında değildi ama kimlik numarası ezberindeydi. Numarayı söylerken jandarmalardan biri elindeki küçük alete girdi numarayı. Bekledi... Sonuç gelince teşekkür edip uzaklaştılar.

Acaba kimi arıyorlardı? Yükleme bittiğinde tarlanın yolunu tuttu Deniz, az da olsa işi vardı. Bir zamanlar Amerikalılara kiralanan tarlanın yanından geçerken anlatılanları hatırladı. Bu şirket daha önce ülkenin verimli arazilerinden bir kısmını 50 yıllığına, çok uygun bir fiyata kiralamış, sonra üzerinde yetiştirdikleri patateslerden önceleri hayret, sonraları dehşet verici ölçüde verim almışlardı. İlk sene topraktan normalin tam 28 katı daha fazla verim alınmış, ikinci seneyse bir mucize gibi topraktan alınan mahsul tam 42 katına çıkmıştı. Aslında ülke tarafından sevinçle karşılanabilecek bu haberi kimse ne gazetelerde okudu ne de haberlerde dinledi. Yabancı şirketin bunu bir sır olarak tutabilmek için ciddi para harcamasıysa, saf devlet otoriteleri tarafından, tarım dünyasındaki bu mucize keşfi korumak için alınan bir önlem olarak algılanmıştı belki.

Üçüncü yılda aynı toprak sadece 12 kat daha verimli çalışmış, dördüncü yıldaysa topraktan tek bir mahsul bile alınamamıştı. O bölgede yaşayan toprak sahiplerinin, topraklarının bir daha asla mahsul alınamayacak hale geldiğini anlaması 4 sene sonra olmuştu. Bölgeye yağan yağmurlar, topraktan daha fazla verim almak için yüklenen kimyasalların çevredeki diğer tarlalara yayılmasına neden olmuş ve çevre tarlalarda yetişen her türlü mahsul kışı atlatamadan heba olmuştu. Deniz olanları iyi biliyordu çünkü köylüler arasında en çok konuşulan konu buydu.

Bölge halkının toprak kanseri adını verdiği bu korkunç toprak hastalığı işte böyle girmişti ülkeye. Topraktan daha fazlasını almak için umut saçan bir süper güç ülkesinin girişimci, kalkındırıcı şirketi ve bu şirkete ülkeyi açan güya kalkındırıcı hükümet sayesinde.

Komik olan kısmıysa, yetiştirilen patatesler cips yapımında kullanılmış ve ülkenin halkına, özellikle de gençlere satılmıştı. Toprağı zehirleyip doğurganlığını yok edecek hale getiren bu kimyasalların içinde büyütülen lanetli patatesler ülkede en çok yenilen patates cipsiydi. Helikopterin tamamen gözden kaybolmasıyla Deniz'in düşünceleri de dağıldı. Az da olsa yapacak işi vardı.

5. Özge & Sadık Murat Kolhan

Çıkılan yemeğin akla mesajlar yüklemesini, ilişkiyi çıkılmaz bir yere getirmesini istemediğinden özellikle hazırlanmadı Özge. Gerçeklere odaklanmalıydı, Sadık Murat Kolhan savaştığı her şeyi temsil eden kurtarıcısıydı. Aklındaki çelişkinin kalbindeki heyecanı bastırmasını bekledi aynada kendine bakarken. İş çıkışına daha yarım saat vardı. İş çıkışı Sadık'ı alacak ve kendini en rahat hissettiği yere yemeğe götürecekti onu. İyi vakit geçirip geçirmediğini önemsemeyecekti, ona borçlu değildi ki! Onunla karşı karşıya oturacağı o masa bir arenaydı ve rakibi bu kadar etkileyici olan bir savaşçı mutlaka kendi arenasında olmak zorundaydı. Kaybedilen her savaşın kaynağıydı çekilen yabancılık. Yabancı hissetmeyeceği bir yer seçmeliydi! Suratını yıkadı Özge, saçlarını ıslatıp geriye attı. Yanında hiçbir malzeme olmadığından, eline aldığı sıvı sabunu azıcık ıslatarak geriye doğru taradı saçlarını. Sabun kuruyunca jöle gibi sertleşecekti... Odasına gidip mesai bitiminde onu aramaya karar verdi.

Mesai bitimine beş dakika kala ofis telefonu çaldı. Ahizeyi kaldırdığında Sadık Kolhan'ın sesi uyandırıcıydı. "Hazır mısın?" diyordu hissedilen bir gülümsemeyle. Özge cevap verdi: "Her zaman." Kısa bir sessizlikten sonra Özge devam etti: "6.00'da kapının önünde buluşalım... İsterseniz odanızdan da alabilirim sizi, ne de olsa benim davetlimsiniz."

Sadık'ın nefesini duydu önce, sonra sakin sesini: "Beni almanı çok isterim."

Söylediği her kelimeye anlam yüklercesine konuşmuştu Sadık, Özge izin veremezdi buna, bu tuhaf enerjiyi hafifletmek istedi ama cevap vermek için de çok geçti çünkü saniyeler geçmişti, sesindeki resmiyeti bir ton daha artırarak "Görüşmek üzere" dedi ve Sadık'ın kapatmasını beklemeden kapattı telefonu. Sadık'ın tek bir kelime daha etmesine izin veremezdi. Bu geceyi atlatmalıydı. Bu adamın etkisinden sıyrılmalı ve onu asla kendine yaklaştırmamalıydı.

Kapıya doğru giderken ceketini unuttuğunu fark edip geri döndü. Sonra telefonunu unuttuğunu fark etti. Sonra bilgisayarını kapatmadığını hatırladı. Onun katına çıktığında Sadık asansörün önündeki bekleme koltuğunda oturmuş onu bekliyordu.

Bacak bacak üstüne atmış, oturduğu koltukta Özge'nin asansörden inişini izledi, düz erkeksi ayakkabıları, yakaları hafif kalkık, kolları kıvrılmış beyaz gömleği, parmağına asarak omzunda taşıdığı ceketi, geriye taranarak yüzünü iyice ortaya çıkaran kısa saçları, metrelerce uzaktan bile parlayan yeşil gözleri ve o umursamaz, kuru denemeyecek kadar pembe, sempatik denemeyecek kadar keskin gülümsemesi... Başka hiçbir kadında olmayan bu hali. Ayağa kalktı, ellerini cebine sokup yanına gelmesini bekledi. Özge yanına geldiğinde onu yanağından öpecekti ama Özge durdu, mesafeyi korudu, "Hazırsınız" dedi ve asansöre geri döndü.

Sadık bu hareketi beklemiyordu, bir an durakladı ama sonra hemen "Özge Hanım" dedi diğer taraftaki asansöre ilerlerken. Arka sokağa inen, Sadık'ın özel asansörüne geçtiler. Sadık parmak izini okutup -1'e basarken Özge 0'a bastı, "Araca gerek yok. Yemeğe ben götüreceğim sizi" dedi. Aşağıya inerlerken Sadık Özge'ye, Özge'yse camdan dışarı bakıyordu. Hatta bir ara tamamen Sadık'a arkasını döndü. Yere indiklerinde omzunda ceketi, hızla yürüdü Sadık'ın onu takip edeceğinden emin. Açılan duvarlardan geçtiklerinde durmadı Özge, Sadık'ın suratına dahi bakmadan onu bilgilendirirken "Buradan" diyerek yürümeye devam etti.

Şehrin her tarafında yürüyebilecek kadar güvende hissetmiyordu Sadık ama bunu nasıl açıklayabilirdi ki diye düşünürken Özge, Sadık'ın yüzüne sadece kısa bir an bakıp kafasını yürüdüğü yola çevirdi ve "Merak etme, benim yanımda güvendesin" dedi. Sadık gülümsedi, çünkü tam da böyle hissediyordu. Tehlikeye en yakın olduğun yerde güvende hissetmek ne tuhaftı.

Sokaklarda yürüyüp gökdelenlerle doldurulmuş bölgeyi geçtiler, gökdelenlerin arasında küçücük bahçesinde ineklerin, köpeklerin ve tavukların olduğu tuhaf evin önüne geldiler, yürümeye devam ederken Özge, "Bu evi çok seviyorum" dedi. Sadık,

"Neden?" diye sordu. Özge, "Burada arazi artık çok kıymetli ama Emine Teyze inadına satmıyor" dedi. Sadık, "Tanır mısın Emine Teyze'yi?" diye sordu. Özge, "İradesine hayranlık duyduğum herkesi tanırım" diye cevap verdi.

Yürüyerek metroya ulaştılar, açılış törenine katıldığı o ilk günden beri ilk defa metroya bindi Sadık Murat Kolhan, her istediğine sahip olmanın verdiği büyüklükten kurtulmuş gibiydi, sanki ilk defa metroya sığabilmişti. Metro tünellerde giderken Özge sokak artistleri tarafından tünellerin duvarlarına yapılan resimlerin, trenin hızıyla sanki akan bir film gibi etki yaptığını gösterdi Sadık'a. İlk filmi fark edemeden kaçırmıştı Sadık ama ikinci filmi yakaladı: Şehrin altındaki küçük bir tohumun çatlayıp, filize, fidana ve sonra da dev kökleri olan kocaman bir ağaca dönüşmesini ve büyüdükçe genişleyerek hapishaneye benzeyen tüm binaları yıkmasını anlatıyordu çizim. Sonunda da bir yazı vardı Sadık'ın tamamını okuyamayıp ne olduğunu sorduğu ve Özge'nin ezbere bildiği: "Çatlama cesareti gösteren tohumlar adına!"

Metrodan inip yürüyerek geceye çıktılar. Hava iyice kararmıştı. Özge ceketini giymeden bir an duraklayıp "Üşürsen sana veririm" dedi bir şövalye edasında ama Sadık hemen karşıladı: "Üşüyeceğim en son yerdeyim." Üstündeki ceketi çıkarıp omzuna astı. Özge, kendisine akan enerjiyi kesmek için hemen önüne döndü, ciddiliği belli olsun diye kaşlarını çattı ve yürürken "Az kaldı... Sahile indik mi geldik" dedi.

Caddeyi geçip yokuş aşağı inen parka daldılar, Sadık Özge'ye yaklaştıkça Özge hızlandı, Özge hızlandıkça Sadık ona yetişti, Sadık ona yetiştikçe Özge daha da hızlandı... Sahile indiklerinde sanki yarışır gibiydiler. Komikti. Özge Sadık'ın onu havada karada geçeceğini anlamış olarak durdu nefes nefese. Sadık gülümseyerek kafasını hayır anlamında salladı, kendisinin yarışılarak geçilmez olduğunu biliyordu. Özge nefes alırken elini beline koydu, sonra ilerideki kestaneciyi göstererek, "Bana kestane alır mısın?" dedi. Sadık Özge'nin kendisinden böyle bir şey isteyecek samimiyete gelmesine bir an şaşırsa da hemen kafasını evet anlamında sallayıp sanki biraz önce koşan kendisi değilmiş gibi dik, sakin adımlarla kestaneciye doğru yürüdü ve yürürken ancak anladı!

Özge depar almıştı, koşuyordu çünkü aradaki enerjiyi silmenin tek yolu sanki rekabetti. Elinde olsa bugünü hemen geçirebilseydi, geçmişe gömebilseydi. Bu adamın yanında kendini borçlu hisset-mek eziyetti. İçinde uyanan ilginin davranışına, bakışına, gülüşü-ne yansımasını engellemek giderek ağırlaşacaktı. Kendine hatır-lattı, bu adama asla teslim olmayacaktı! Ona hiçbir borcu yoktu!

Özge çok önden başlamış olsa da neredeyse aynı anda vardılar Çavuşun Yeri'ne, kapıya ilk değen Özge oldu. Kapının tokmağını tutup nefes almak için pervaza dayandı ve pervazın diğer köşesin-de soluklanan Sadık'a bakıp güldü "Kaybettin" derken. Sadık da güldü, "Hilecisin" diye karşılık verirken. Özge, "Ben sadece du-rumu eşitledim!" dedi. Sadık bedenini tamamen Özge'ye çevir-diğinde gülmesi geçmiş, yerine sakin, anlamlı bir ifade gelmişti. İfadenin nasıl da kendisine odaklandığını gördü Özge... Görmeye dayanamayacağı bir ifadeydi bu! Kapıyı açıp şehrin en salaş ci-ğercisine girdi hemen bu umut dolu ifadeden kaçarcasına. Sadık Murat Kolhan'a hayatının şokunu ve aralarındaki farkın büyüklü-ğünü yaşatacağından emindi.

Hayırlı işler dileyip en dipteki masaya ilerlerken Sadık'a "Ben ısmarlıyorum ve param ancak buraya yetiyor!" dedi ama döndü-ğünde Sadık yanında değildi... Birbirlerini uzun süredir görmeyen iki dost gibi restoranın sahibi yaşlı Çavuş Amca'yla sarılıyorlardı.

Özge izlediği şeydeki gerçekliğe inanamadan oturdu yerine. Burada olmaktan nefret edeceğini sanmıştı Sadık'ın ama adam sevinçle karşılanıyor, sevgiyle etrafındakilere selam veriyordu şimdi, mutlu görünüyordu. Kendine hatırlattı Özge, kanallardan insanlara her an yalan söyleyen, gücün yanında olmak için her şeyi feda eden biriydi o! Zaten Çavuş Amca gibi badireler atlatmış, iyi bir adamı sarılacak kadar tanıyıp, buradaki özel yemekleri yemiş olup da bunca zenginliğine rağmen yardım bile etmemiş olması onun gerçeğini ortaya koyuyordu. Bu sempatik tavırlarıyla halkın adamıymış gibi kimi kandırıyordu! Şaşkınlıktan bir an sarkan omuzlarını hemen dikleştirdi Özge, yerine otururken aklını topladı. Yemek yiyecek, hesabı ödeyecek ve sonra oyalanmadan evine gidecekti.

Sadık yanında Çavuş Amca'yla geldi masaya. Özge'nin suratındaki bozulma o kadar belliydi ki Çavuş Amca "Kızım, iyi misin?" diye sorunca Özge, "Karnım çok aç" diye açıkladı. Masayı donatmak üzere Çavuş Amca mutfağa çekildiğinde Sadık, "N'oldu, moralin bozuk görünüyor Özge Hanım?" diye sorguladı keyifle yerine otururken. Özge umursamaz, kaşlarını kaldırıp "Söyledim ya, karnım acıktı" dedi. Sadık biliyordu Özge'nin neye bozulduğunu, anlayabiliyordu onu. Kendisinin yıllar önce geçtiği yerlerden Özge şimdi geçiyor ve geçilen bu yerleri sahipleniyordu. Sadık ekmeği bölüp önüne konulan mezelerden lokma alırken, "Bayılırım ciğere! Buradan iyisi yoktur" dedi. Özge şimdi daha da ciddileşmişti, kollarını önünde bağlamış, dümdüz bakıyordu Sadık'a, yüzündeki küçümseme ve rahatlama belirgindi. Sadık geriye yaslanıp lokmasını çiğnedi gram rahatsız olmadan, tam tersi keyiflenerek. "25 yıldır tanırım Çavuş Abi'yi. O zamanlar küçük bir el arabasında yapardı ciğeri" dedi, sustu. Durumu kurcalamak eğlenceliydi. Özge'nin konuşmak istediğini biliyordu. Bekledi. "Hani çok acıkmıştın Özge Hanım?" dedi masanın üzerindeki mezeleri işaret ederek. Özge hiddetini gülümsemeyle kamufle etmeye çalıştığı bir sesle "Madem 25 yıldır tanıyorsunuz, hem de çok seviyorsunuz, biraz yardım etseydiniz Çavuş Amca'ya, sevaba girerdiniz Sadık Bey" dedi. Burayı bilmemesine, hatta aşağılayıp yabancılık çekmesine katlanabilirdi, hatta öyle olsa hoşuna bile giderdi ama burayı bilen, bu lezzeti anlayan birinin umursamazlığı tiksindiriciydi. Katılmayacaktı bu oyuna, gerekirse kavga çıkartacak ve kalkıp gidecekti.

Sadık yok olmak istiyordu. Özge'nin adaletinde kaybolmak, onun iyiliğinde yeniden doğmak, onun geldiği kaynaktan gelmek, aktığı yere akmak, çatlama cesareti gösterebilmiş olmak... Omuzları düştü, Özge'nin kendisine hesap soran hesapsız suratına, parlayan yeşil gözlerine yaklaştı, fısıltıyla anlattı: "Çavuş Amca'ya yardım ettim, burayı önünde valesi bulunan bir restoran zincirine dönüştürmesini engelleyerek yardım ettim ona! Değer verdiğin bir şeyi yok etmek istiyorsan, yaratılan bu atmosferi kirletmek, bu lezzeti bozmak, o zaman parayla zehirlersin. Bense satın aldım ve hayatta kalmasını, aynen böyle var olabilmesini, kendisini koruyabilmesini sağladım. Şu an benim restoranımda yemek yiyorsun Özge Hanım" dedi. Geriye çekilip bardaklara su koyarken, "Her şeyi bildiğini sanmayı anlarım, toyluktur ama her şeyi anladığını sanmak! Bunu anlayamam çünkü salaklıktır!" dedi ve sustu, dümdüz Özge'nin bir nefes uzaklığındaki gözlerine baktı. Birlikte olduğu yüzlerce muhteşem güzellikteki kadından sonra öğrendiği bir şey vardı, bir kadının nasıl göründüğü değil nasıl hissettirdiğiydi erkeği esir alan. Bu kız, kendisini esir alabilecek ilk kadındı. Suyu kaldırıp Özge'ye küçük bir selam verip içti.

Özge söylenenleri hazmetmek için bir an bekledi, salak gibi hissediyordu, onca yer arasında burayı seçmiş olması büyük hataydı. "Restoranınla biraz ilgilensen fena olmaz. Tuvaletlerin durumu fena" deyip ekmekten bir lokma koparıp ağzına attı, hissettiği bu yakınlığı kavgaya dönüştürmenin fikrinde geziniyordu düşünceleri.

Yemekler gelince ekmeği elleriyle koparıp ortadaki tabaklardan yemeye başladılar. Sadık soru sorana kadar konuşmadılar. Sadık, "İnsan kendi için doğmaz mı? Kendi için yaşaması gerekmez mi? Niye bu feda ediş, nereden geliyor bu Don Kişotluk? Kendi hayatını yaşamak, mutlu olmak yerine, neden bunca sıkıntının içine atmak istiyorsun kendini?" demişti.

Özge düşündü... Bu gece bir sürü şeyden konuşabileceklerini hesaplamıştı ama Kolhan'ın kendisini buradan yakalamak isteyeceğini hesaplayamamıştı. Cevaplamaya hazır olmadığın soruya soruyla cevap vermek en iyi cevaptı: "İnsan insan olmak için doğmaz mı? Korkmadan doğru olduğuna inandığı şeyi yapması gerekmez mi? Bunca sıkıntı varken, kendi hayatını yaşayabileceğin, etrafında olan bunca adaletsizliğe rağmen mutlu olabileceğin yalanını nasıl söyleyebiliyorsun kendine?"

Sadık suratına oturan gülümsemeyi engelleyemedi. Kızın inatçılığı bile sevimliydi. Kimseyi etrafında dolandırmayan küçük bir kale gibiydi. İçeri girmek istiyorsanız doğru kapıya gidip niyetinizi söylemek zorundaydınız. Sadık kapıyı çalarcasına konuya girdi: "Niye kadınlarla birlikte oluyorsun?"

Özge gülümsedi, Sadık'ın bunu bildiğine şaşırmadı, hatta bilmese şaşardı. Ağzındaki lokmayı yuttuktan sonra cevapladı: "Peki ya sen?"

Sadık bir kahkaha patlattı: "Nedeni çok ortada değil mi?"

Özge, "Ben de sana aynı şeyi söyleyebilirim" diye çıkıştı diğer lokmayı alırken. Sadık, "Anlat! Bilmek istiyorum" dedi. Özge, "Neden?" diye sordu. Sadık, "Çünkü ilgimi çekiyorsun" diye cevap verdi. Özge, "Nedeni çok ortada: Hormonlarımla savaşacak kadar evrimleşmedim henüz" diye açıkladı. Sadık, "Ama lezbiyen değilsin" diye çıkıştı. Özge, "Nereden biliyorsun?" diye kurcaladı. Sadık, "Hakkında her şeyi bildiğimi biliyorsun" dedi. Özge meydan okurcasına kaşlarını kaldırıp bekleyince Sadık öne eğilip, "Bir lezbiyen senin seyrettiğin pornoları seyretmez" diye fısıldadı. Özge sudan bir yudum almadan önce "Vauv!" diye tepki verdi, sonra "Bu kadar açık olduğuna sevindim, bu gece uyumak yok! Eve gidince kameraları nereye koyduğunuzu bulacağım" diye tepki verdi hiç gülmeden. Sadık, "Kamera falan yok, çok önce bir kez internet trafiğini çıkarmıştı bizim çocuklar, oradan fark ettim" dedi. Özge "Fark ettin! Siteye girip filmi izleme zahmeti mi fark etmek! Senin ciddi sorunların var Sadık Murat Kolhan" dedi. Sadık sadece gülümsedi, geriye yaslandı ve birkaç saniye sonra "Biliyorum" dedi ve sustu. Özge'yle birbirlerine baktılar, ta ki Özge konuşana kadar.

Özge ekonomi toplantısında konuşan biri gibi düz, ifadesiz, "Seninle flört etmek istemiyorum" dedi ve işaretparmağıyla bir onu bir kendisini göstererek "Bu... bu bende çalışmaz. Seni temin ederim, diğer kadınlarla yaşadığın şeyleri bende bulmazsın!" dediğinde Sadık mırıldandı: "Ona eminim."

Özge sustu, ellerini yine önünde bağladı, dikkatle baktı Sadık'a "Niye?" diye hesap sordu, sinirlenmek istiyordu. Sadık, "Ne niye?" diye sorguladı. Özge kaşlarını çatıp öne eğilerek, "Tüm bu çaban! Zaten her şeye sahipsin" dedi.

Sadık, "Her şey çok değersiz" diye cevap verdi. Özge, "Bir şey neden değerlidir? Sen ona değer verdiğin için. Sahip olduğun her şeyi değersizleştiren sensin!" dedi meydan okurcasına.

Sadık, "Bu kadar basit değil" dedi gözlerini ondan ayırmadan. Özge, "Söylediğim şey zaten basit değil. Anlayabilmen bile mucize olurdu" diye iğneledi. Sadık öne eğilip sessizce sordu:

"Bilmek istiyorum... Neden kadınlarla birlikte oluyorsun?" Özge öne eğildi, önce onun gözlerine baktı ve sonra kulağına yaklaşıp, "Senin gibi erkekler yüzünden" dedi fısıldayarak, sonra hafifçe geri çekildi.

Sadık, "Bu doğru değil, bunu sen de biliyorsun" dedi etkilenmişti ama kendinden de çok emindi. Özge, "Sen bir koleksiyoncusun, bense bir deneyimci. Sen biriktirir değersizleştirirsin, ben yaşayarak hakkını veririm. Sen tüketirsin, ben yüceltirim" dedi.

Sadık mırıldandı: "Sanki sana uzanıp dokunsam yok olacaksın." Özge, "Hayır... Değersizleşeceğim sadece" dedi, sonra derin bir nefes alıp geriye yaslanırken gülerek, "Ayrıca seni çekici bile bulmuyorum" diye itiraz etti.

Sadık, "Bunun doğru olmadığını sen de biliyorsun" dedi yine hiç kıpırdamadan, gayet ciddiydi. Özge gülmek istedi ama gülemedi, gülmesinin sahteliği Sadık'ın kendine dikilen gözlerinin şiddetiyle kesildi.

Zenginlikten gelip tanık olduğu yoklukla adalet savaşçısına dönen Özge ve yokluktan gelip tanık olduğu zenginlikle köleliğe hizmet eden Sadık, zıtlıkların dünyasında birbirlerinin gözlerinin içine baktılar evrendeki dengeyi onaylarcasına.

6. Ada

Gözlerini aralamak için bile beynine yalvarması gerekti. Niye sarsılıyordu? Kafasını kaldırmaya çalıştı ama imkânsızdı, beyni zonkluyordu. Derin bir nefes alıp kaşlarını kaldırarak gözlerini açılmaları için zorladı. Uğultu şeklinde gelen sesler ve bu sallantının ne olduğunu anlamalıydı. Zorlanarak dirseklerinin üzerine kaldırdı bedenini, çıplak vücudu örtüsüz üşümüştü. Tüyleri diken dikendi, üzerinde bir tek sutyeni vardı. Yatağın diğer tarafında

Tugay'ı gördü. Yatağa yatırdığı şu manken kızın üstündeydi. Dün akşamki grup seksten sonra bu görüntüyü normal karşılaması gerekirdi belki ama iğrenç hissetti. Zorlanarak da olsa hemen kalktı. Banyoya girdiğinde tuvalete oturup işedi, su içmeliydi, sonra suratını yıkamadan önce köşedeki tepsinin üzerinde hazırlanmış kokainden iki sıra çekti. Bankodan destek alıp bedeninin kimyasının değişmesini bekledi. Kafasını kaldırdığında aynadaki yansımasıyla yüz yüze geldi... Ne kadar da zayıflamıştı. Hoşuna gitti. Hafiflediğini düşündü, her çektiği sırayla bir adım daha kendine ihanet ettiğini düşünmeden. Suratını yıkadı. Yere düşmüş havluyu alıp kurulandı. Tugay'ın kocaman bornozunu giyip banyodan çıktı. Bu manken kızın yanında pek de güzel sayılmazdı ama olsun, onda kimsede olmayan bir şey vardı: müzik. Yatak odasına geçtiğinde hâlâ sevişiyorlardı, tiksintisinin kızgınlığa dönüştüğünü hissederken salona gitti. Dün akşamki partiden sonra Tugay ondan bunu hediye olarak istemişti ama gece boyunca Ada sanki sadece bir izleyiciydi. Onlara katılmaya çalışsa da Tugay'ın ilgisi daha çok o kaltak mankendeydi. Salondaki deri koltuğa oturdu sakinleşmek istiyordu, yoksa... Yoksa ne yapabilirdi ki? Sakinleşmeyip ne yapacaktı! Tugay'ı tam bulmuşken kaybedemezdi! Kalktı, çok huzursuzdu, balkona çıktı. Manzarada kendine gelmeye çalıştı. Burası onun eviydi! İçeri gitmeli, erkeğinin ilgisini o manken kızdan alabilmeliydi! Yatak odasına gitmek için cesaretini toplarken yüzünü salona döndü, piyanoyu gördü. Bornozunu kavrayan elleri gevşedi, salona geçti, piyanoya gitti, pufa oturdu ve birkaç notaya bastı, içerden gelen inleme sesleri artmıştı ve Ada Rachmaninov'un 2 No.lu konçertosunu C minörde* çalmaya başladı. Elleri, sanki düşünce hızında piyanonun tuşlarında gezerken bakışını bir saniye yatak odasının kapısından ayırmadan çaldı, içindeki tüm ilhamı,

---

* Concerto para Piano e Orquestra #2, em Dó Menor, Opus 18 – Moderato

sahip olduğu yeteneğin her damlasını vermeye hazırdı: Yeter ki o, kızı bırakıp odadan çıksın!

Tugay odadan çıktı. Ada hemen bakışını piyanoya indirdi. Onun kendisini izlemesine izin verdi. Tugay çıplak, yaşadığı boşalmadan doymuş, yorgun, piyanonun başında Ada'yı izledi. Muhteşemdi. Ada kafasını kaldırıp gülümseyerek baktı ona, müziğin onu baştan çıkarmasında rahatlayarak ve onun anlayabileceği şekilde mırıldandı: "Kızı gönder."

Kızın evden gitmesi 10 dakika sürdü, Ada sığındığı müzikle sanki o 10 dakikada büyüdü, gelişti... Müziği kullanmayı öğrendi. Bu geceden sonra artık tamamen değişmişti. Muhteşem hissetti en sonunda kendisini tercih eden bir erkeğe sahip olduğu için.

7. Göksel

Daha önceki mahalle grupları gibi değildi öğrenciler, onları dağıtmak zordu. Sloganlar atıp yürüyorlar, şiddet gördükleri yerde de karşılık vermiyor, kaçıyorlardı. Tek problem hemen dağılmalarına rağmen hemen yeniden toplanıyor olmalarıydı. Direniyor ama çatışmıyorlardı.

Sokağa vardıklarında MOBESE kameraları kapanmış mı diye merkezi arayıp teyit aldı Egemen. Kapanmıştı, her şey yolundaydı. Kalabalık toplanana kadar beklemede kalmaları, sonra kalabalığı ara sokaklara doğru sürüp bölmeleri planlanmıştı her zamanki gibi. TOMA'ları görünce işe koyulacaklardı.

TOMA'lar gelene kadar ikiye bölünüp üç kişilik iki grup halinde, avare avare sokakları dolandılar. Egemen, Çocuk Esirgeme Kurumu'ndan iki genci yanına alırken Göksel de Efgan'ın grubunda kaldı. Kulaklığını taktığı sürece nerede olduğu fark etmezdi, nerede olursa olsun müzikle daima kendi dünyasındaydı. TO-

MA'ların yola çıktığı haberini alınca meydanda buluştular. Sonra av başladı.

Kalabalığın arasına sivil olarak girenler işaretle birlikte, kalabalığı bölecek şekilde sis bombalarını ateşleyip yere bıraktılar. Çıkan dumanı zehirli gaz sanan öğrenciler bir anda kaçışmaya başladılar. Kaçışmalar aynı yöne olunca, kitleyi bölmek için kurşun mermiler sıkıldı aradaki beyaz gömleklilerden ve öğrenciler sokaklara daldı... Anacaddelere bağlanan sokak çıkışlarında bekleyen polisler, peşlerinde de beyaz gömlekliler.

Gençler her şeye rağmen yine toplanıp sloganlar atarak yürüyor, şehrin bir ucundan başladıkları yürüyüşe şehrin merkezindeki meydana varmak için devam ediyorlardı. Ellerindeki tek güç kalplerindeki adalet duygusu, akıllarındaki tek ölçü haktı. Tarihin sokaklarda yazıldığını, kitaplarda değiştirildiğini, okullarda unutulduğunu bilmeden, önemsemeden, hiç ilgilenmeden amirini izledi Göksel. Ara sokaklarda gece boyunca gezindiler, gördükleri küçük grupları tartaklayıp, büyük grupların arasına sızıp vandalizmin doruklarına çıktılar, kendilerini engellemeye kalkanlara saldırdılar, Egemen'in elindeki listedeki, sokaktakilere yardım eden mağazaların camlarını kırıp yağmaladılar. Kulaklığından ruhuna akan müzik anlamsızlığın iyice altını çizerken otomatik pilotta, minimum çabada kendinden bekleneni yaptı Göksel. Yakaladıkları çocukları artık gözaltına falan da almıyorlardı. "Öldürmeyin, kırın" demişti başkan.

Egemen Amir, kulaklığı çıkarmasını emredene kadar her şey yolunda sayılırdı. Göksel tereddüt edince, kulaklığı çekip kendisi çıkarmış, sonra da yanına almıştı. Müziği kesilince hayatın tüm çirkinliği bindi Göksel'in aklına.

Bir grubun peşinden koşarak daldılar sokağa, anacaddeye bağlanan sokakta köşeye sıkışmış üç genci fark ettiler. Çocuklar anacaddede toplanmış TOMA'lardan nasıl sıyrılacaklarını hesaplıyorlardı. Egemen çocuklara doğru giderken beline bağladığı ince halatı çözdü. Elindeki halatı havadan indirip asfalta vurduğunda, etraftaki gürültüye rağmen bir şaklama duyuldu. Şaklamanın sesiyle arkalarına dönen çocuklar Egemen'in kendilerine doğru geldiğini ve elindeki halatı bir kırbaç gibi yere vurduğunu görüp irkildiler ama kaçamadılar, sokağın ilerisinde ellerindeki gaz fitillerini insanların başına, gözüne isabet ettirerek ateşleyen çevik kuvvet ekibiyle elindeki halatı kırbaç gibi kullanan Egemen'in arasında kalmışlardı, bir seçim yaptılar ve elleriyle başlarını koruyarak Egemen'den sıyrılma umuduyla ona doğru koştular. Yanından geçen ilk çocuğu yakaladı Egemen ama çocuk sıyrılmayı başardı, sonraki çocuk da arada kaynayıp kaçtı ama üçüncüye indirdi halatı, kafasını koruyan çocuğun elinin üstüde halatın darbesiyle yara açıldı. Ama Egemen durmadı, halatı bir daha indirdi, sonra tekmeyle kendi terapisine devam etti. Hayatı boyunca yaşadığı tüm adaletsizliğin hıncını alırcasına tekme tokat girdi çocuğa. Bir tek acımasızlığın fakirliği yenebileceğini öğretmişti ona yaşadıkları, pazarlarda sebze satan babasının nasıl da horlandığını izleyerek büyümüştü, okulun önünde simit sattığı yıllarda okula giden kendi yaşıtlarının dalga geçmesiyle yaralanmıştı çocuk ruhu, gerçi birkaç tanesini fena dövmüştü yakaladığında ama çocukların anne ve babaları yüzünden simit satamaz olmuştu artık. Eğitimsiz, sevgisiz, sahipsiz bir çocuğun yaşayabileceği her tacizi görmüştü Egemen. Tacizle büyümüş, tacizciye dönüşmüştü. Asla ait hissetmemişti güya koruması için kendisine emanet edilen bu halka kendini. Hesap sormak istiyordu! Niye sahip çıkılmadığının, hor görüldüğünün, aşağılandığının, sevilmediğinin hesabını! Kendisinden alınan hakların hesabını! Hesap sormaya yeminli, hevesli herkes gibi, sonunda hesabını sorduğu şeye dönüşmüştü.

Halatı bir daha indirebilmek için iki adım geri çekilmişti ki kolu takıldı, döndüğünde Göksel'in kolunu tuttuğunu gördü. Göksel, "Abi şuradalar!" diye heyecanla yolun diğer ucunu gösteriyordu. Yolun diğer ucunda kimse yoktu ama diğer tarafa koşmaya başlayan Göksel'in "Kaçıyorlar. Çabuk!" diye bağırması onu ikna etti, yerdeki yaralı çocuğu bırakıp Göksel'in peşinden gitti.

Belki köyünden hiç çıkmasa, yokluk yüzünden şehre gelmek zorunda bırakılmasa her şey çok farklı olabilirdi, bu kadar nefret dolmazdı içi. Gözlerini kapadığında, yazın sürüleri çıkardığı yaylaları düşünür olmuştu. Önce hayvancılığa yüklenen vergiyle sürüler gitmiş, sonra açlık gelmişti. Çare bulacağını sandığı o çocuk aklıyla ne kadar da zavallıydı; o zamanki zavallılığı, acizliği ne zaman aklına gelse öfke patlamaları yaşardı. Bu yüzden karısından bile ayrılmak zorunda kalmıştı. Eşitsizliğin nefretini bir kez almıştı içine, artık nefretin sapkınlığında nefes alan birine dönüşmüştü.

Tam sokaktan çıkacaktı ki çöp bidonlarının konması için bırakılan girintide bir şey gördü. Bir kız konteynırın arkasına saklanmıştı. Biraz önce dövdüğü oğlanın kız arkadaşı olmalıydı. Hiddetle çekti konteynırı, kızı tek hamlede yakaladı. Önce sert bir tokat attı, sonra kendine çekti.

Egemen'in kendisini takip etmediğini anlayıp hemen sokağa geri döndü Göksel. Sokak ilk başta boştu ama çöp bidonlarının yanından gelen çığlık Göksel'i uyardı. Sese doğru ilerleyince Egemen'in bir kızı dövdüğünü gördü. Gece boyunca koşmaktan yorulmuştu, peki bu adam ne zaman yorulacaktı! İyice yaklaştığında Egemen kıza sürtünüp "Orospu! Bunu mu istiyorsun ha!" dedi ve kızı tokatlayıp sersemlettikten sonra üzerindeki ceketi açmaya çalıştı. Boğuşmaya çalışan kızın çantası düştü, içindekiler yere saçıldı. Göksel Egemen'i kolundan tutup çekti ama Egemen kolunu kurtarıp kendisini çekenin Göksel olduğunu görünce sokağın başını tut diye emir verdi. Göksel durumun parçası olmak istemeyeceği, sonrasında başını ciddi derde sokacağını bildiği bir şeye doğru gittiğini görebiliyordu. Egemen kızı çekiştirirken kızın boynunda asılı olan bir şey fırladı, Göksel'e çarptı ve yere düştü. Kızın kulaklığıydı. Eğilip aldı kulaklığı Göksel, kablonun diğer ucu kızın bedenine uzanıyordu, müzik çalar ceketinin cebinde olmalıydı. Kızın çığlığı kesilince Göksel ona baktı, Egemen paltonun bir kolunu çıkarmayı başarmış, bir eliyle kızın ağzını tıkarken diğer elini kızın bluzundan içeri sokmuş, göğsünü avuçluyordu. Göksel kulaklığı kulağına götürdü, dünyası değişti.

Müziğe ne kadar maruz kaldığını bilmiyordu ama Egemen'in boynunu kırması 6 saniye sürmüştü.

Müziği otomatik olarak kulağına götürmüş, çalan parçanın ne olduğunu anlamak istemişti. Müzik içine işlerken kıza bakmıştı, kendisi gibi müzikle var olabilen birini görmüştü. Egemen'in ellerinden kurtulmaya çalışan, bedeninde hayat sanki yokmuşçasına vücudu yağmalanan bu kız, kendisi gibi hayatı anlamlandırmaya çalışan biriydi. Çocuklukta kendisine yapıldığı gibi yağmalanıyordu bu kız da şimdi. Müziği anlayabilen kimsenin yağmalanmasına izin veremezdi! Kulaklığı bıraktı önce, sonra Egemen'i saçlarından tutup kızdan ayırdı. Ne olduğunu anlamaya çalışan Egemen'in itirazları küfürlerine karıştı. Diziyle Egemen'in hayalarına ilk darbeyi indirdi Göksel kendisine savurduğu yumruktan çekilirken. İki büklüm olan bedenin yanına geçip aşağı eğilen boynunu tuttu ve çevirip kırdı. Egemen'in bedeni yere düşerken yanlarında olanları izleyen kızın donmuş, şokta, kilit hali hep aklında kalacaktı.

Sakince eğilip kızın çantasını topladı, kulaklığı da alıp çantayla birlikte kıza uzattı. Boğuşmadan yüzü çizikler içinde, üstü başı yırtılmış, yanağı şimdiden ciddi morarmış kızla göz göze geldiler. Kızın dudakları titredi... Konuşamadı. Kekeledi, kelimeler çıkmadı. Göksel uzattığı çanta ve kulaklığı kızın eline tutuşturdu. Kız eşyalarını alırken konuşmaya çalıştı yine ama tek kelime edemedi. Göksel eğilip Egemen'den kendi kulaklığını aldı ve oradan uzaklaşırken müziğini kulağına taktı, rahatlamıştı. Eve gitmeye karar verdi. Köpekleri çok acıkmış olmalıydı.

8. Sadık Murat Kolhan

Boşalmanın hemen ardından yine gerçekliğin tatsızlığıyla baş başa kalmaya başladı Sadık. Çok uzun süredir her boşalmadan sonra yaşadığı bir duyguydu bu; amaçsızlık. Kan basıncının düşmesiyle erkekliği küçülmeye başlamıştı ama asıl küçülen hayata olan ilgisiydi aslında. Bu ilgi azaldıkça etrafındaki her şeyin önemini de beraberinde azaltıyordu.

Elleriyle kavradığı güzel kalçaya baktı, biraz önce kendisine yoğun bir doyum veren bu kalça şimdi hareketsiz ve anlamsız duruyordu avuçlarının arasında, gözlerini kalçadan kaydırarak pürüzsüz bronz sırtın üstünde gezdirdi, erkekliği sönse de hâlâ kızın içindeydi. Gözleri, yeşilin kırmızıyla mühürlendiği, biraz önce ağlamış olan o ıslak gözlerle buluşuncaya kadar amaçsızlık içindeydi. O buluşma kıvılcım oldu yine. Özge'nin kafasını ona doğru çevirmesiyle ateşlenen fitil, Sadık'ın içinde merkeze doğru yanmaya başladı sanki. Kalçanın güzel, pürüzsüz dokusunu hissetti elleriyle sıkarak gözlerini Özge'nin suratından ayırmadan. Ağlamaktan kızarmış yeşil gözleri bronz teninde parlıyordu ve o gözlerin yansıttığı acıyan ruh, Sadık'ın erkekliğindeki kan basıncının artmasına neden oldu. Özge'nin suratındaki beliren gerilime kendisinin yol açtığını biliyordu, çünkü onun içinde büyüyordu, ellerinin arasındaki kalçayı iyice kavradı. Özge'nin içinden çıkmak istemiyordu ve kızı iyice kendine çekti. Dengesini sağlamaya çalışan kız, refleks olarak sağ elini, arkasında kalçasını sıkıca tutan Sadık'ın sağ elinin üstüne koydu. Kızın refleksini fırsat bilip kolunu kavradı Sadık, tutup iyice çekti kendine. Çekilen Özge dikleşti ve suratı Sadık'a doğru savruldu. Sadık kontrolsüz bir zevk içinde Özge'nin içine iki kere ittirdi kendini, sonra sağ eliyle kızın kafasını sıkıca tutup öpmek için çok uzun süre beklediği o dudaklara yapıştı. Yumuşak, doğal ve emilesi bir etkiyle emmeye başladı dudaklarını. Hayatında ilk defa aldığı zevk mantığını yenmişti ve o an öptüğü dudaktan başka hiçbir şey düşünmeden öpmeye devam etti Özge'yi, ta ki uyanana kadar!

Gecenin karanlığında nefes nefese uyandı Sadık ve hemen kalktı yataktan. Nerede olduğunu anlamaya çalıştı. Kendi yatak odasındaydı. Yalnızdı. Üstüne yapışan pijamasına baktı, karanlıkta pek bir şey görülmüyordu ama ne olduğunu anlamıştı. Üstü yapış yapıştı.

Banyoya geçip ışığı yaktı, pijamasını çıkardı. Çırılçıplak dikildi aynanın önünde. Dikkatle baktı kendine. 20 yıldır uykusunda boşalmamıştı.

Gözlerini kapadığında Özge'nin yemekten kalkıp gidişi geldi aklına. "Oynadığın bu oyun ikimize de zarar verecek" demişti Sadık, çok ciddiydi. Özge'nin bardağın dibindeki suyu içmesini, ağzını silip ayağa kalkmasını ve konuşmasını düşündü... Suratına bir gülümseme yayıldı. Gördüğü şeyin tam da gördüğü gibi olduğunu onaylayan bir gülümsemeydi bu. "Oyun! Sizin sorununuz oyun oynamamam değil, sizin oynadığınız oyunu oynamıyor olmam. O oyunda bir tek siz kazanabilirsiniz ve açıkçası eğlenceli bile değil" demişti Özge kapıdan çıkıp gitmeden önce.

Sadık banyodaki küçük buzdolabından su alıp tek dikişte içti. Hızlıca duşunu aldı ama uykusu kaçmıştı. Salona gidip televizyonları açtı. Yan yana monte edilmiş 8 televizyon aynı anda açıldı. Sahip olduğu tüm kanallar ve rakipleri tek hamlede karşısındaydı. Sırayla seçtiği kanalların sesini yükseltip gece yarısı yayınlanan haber tekrarlarını izledi. Hükümete destek için söylenen yalanlar o kadar abartılıydı ki inandırıcılıkları kalmamıştı. Ama yine de her şey yolundaydı... Özge'nin varlığının yarattığı sarsıntı dışında.

Hesaplayamadığı bir şekilde girmişti hayatına Özge ve kontrol edemediği şekilde büyüyordu içinde. *Darbe*'nin sunucularına el kondurtması, durumun kontrolünden çıkmasına neden olacak bir olaylar zincirini başlatmıştı. *Darbe*'nin halk arasındaki yayılışını takip etmek heyecan vericiydi, üzerinize doğru hızla gelen bir treni izlemek gibi. Kurumlarda çalışan, yapılan pisliklere ortak olanlar bile *Darbe*'ye haber, delil gönderir olmuştu. Yoksa bu kadar detaylı bilgiyi toplaması, fotoğraflara ulaşması imkânsızdı Özge'nin. Ama kendisinin bildiğini bilmiyordu diğerleri. *Darbe*'yi dış güçlerin beslediğini düşünenler vardı hükümette. Özge'nin adının bulunmaması için tüm yolları kapatmıştı Sadık. Kendisini baştan çıkaran şey, diğerlerinin Özge'yi ortadan kaldırmasına neden olabilecek güçteydi. Özge'nin *Darbe*'den vazgeçeceğini, parasızlıktan nasılsa hareket edemeyeceğini sanması hataydı. Böylesine bir iradeye sahip bir dişi ancak öldürülürse engellenebilirdi. Bu düşünceyle suratı gerildi. Yüzyıllardır "dişileri" kontrol altına alabilmek için yapılan onca şeyden sonra tek tük de olsa hâlâ var olmaları mucizeydi. Yapılan cadı avları geldi aklına, bundan birkaç yüzyıl önce yaşamış olsa Özge yakılırdı, hissettiği karmaşayla gözlerini kapadı Sadık. Adaletin kıyımı binlerce yıldır devam ediyordu. Adalet isteyen herkes bir bir cezalandırılıyor, aldıkları cezalarla, hayatları ibret olacak hikâyelere dönüştürülüyordu. Gözlerini açtı. Onu son sürat ilerlediği bu ibret hikâyesinden söküp sisteme nasıl dahil edeceğini düşünmeye başladı yine.

Milletvekilliği iyi bir başlangıçtı. Milyonların hakkının onlarcası tarafından yağmalandığı yerdi meclis. Halkın, hakkı korumak için canını feda ederek kurduğu demokrasi, yönetenlerin pezevenkliğini yaptığı bir fahişeye dönüşmüş, gücü olana hizmet eder olmuştu. Dinin bile pazarlandığı bu kurulumda, demokrasiye edilen tecavüz pek de önemsizdi. Sadık bıkkındı... Milletvekilliği Özge'ye iyi gelecekti, savaşmaya çalıştığı şeyin nasıl da köklü olduğunu anlamasını sağlayacak ve o güzel, narin bedenindeki adalet ateşini söndürecekti. Mimlenip öldürülmesinden daha iyiydi. Milletvekilliği Özge'yi sakinleştirecekti. Savaş naralarını dindirecek, başka türlüsünün mümkün olmadığını anlamasını sağlayacaktı. Birkaç sene içinde, tehlikedense dosta dönüşecekti, Sadık'ın koruyabileceği bir dosta... Kullanabileceği bir dosta.

Bu sistemin kurulmasında çok çalışmıştı Sadık, üzerine düşen tüm görevi yapmış, emirlere harfiyen uymuş ve söylemesi gereken tüm yalanları yerinde ve zamanında söylemiş, karşısına çıkan her şeyi ezmişti. Günbegün otomatik pilotta sisteme hizmet eden bir makineye dönüştüğünü düşündü. Sahip olduğu gücün asla kendisine ait olmadığı, en ufak bir yanlışında her şeyin elinden alınacağı sistem tarafından hep hatırlatılmıştı kendisine. Güce hizmet etmek adına her türlüsünü göze alan birçoklarının düştüğü "güce sahip olma" yanılgısına düşmediğinden işini iyi yapıyordu. Yönettiği medya, bu oluşumun en güçlü ürünü ve silahıydı. Gerçeği istediği gibi kamufle ederek istenilen gerçekliği yaratabildiği sihirli bir kutuydu televizyonlar. Her evdeydi Sadık, her akılda ve fikirde. Hükümetin başa gelmesine hizmet etmekle kalmamış, yıllarca yolsuzlukların kamufle edilip, aslında batmış olan ekonominin sanki çok iyiymiş gibi gösterilmesinde de büyük başarı göstermişti. Böylesine minnet duyulması gereken başarının karşılığında belki bir sürü imtiyaza sahip olmuştu ama iyice yoldan çıkan sistemin giderek paranoyaklaşan yapısı ona da dokunmaya başlamıştı.

Kontrol edilmesi zordu Özge'nin, satın alınması imkânsızdı ama muhalefette tutulduğu sürece çok da etkili olabilirdi. Kadın olması zaten bu dönemde ciddi bir avantajdı. Mecliste oturanlar milletin değil Sadık gibilerin vekilleriydi. Özge'nin içindeki savaşçıyı seçilmiş bilgilerle besleyip kendi gönüllü askerine dönüştürdüğünü düşündükçe dudaklarını ısırdı, ona hem sahip olmak hem de o çok değerli vahşiliğini korumak... Bundan daha tahrik edici ne vardı! Planladığı şeyin kontrolden çıkıp her şeyi değiştireceğini bilse acaba yine de yapar mıydı?

9. Can Manay

Sıyrılan derisinin altından parça parça gözüken et önemli değildi ama yüzükparmağı bileğine bağlayan kemiğin ucu derisinden çıkmak üzereydi. Gecenin karanlığında bile belliydi. Yanlış atmıştı bu son yumruğu. Adamı yere yıkmıştı ama kemiğini de kesin kırmıştı. Çıldırdı Can. Suratından akan kanın etkisiyle önünü göremeyen adama tekme atmaya başladı. Adam bedenini sürüyüp geri çekilip arabanın kapısını açmaya çalışıyordu, Can ayakkabısının topuğunu kullanmaya karar vermişti ki arkasından birinin onu tuttuğunu fark etti. Etrafını bir anda saran eller onu adamdan uzaklaştırdılar. Ellerin sahibine döndü hiddetle, polis olduğunu görünce dişlerini sıktı, geçen haftalarda saldırdığı 2 polisi susturmak için zaten ciddi para ödemişti, bir üçüncüsüne yeri yoktu. Sustu. Sakinleşmek için elleriyle saçını karıştırırken sanki biraz önce yerdeki adamı tekmeleyen vahşi kendisi değilmiş gibi sempatikleşti. Gülümsemesini taktı suratına, polise "Tamam, tamam. Bir anlaşmazlık oldu ama bitti" dedi. Diğer polisin yerden kaldırdığı adama yürüdü, adam gardını alırken polis hemen araya girdi ama Can, "Yok, yok, el sıkışmaya geldim" dedi sakince ve gülümseyerek. Polisler Can'ın kim olduğunu biliyorlardı, adamla arasına giren polis suratına bakıp şaşkınlıkla "Ne oldu Can Bey?" dedi. Gerçekten de ne olduğunu anlamak istiyorlardı, Can Manay'ı böyle çıldırtan şeyi merak ediyorlardı. Adam yırtılan gömleğinin parçasını kaşına bastırırken Can önünde dikilen polisin gözlerinin içine dümdüz baktı, gülümsemesi iyice büyüdü, "Sen bir izin versen, ben de beyefendiyle konuşsam?" dedi ve ciddileşip polisin suratına bakarak dikkatle bekledi. Polis tetikte kenara çekildi, temkinliydi. Adam, önünden çekilen polisin ardından kendisine yaklaşan Can Manay'ı ancak fark edince hemen iki adım geriye atıp arabaya yapıştı "Ne yapıyorsunuz, tutsanıza bu manyağı!" diye bağırdı. Ama Can Manay gayet sakindi, adama daha fazla yaklaşmadan elini uzattı, suratındaki gülümsemenin fark edilmesini bekledi. Adam Can Manay'ın gülümsemesini gördü ama hızlı gitmediği için korna çaldığı bu delinin arabayı yolun ortasında aniden durdurup kendi arabasına saldırmasından, kendisini arabadan çekip tekme tokat girmesinden sonra Can Manay ne yaparsa yapsın onun dostluğuna inanamazdı. Resmen deliydi! Can eli havada bir süre bekledikten sonra, "Seni biri sandım. Bana hayatımın en büyük kötülüğünü yapan biri" dedi, susup adamın söylediklerini hazmetmesini bekledi. "Şimdi fark ettim ki o değilsin... Nasıl özür dilesem az. Kendimi deli gibi hissediyorum" derken kızaran gözleri acı doluydu. "Ama o adamın bana ne yaptığını bilsen, bana asla kızmazdın" diye ekledi.

Adam, Can Manay'a kötülük yapanı önce merak etti, sonra o kötü adamdan nefret etti. Zavallı Can Manay her tarafı yara bereydi. Adamın içindeki öfke acımaya, acıma anlayışa, anlayış sevgiye dönüştü. Kendisine uzatılan eli sıktı, Can Manay'sa elinin sıkılmasından gelen acıyı bastırıp onu kendine çekti, sıkıca sarıldı, kulağına, "Hayatımın en kötü gününü geçiriyorum, özür dilerim" dedi ve sarılmayı bırakıp adamdan bir adım geriye uzaklaşıp suratına bakarak, "Bugün hayatımı kurtardın dostum" dedi.

Can Manay olay yerinden uzaklaşırken iki polis ve biraz önce suratını dağıttığı adam kendisine el sallıyordu.

Ne gidecek yeri ne de yola koyulmaktan başka çaresi vardı. Artık sinirini kontrol altına alması gerektiğini de biliyordu. Bir kişiyle davalık olmuştu, sekiz kişiyi susturmak için ciddi para vermek zorunda kalmıştı. Özellikle hastasını dövmesi tam bir skandaldı ama neyse ki kimse duymamıştı, çünkü iki yıldır müşterisi olan adamın o kadar çok sırrını biliyordu ki, şikâyetçi olursa basına sızdıracağına yemin etmişti. Şimdilik susturmuştu yaraladıklarını ama böyle devam edemezdi. Sokakta insanlarla yumruklaşan bir psikologu sistem asla kabul etmezdi.

Eli ağrımaya başlamıştı, vücudundaki adrenalin azalmış olmalıydı. Terden ıslanan saçlarının ıslaklığı soğukluğa dönüşmüştü, arabanın kaloriferini açarken müziği de açtı. Terapi için Eti'nin hazırladığı CD çalmaya başladı. Sıradaki şarkı Chopin'den "Prelude in E Minor"dü. Biraz önce dövdüğü adamın korna çaldığı sırada bölünen düşüncesi geldi aklına, sahip olduğu her şeyi alıp giden Duru'nun dans edişiydi o düşünce, olmadık zamanlarda kendini hatırlatan, unutmak için ne yaparsa yapsın beyninin derinliklerinden, bu düşünceyi hapsetmeye çalıştığı yerden, önüne gelen her engeli parçalayarak çıkıp geliyordu o görüntü. Duru... Bembeyaz teni, gülüşü, Can deyişi... Ayağını gaza dayayıp arabanın direksiyonunu bıraktı Can, geriye yaslandı, gözlerinden yaşlar akmaya başladı ama ağlamıyordu, ağlayamayacak kadar çaresizdi çünkü. Araba hafifçe karşı şeride doğru kayarken gözlerini kapadı, o düşüncenin götürdüğü yere gitti... Duru'yu o ilk gördüğü bahçeye.

Aniden ve ısrarlı çalan güçlü korna sesi silkti Can'ı düşüncesinden, hayatta kalmak için dizayn edilmiş ve bu konuda epey becerikli bedeni silkelendi, kendine geldi. Önce direksiyonu kavradı elleri, çevirdi, sonra daha da gaza basıp çarpışmak üzere olduğu kamyonu teğet geçerek kendi şeridine geri girdi. Gecenin sakin trafiğinde, kendisine korna çalan arabalara bağırıp küfrederek sakinleşti. Ölemezdi. Ölemeyecek kadar öfkeliydi.

Kendini Cansu'nun evinin önünde buldu. Güvenliğe yanaştığında güvenlik aldığı talimatı kibar ama kesin iletti ona: Cansu Hanım son çıkardığı rezaletten sonra onu görmek istemiyordu. En son Cansu'yu gördüğünde kadının tüm çabalarına rağmen ereksiyon olamamış, sonra da evde, etrafında ne varsa kırıp dökmüştü, Cansu dahil.

Umursamadı Can, penceresinin başında bekleyen güvenliğe gülüp, "Bu dünyada orospudan bol ne var!" dedi, arabasını döndürüp gitti. Kendi beyninin içinde kaybolmak üzereydi, bedenine farkındalık yükleyecek bir şeyler yaşamazsa kendine gelemeyecekti. Televizyondaki programlardan birinde hosteslik yapan ve kendisine tapan kız geldi aklına. Kızı aradı, uzun uzun çaldırdı. Kız uykulu bir sesle telefonu açtığında aramanın sekretere düşmüş olacağını düşündü bir an ama kız, "Can Bey, siz misiniz?" deyince onu hemen görmek istediğini söyledi. Yarım saat sonra kızın evindeydi. Evden çıkması da yarım saat sürdü çünkü sertleşip kızı bir türlü beceremedi. İçinde büyüyen öfke orada patlamasın diye çıktı evden, kızın jenital kıllarından tiksindiğini söyleyerek. Genç bir kadına kendini çirkin ve istenmez hissettirmek, erkeği baştan çıkaramadığını ona yüklemek olası dedikoduları engellerdi.

Eti'yle konuşmak istedi, isteği bir ihtiyaç gibi büyüdü içinde. Ama epey hastaydı Eti, Can'a ayıracak gücü kalmamıştı ve onun evine gitmesi, oğluyla karşı karşıya gelecek herhangi bir durum yaratması imkânsızdı, aralarındaki en çiğnenmez anlaşmaydı bu. Arabayla etrafta dolaştıktan sonra kendini yine kliniğin önünde buldu. Hemen hemen her gece buraya gelir olmuştu. Eli ciddi ağrıyordu. Dikiz aynasından suratına baktı, zaten önceki morluklarla lekelenmiş yüzündeki yeni yaralar kıpkırmızıydı. Umursamadı. Nasılsa program yapmıyordu artık, seans da yapmıyordu. Böyle giderse birkaç sene içinde klinik binasını satacağını bilerek indi arabadan, umurunda bile değildi. Selamsız sabahsız içeri girdi, kendisini görmezden gelen güvenlikçilerin önünden geçip asansöre bindi. Üstü başı kirlenmiş, eşofmanının yakası yırtılmıştı. Elindeki kemik, derisini zorluyordu, parmağıyla kemiği bastırıp acıttı. Acımaktan başka çaresi kalmamıştı yaşadığını hissetmek için. Odasına çıktı. Banyosuna girip elini bankonun üzerine koydu, kırılan kemiği düzeltti. Yaranın her siniri beyninin her nöronuna acı sinyalleri gönderdi. Dişlerini sıkarak kendi etrafında döndü, nefesini tutup acının hafiflemesini bekledi. Eşofmanının altını indirdi ve daha önceki kavgalardan birinde zedelenen tendonuna sardığı bandı çıkardı bacağından, eline sardı, parmaklarını sabitledi.

Odasına geçtiğinde 120 senelik Lagavulin'i dikti kafasına. Bedenini koltuğuna bıraktı, çekmeceyi açıp bir sürü hapın içinden bir tane seçti ve viskiden aldığı yudumla yuttu.

10. Bilge

Kafeste gibi hissediyordu Bilge... Bedeninin içinde bir kafeste. Zamanın her şeyin çaresi olduğunu söylüyorlardı, belki hissedilenlerin etkisini azaltmakta etkiliydi zaman ama bedeni öldürdüğü için ancak bir çare olabilirdi. İçinde kendini hapiste hissettiği bedenine baktı uzandığı yatakta, ellerini kaldırdı, inceledi. Gözü elinin uzağındaki masanın üstündeki yarısı yere sarkmış gazeteye kaydı. Ters duran gazetenin manşetinde "Özgürlük" yazıyordu. Zamana tabi yaşayan bir varlık nasıl özgür olduğunu düşünebilirdi. Her saniye bir hücremiz son nefesini veriyor, evrenin siyahlığına ait oluyordu. Belki de hiç yaşamıyorduk diye düşünüp gözlerini kapattı Bilge, var olmadığını düşündü ama zaten düşündüğü için vardı, nefes aldığı için değil ki. Gözlerini açtı. Saat sabahın 5.00'ine varmaktaydı.

Uykusuzluk hayatının parçasıydı artık. Rüyalarına girip kâbuslarla uyanmasına neden olan Murat'ın görüntüleri artık o kadar kazınmıştı ki beynine, gözlerini kapadığında bile görür olmuştu. Murat'ın varlığı ile başlayan hayalleri, yokluğuyla kâbusa dönüşüyordu. Uyumak sadece bir kâbustu. Her zamanki uykusuzluk da... Anlamsızlıkta yatağından kalktı Bilge. Salona gidip dolandı. Yatağa dönmeyecekti. O yatak artık sadece uyumadan gözlerini tavana diktiği anların şahidiydi. Koltuğa oturdu, burada uyuyakalacağını ve Doğru'nun onu 6.00'da uyandıracağını biliyordu. Bu kadar az uyuyarak hâlâ nasıl hayatta kaldığını bilmiyordu.

Her sabahki gibi Doğru 6.00'da geldi, Bilge onu giydirdi, besledi, 6.30'da gelen servise bindirdi ve işe gitti. Can Manay da iyi değildi. Müşteriler yoktu artık, program da iptaldi. Çalışanların birçoğu işten çıkartılmıştı. Yakında kendi işine sıra geleceğini biliyordu. Duru'nun gidişiyle Can Manay yok olmuştu. Kimse onu görmüyordu. Bilge o tuhaf gecenin ardından bir kez görmüştü onu. Sabahın köründe işe gittiği günlerden birinde, kendi odasına girdiğinde, kendi koltuğunda uyurken bulmuştu. Ne yapması gerektiğini düşünürken Can Manay uyanmış, ayağa kalkıp o derin siyah gözleriyle birkaç saniye dümdüz Bilge'ye baktıktan sonra çekip gitmişti.

Ofise vardığında Can Manay'ın gelip gelmediğini sordu. Güvenlik nöbeti biraz önce devralmıştı, Bilge'den başka kimsenin henüz gelmediğini söylediler. Huzurla bindi Bilge asansöre. Eşyalarını odasına bırakıp dosya arabasını aldı, Can Manay'ın ofisindeki eski dosyaları ayıklamasını istemişti Zeynep.

11. Can Manay

Gözünün üstünde parlayan güneşle uyandı, kaykıldığı sandalyesinde toparlandı, sabah güneşinin bu açısı yüzünden bu katta ve bu perspektifte dizayn ettirmişti odasını ama şimdi pişmandı. Perdeleri kapatan kumandayı aradı, bulamayınca yoluna çıkan birkaç parça eşyayı tekmeledi ve perdeleri eliyle kapattı. Oda kapkaranlık olmuştu, saatse 7.10'du. Odanın karanlığında yolunu bulup bir zamanlar müşterilerini oturttuğu dünyanın en rahat koltuğuna uzandı, uyumakta kararlıydı ama kapısı açılmış ve koridordan içeri akan ışık odayı aydınlatmıştı. Can gözlerini araladığında, beceriksizce yolunu bulmaya çalışan Bilge'yi fark etti. Bu kamburu nerede olsa tanırdı. Elindeki dosya arabasını karanlık odaya sokmaya çalışıyordu, nereden yakıldığını bilmediği ışığı ararken. Tabii ki bulamadı. Perdelere ulaşmak için koltuğun yanından geçerken bileğinden kavradı onu Can. Bilge'nin çığlığıyla, karanlığın bir parçasıymış gibi hareket eden Can'ın bedeni sanki birleştiler. Can ayağa kalktı, Bilge'nin önüne dikilip onun sağ bileğini sıkıca tutarken mırıldandı: "Ne arıyorsun burada?" Bilge, Can'ın alkol kokan nefesini suratında hissederken "Dosyaları almaya geldim" dedi sesinin titremesini önleyemeden.

Can fısıldadı: "Sabahın yedisinde mi?"

"Burada olduğunuzu bilmiyordum, affedersiniz" dedi Bilge ve geriye bir adım atıp dönüp gitmek istedi ama Can bileğini bırakmadı, onu kendisine çekti yine. Bu sefer daha da yakınlardı. Bilge ilk defa kafasını kaldırıp Can'a bakmak zorunda kaldı, koridordan giren ışığın bir parçası günler önceden morarmış ve yeşile dönen gözünün kenarına düşüyordu, lekeye dönüşmüş yaranın yanında yenileri de vardı ama Can Manay'ın siyah, derin, sabit gözlerindeki yara en dayanılmazıydı. Kendi yaşadığı acıdan çok daha derindi acısı, çünkü kendisi gibi hayalini kurduğu bir şeyi değil, sahip olduğu bir hayali kaybetmişti. Can bir adım daha atıp iyice yaklaştı Bilge'ye ve derin bir nefesle kokladı onu, sonra mırıldandı: "Bu sürdüğün ne?"

Lavanta değil diye bağırmak istedi Bilge, lavantalı hiçbir şey kullanmıyordu artık. Yemin edebilirdi! Tedirgin "Şampuan... sanırım" dedi. Can bir adım geri çekildi ve bir an sonra bıraktı Bilge'nin bileğini. Bilge bileğini ovuşturmak istiyordu ama yapmadı, Can'ı kızdırabileceğini düşündü. Can kendini yine koltuğa bırakırken, "Konuşmak istiyorum" dedi. Bilge şoktaydı, yutkundu. Bu karanlıkta etrafında ne olduğunu bile bilmezken konuşamazdı, tereddüt içinde, temkinli, "Önce perdeleri açabilir miyim?" diye sordu. Can birkaç saniye cevap vermedi, sonra "Sadece bir kısmını." dedi. Bilge içeri sadece biraz ışığın girmesini sağlayacak kadar araladı perdeleri. Can kaykıldığı yerden kapıyı kapatmasını buyurdu ve Bilge kapıyı kapattı. Kapının önünde dikildi öylece, odadaki objeler seçilse de oda hâlâ karanlık sayılırdı, keşke perdeyi biraz daha aralasaydı diye düşünürken Can, "Otur" diye mırıldandı. Bilge kapıya yakın olan koltuğa oturdu, Can "Buraya" diyerek hemen karşısındaki koltuğu gösterdi. Bilge sakince o koltuğa geçti, otururken yapması gereken işler olduğunu söylemeye çalıştı ama Can onu "Şşşt" diyerek susturdu. Can galiba gözlerini kapamıştı, pek seçilmiyordu ama ellerini göğsünün önünde birleştirdiği kesindi. Bilge poposunun ucunda oturdu koltuğa. Can Manay, "Geriye yaslan" diye buyurdu gözleri kapalı olmasına rağmen. Bilge geriye yaslandı odadan koşup çıkmayı isterken.

Can konuşana kadar sessiz kalmaya karar vermişti ama Can'ın sorusu onu iyice sessizleştirdi: "Bakire misin?"

Bilge kapıya baktı gayriihtiyari, Can "Değilsin" dedi sakince. Bilge konuşmanın daha ne kadar tuhaflaşabileceğini hesaplamaya çalıştı ama söz konusu Can Manay olunca olasılıklar sınırsızdı. Can "Murat mıydı?" diye mırıldandı. Bilge ayağa kalkıp çıkmaya karar vermişti, burada oturup Can Manay'la bunları konuşmayacaktı, ayağa kalkmak için öne geldiğinde Can Manay çeviklikle doğruldu koltuktan, öyle hızlı bir doğruluştu ki bu, Bilge sıçradı. Can Manay doğrulduğu yerde Bilge'ye bakıp "Niye böylesin?" diye sordu. Ciddiydi. Bilge sadece "Nasıl?" diyebildi.

Can gözlerini kısıp dikkatle baktı, elindeki sargıyı açarken bakışını Bilge'den almadan "Kafeste gibi... garip... sınırlandırılmış" dedi. Bilge'nin yaraya gözü kaydı, odanın loşluğunda pek bir şey göremiyordu ama acayip şiştiği kesindi.

Bilge'nin dikkatinin eline kaydığını fark eder etmez yine sargıyı sardı Can, hiçbir şey hissetmiyordu acıdan başka. Her anlamda. Diğer elini havada şaklatıp Bilge'nin, şişkin eline odaklanmış bakışını karşıladı. Bilge şokta "Kötü görünüyor. Hastaneye gitmelisiniz" dedi. Can kahkahalarla güldü, ayağa kalkıp sinirli gülmesinin geçmesini bekledi. Sonra pat diye Bilge'nin yanına oturdu. Kolunu koltuğun sırtına koyup vücuduyla Bilge'ye döndü, ciddileşip gözlerini kısarak ona yaklaştı ve "Neden böylesin?" diye sordu yine.

Can Manay kendinde değildi, yaşadığı travmanın üstüne travmalar eklemiş çığa dönüşen bir kar topu gibi kendi ağırlığından habersiz yuvarlanıyordu, yoluna çıkan ne varsa önüne katıp sürüklercesine. Ciddi yardıma ihtiyacı vardı ama yardıma bu derecede ihtiyaç duyar hale gelmiş birine yardım edilemezdi de.

Can kızı yakından incelerken karar verdi, bu kızı çekici falan bulmuyordu, ha bire deterjan tadında kokan biri nasıl çekici olabilirdi ki. Üstelik o büyük pamuklu donunu da görür gibiydi. Cansu'yu bile beceremezken bu tuhaf kıza erekte olması tam bir mucize olurdu. Ama hayatında öyle bir yere varmıştı ki, bu tuhaf kızı kurcalamak, hastaneye gidip eline baktırmak ya da arabaya atlayıp etrafta dolanmaktan başka yapabileceği bir şey kalmamıştı. Biraz bu kızı kurcalayacak, sonra arabayla dolanacak, acısı dayanılamaz hale gelince de hastaneye gidecekti. Boğazına kadar iliklenmiş gömleğine ve yine sıkıca toplanmış saçlarına baktı alaycı bir şekilde ve suratına yayılan alaycı gülümsemenin eşliğinde "Sevişelim mi?" dedi.

Böylesine akıllı, böylesine ne yaptığını bilen biri nasıl olmuştu da böylesine devrilmişti. Devrilmiş kalkamıyordu. Kendi ağırlığının altında ezilen bir dev gibi... Bilge'nin gözleri doldu.

Can sessizlikte tam sıkılmak üzereydi ki kızın gözlerinden akan yaşları gördü, odanın karanlığında parlıyorlardı, ağladığını anlaması saniyelerini aldı ama gözyaşlarıyla birlikte hıçkırıklar geldi. Can hissettiği karmaşayı durduramadı, Bilge'nin ağlaması beklemediği bir şeydi. Ciddileşti. Bakışları dondu, kızın ağlamasındaki samimiyette kayboldu. Sadece mırıldanabildi: "Ne oldu?" diye.

Bilge kafasını kaldırıp dümdüz baktı Can'a, ağlamaktan dolayı iç çekerken cevapladı: "Herkes yıkılıyor... Siz bile! Yaşamaktan nefret ediyorum."

Can bakakaldı Bilge'ye. Ne kadar da haklıydı her kelimesinde. Gözleri dondu, sonra ince yaşlar akmaya başladı. Bilge'nin ağlamasında kamufle olarak Can Manay da sessizce ağladı.

Bilge hastaneye gitmeleri gerektiğini söyleyene kadar kendi köşelerinde ağladılar. Sonra konuşmadan, birbirlerine hiç bakmadan aşağıya inip güvenliğin önünden geçtiler. Can arabasına doğru yöneldi ama Bilge ona bakmadan kendi arabasına yürüdü, yan koltuğun kapısını açık bırakıp şoför koltuğuna geçti. Can Manay bir an tereddütten sonra Bilge'nin arabasına bindi. Yine hiç konuşmadan ve birbirlerine bakmadan yola koyuldular. O gün Can Manay iki şey öğrendi: Başkasının çektiği acının ne kadar rahatlatıcı olabildiğini ve Bilge'nin çok hızlı araba kullandığını.

12. Bilge

Şaşkındı Bilge, çok şaşkın! Önce Can Manay'ın kendisine yaklaşmasına şaşkındı, sonra onunla ağladığına... Ama daha çok onca ağlamadan sonra hastaneye yanaştığı anda Can'ın bir diktatör gibi sertleşip soğuklaşmasına, Bilge'yi yanında istemeyip evinin anahtarını vererek kendisine getirilmesini istediği eşyaları sıralamasına... Epey şaşkındı Bilge. Birazdan Can Manay'ın evine girecek olmasına, eve girdikten sonra da harabeye dönmüş evin o korkunç durumuna!

Eşyalar parçalanmış, bahçe kapısının camları kırılmış, camlara takılan perdeler yer yer yırtılmış... Şaşkınlığını üzerinden atıp, Manay'ın her şeyi kaydediyor olabilme ihtimaline karşılık hemen kafasını öne eğip kendisine anlatıldığı gibi yatak odasını buldu, kıyafet odasına girdi ve istenilen kıyafetleri söylenen çantaya koydu, Manay çorap istemeyi unutmuştu, onu ekledi. Diş fırçası ve macununu da alması gerektiğine inisiyatif kullanıp karar verirken helikopterin sesi yankılandı. Ne olduğunu anlamak için salona yürüdü hızla, bahçeye çıktığında evin üstüne konmak üzere olan helikopteri gördü, hemen içeri geçip Zeynep'i aramaya karar vermişti ki güm güm diye kapı çaldı. Koşarak kapıya gitti Bilge, delikten baktı, şok içinde aceleyle kapıyı açtı. Gelen Can Manay'dı.

Elinde değiştirilmiş uyduruk sargıyla içeri girdi Manay. Telaşla Bilge'yi geçip yatak odasına ilerlerken buyurdu: "Gel." Bilge aceleyle takip etti onu, peşinden kıyafet odasına girdiğinde hemen dışarı çıkıp arkasını döndü, Can Manay çırılçıplak soyunmuştu. Daha da uzaklaşmak için ilerlediğinde Manay tekrar çağırdı: "Bana yardım et."

Bilge kafasını diğer tarafa çevirip Manay'ın gösterdiği gömleği aldı, giymesine yardım etti. Sonra pantolonu ayaklarından geçirip yukarı çekmesini ona bıraktı. Manay giyinir giyinmez birkaç parça eşyasını alıp kendisine şaşkın bakan Bilge'nin yanından fırtına gibi geçip gitti, evin arka tarafında kalan ve çatıya çıkan merdivenleri tırmandığında Bilge peşinden gitmeye karar verdi ama Manay kapıyı açtığında çalışan helikopterin gürültüsü yayıldı eve, içeri giren rüzgâr hissedildi... Bilge merdivenlerin dibinde Manay'ın gidişini izledi.

Helikopter havalandığında Bilge dışarı çıktı, Manay'a kırık elini bile unutturan şeyin ne olduğunu merak ederek uzaklaşan helikopterin ardından bakakaldı.

13. Deniz & Can

Helikopterin sesi atmosfere yayıldığında oturduğu yerde kaykılarak gökyüzüne baktı Deniz. Siyah helikopter bir tur attı, sonra gözden kayboldu. Deniz, müziği notaladığı kâğıda geri döndü ama birazdan misafiri olacağını biliyordu.

Helikopterin inmesinden sonra iriyarı, takım elbiseli 4 adam girdi araziye, bir tanesi yollarını kesen arazi sahibiyle güzelce konuşurken diğerleri Deniz'in kulübesine yöneldiler. Deniz oturduğu yerden izledi onları. Adamlardan birinin içeri dalıp küçük kulübeyi kontrol etmesini, diğer ikisinin kapıda dikilmesini, arazi etrafında toplanan köylülerin Can'ı sevgiyle karşılamasını, Can'ın acelesini, telaşını gizleyemeden kendisine doğru gelişini...

Kaykıldığı yerden onun çaresizliğine baktı. Can, karşısına geldiğinde çok yorgun görünüyordu, yüzündeki morluklar ve elindeki sargıdaki kan ona yakışmıştı.

Deniz'in sakinliğine temkinle yaklaştı Can, hayatının işkencesini yaşatmıştı bu adama ama Deniz umursamaz görünüyordu. Zayıflamıştı, köşeli çenesini kaplayan sakallar kızıllaşmış, eşsiz parlaklıktaki mavi gözleri sanki daha da parlamış, daha da anlamlanmıştı. Acı ona yakışmıştı.

Deniz'in rahatlığından cesaret alıp köşede duran masaya yaslandı, Deniz oturduğu yerde kaykılırken Can araziyi inceledi, bunca zamandır onun bu tarlada yaşadığına inanamayarak. Güçlü görünmeliydi. Ne olursa olsun önce Deniz'in konuşmasını bekleyecekti ama Deniz elindeki deftere geri dönüp yazmaya devam etti. Notaları işaretliyordu. Can gözlerini dikti ona konuşması için beklerken.

Deniz kafasını kaldırmadı. Can daha fazla dayanamadı "Nerde o?" derken.

Deniz elindeki kalemi defterin arasına koydu, yazdığı şarkı bitmişti, kafasını kaldırmadan öylece durdu... Gözlerini kapattı. Derin bir nefes aldı, kafasını geriye yasladı, gözleri hâlâ kapalıydı. Suratına bir gülümseme yayıldı, "O gitti" derken huzurla.

Can dişlerini sıktı, bir adım öne atmıştı ama hemen adımını geri alıp masaya geri yaslandı, sakinliğini korumalıydı. Üzerine atlayıp parçalamak istedi onu, ne biliyorsa öğrenmeliydi ama her şeyi alınmış birinden zorla hiçbir şey alamazdınız bir daha, canı dışında. İçindeki umutsuzluk büyüdü. "Nereye?" dedi hissettiği çaresizlikle şakağında gerilen damarın atışı ve çektiği acının gözlerine hücum eden baskısıyla. Yutkundu, kendini tuttu. Vahşet içinde işkenceyle öldürdüğü düşmanının önünde ağlayamazdı ama o düşman şu an bu dünyada kendisini anlayabilecek tek insandı.

Gözünden bir damla sızdı, hemen sildi. Dikleşti. Nereye koyacağını bilemediği ellerini önünde bağladı.

Deniz yavaşça gözlerini açtı. Geriye yasladığı kafasını dikleştirdi, suratındaki gülümseme silindi ve ilk defa Can'a baktı. En değerlisini kaybetmenin cehenneminde Can, en değerlisini kaybetmenin özgürlüğünde Deniz, sessizce birbirlerine baktılar.

Can'ın alnında kabaran damar sanki şimşek gibi indi gözüne ve gözünden akan bir damla yanaklarından indi aceleyle, acıdan kaçarcasına. Deniz'in suratındaki gülümseme silinmişti ama o gülümsemeyi andıran yerleşmiş bir ifade vardı. Deniz konuştu: "Bitti... Her şey bitti artık. Git."

Deniz yavaşça ayağa kalkarken Can yaslandığı masadan iki adım attı ona doğru ama ona dokunamadı, gözünden fışkıran yaşlarla boğuşmak için sırtını dönmek zorundaydı, suratını sildi. Geri döndüğünde Deniz kulübenin içine girmişti. Peşinden gitti Can, kapıda dikilen adamları kovaladı, Deniz'in kendisine saldırmayacağını biliyordu, çünkü aralarında ne olmuşsa şimdiden onun kazandığını ikisi de biliyordu.

Odada sadece bir yatak, eski bir şifonyer ve bir de ahşap sandalye vardı. Duru'ya ait bir şey yoktu. Deniz sandalyeyi yatağın kenarına çekti, kendisi yatağın köşesine oturdu. Can'ın oturmasını bekledi. Can acısını kalbinde tutabilmek için derin bir nefes aldı, gözyaşları kısık, kızgın, kızarmış gözlerine hücum ederken içeri girdi. Yavaşça kapıyı kapattı. Hemen gözlerini sildi ve oturdu sandalyeye, yalvarırcasına baktı Deniz'in gözlerine, sakince mırıldandı: "Onsuz yaşayamam."

Deniz anlayışla baktı Can'a. Güçsüz, aciz olmasına. Nefret etmişti bu adamdan, acısını hafifletmek için düşman bellemişti onu ama düşündükçe hesaplamıştı olanları ve onu anlamıştı, onun motivasyonunu, neden böyle acımasız olduğunu... Kendisiyle yüzleşmişti. Düşmanını gerçekten anlayan biri ancak kendiyle yüzleşir, nefret edemezdi. Nedenlerini anladığınız bir şeyden nefret edilemezdi. Zaten hayatın ana düzeni bizi kendimizle yüzleştirmekti. Çok değerli bir şeye sahip çıkmadığı için elinden alabilmişti Can. Orada olmadığı için Duru'yu kendisinin sanmıştı Can. Durması gereken yerde durmadığı, koruması gereken şekilde korumadığı için yaklaşabilmişti Can. Kendisini uyuşturduğu için fırsat bulmuştu Can.

Dersini almıştı Deniz, bildiği her şeyi ona unutturan ve acısından yeniden doğmasını sağlayan bir dersti bu, geriye dönüşü olmayan bir ders. Böylesine acıyla alınan dersler duyguları öldürür, tüm köprüleri yıkar, insanı tek başına bir adada bırakırdı. Kendi adasından, okyanusun ortasında fırtınada kalmış çırpınan Can'a bakıyordu... Acıyordu ona.

Can yalvaran gözlerle Deniz'e iyice yaklaştı, ellerini Deniz'e uzatıp "Sana yalvarıyorum... Nerede o?" diye sordu.

Deniz, Can'ın kızarmış, derin siyah gözlerine baktı, kendi içinde kaybolan birine aittiler, çaresizliği öylesine derindi ki her tarafına sinmişti. "Unut onu" dedi ve kalktı. Böylesine mahvolmuş birine bu kadar yakın duramazdı. Kendi ellerine gömüldü Can, acıyan yarayı sıktı, kemiğini acıttı ruhunun acısını hafifletircesine.

Deniz kapıyı açtı, çıkacaktı ama Can fırlayıp önüne geçti. Kapıyı kapatırken ezildiği duygunun ağırlığında sızlanarak, "Lütfen. Bu benden daha büyük bir duygu... Her kadına böyle saplandığımı mı sanıyorsun... O bana ait" derken Deniz daha fazla tutamadı kendini, haykırdı: "O kimseye ait değil!" Can'ı bir hamlede duvara yapıştırdı, dirseğini boynuna dayayıp ona zarar vermemek için kendiyle savaşırken, suratına yaklaştı iyice, her kelimesi yüreğinden sızan cümleleri dizdi: "Seni öldüremem mi sanıyorsun! Dışarıdaki bu adamlar seni koruyabilir mi sanıyorsun! Ama yapmayacağım bunu. Nasıl bir pislik olduğunu, bir çamur gibi nasıl bulaştığını biliyorum. Ama sana bir şey yapmamam bu yüzünden değil." Kafasını salladı, kolunu Can'ın boynundan çekti, yine iyice suratına yaklaştı, Can'ın yaşlar süzülen kırmızı gözlerine mırıldandı: "Nesin sen?... Etrafındaki her şeyi kontrol etmeye çalışan, manipüle eden, istediğini alabilmek için hayatla oynayan, tüketen, bozan, yağmalayan, doymayan. Nesin! Nasıl bu kadar çirkin olabilirsin."

Deniz çekilse de Can dayandığı duvara iyice teslim etti bedenini, sanki yapıştı, içinde köklenen acı öylesine derindi ki, gözlerinden akan yaşların kontrolü kalmamıştı artık, kendini tutmaya çalışması da anlamsızdı. Deniz'in kendisini öldürmesini istedi. Onun tiksinen ifadesine bakıp medet umarcasına meydan okudu; "Korkaksın sen! Onu elinden alıyorum ve seyrediyorsun. Kaçıp buraya geliyorsun! Karşına dikiliyorum ama hâlâ seyrediyorsun. Korkak!"

Gözlerinden akan yaşların eşliğinde gülmeye çalışan Can'ın hali berbattı. Deniz kafasını salladı, gördüğü iğrenç şeyin varlığı dayanılmazdı, kaşlarını çatıp dikildiği yerde son sözlerini söyledi: "Hayatını mahvettiğin bir adamdan yardım dilenecek kadar hastasın sen! Zavallısın! Görüyorum, hayatın daha seninle işi bitmedi. Yaptığın her şeyin sana dönmeyeceğini mi sanıyorsun? Hayat hepimizden daha akıllı. Sana öyle bir cevap verecek ki adaletine şaşacaksın! Sadece bekle."

Deniz çıktı odadan. Bir daha o kulübeye dönmeyecekti, yola koyulmanın zamanı gelmişti. Hayat onu kendiyle yüzleştirmiş, silkelemişti. Bir yeteneğin kanal olarak kullandığı bir beden görevli olduğunu unutursa hayat cezasını verirdi, vermişti. Bu vahşi deneyimin içinden doğuşu, yaşadığı her acıya değerdi. Bir daha kendini uyuşturmayacak, kim olduğunu asla unutmayacaktı. Olması gereken şeye dönüşmek üzere, kendine kavuşmak üzere yola çıktı Deniz, kendinden asla vazgeçmeden.

Can Manay'sa ayakta durmak için destek aldığı duvardan kaydı aşağıya, çöktü. Olduğu şeyden kurtulmak için yok olmaya hazırdı.

14. Duru

Üzerindeki kalın plastik yağmurluğa çarpan ve başındaki örtüyü okşayan rüzgârın uğultusunu dinledi Duru, arkasına ağlarını doldurmuş, dalgalı sularda ilerleyen balıkçı teknesinin güvertesinden. Geride bıraktığı dalgalara baktı, nihayet özgür hissediyordu uzun süredir ilk defa. Ne garipti, özgür olmadığımızı anlayana kadar özgür değildik aslında.

Derin bir nefes alırken gözlerine hücum eden yaşların rüzgârla savrulması için kocaman açtı gözlerini. Yaşlar yanaklarından kayıp uçarken uzun süredir düşünmediği, aklına getirirse kendine söylediği her yalanla, yaptığı her hatayla yüzleşeceğini, daha fazla inkâr edemeyeceğini bildiği hayatını düşünmeye hazır olduğunu hissetti.

Hataları büyüktü. Düşündükçe ölümü özletecek güçteydi yaptıkları, yaşadıkları, yaşattıkları. Değerli her şeyi kirleten, ezen, cezalandıran hatalar... Ama Deniz'in dediği gibi, çatlama cesareti gösteren herkesin yapabileceği hatalardı bunlar... Duru kendi içine bakmaya ancak şimdi hazırdı, içerde yüzleşeceği şeyden çok korksa da.

Her şey bir duyguyla başlamıştı, bir duygu getirmişti onu buraya... Can'la birlikte içine doğan bir duyguydu bu. Cesaret veren, bencilleştiren, geri kalan her şeyi önemsizleştiren bu duygu merakla doğmuş, Duru'yu adım adım inandığı, değer verdiği her şeyden uzaklaştırmış, Can'a yaklaştırmıştı. Can'ı düşünmeye başladı ne hissedeceğini bilmeden, çünkü ondan kaçtığından beri onu aklına getirmemişti, çok ciddi direnmişti. Aklına yasakladığı, kalbinde cezalandırdığı bir düşüncenin kilidini kaldırırken rüzgârın acıttığı gözlerini yavaşça kapadı, kalan yaşlar kirpiklerinden süzülürken kendi içine baktı ilk defa ve onu gördü.

Rüzgârda savrulan aslan yelesi saçları, evrenin derinliğini taşırcasına siyah gözleriyle kalbinin en yasaklı yerindeydi... Aşkının şiddetiyle alnında beliren damar, kulağının arkasından Duru'yu koklarken çıkardığı hırıltı, transa geçmiş gözlerindeki çaresizlikle hep Duru'ya bakması, arsızca istemesi... Neydi bu adamı bu kadar farklı yapan, farklı hissettiren? Neydi bir mıknatıs gibi ona çeken?

Verdiği değerin eşsizliğinin hissettirdiği üstünlük müydü? Bu kadar yoğun ve sürekli istenmenin yaşattığı doygunluk mu? Keşke bu kadar basit olsaydı. Keşke sadece ona aldanmış ve kontrolsüzce ona kapılmış olsaydı, keşke bu sadece geçici bir duygu olmuş olsaydı ama değildi. Hiçbir şey bu kadar basit değildi. Nefreti, tiksintisi, öfkesi nasıl da dinmişti şimdi. Deniz'in yüklediği farkındalık ruhunu sakinleştirmişti. Öfkeyle, ruhunu acıtan düşüncelere şimdi kızamıyordu, aklına gelen her düşünceyi anlamaya çalışmak, analiz etmekten başka ne için vardı ki insan? Kızmak, inkâr etmek, öfkelenmek düşüncenin zehriydi. Gelişimin engeliydi. Anlamalı, kabullenmeli, sakince analiz etmeliydi. Deniz'in dediği gibi iyi ve kötü yoktu ki; bilenler ve bilmeyenler, görenler ve görmeyenler, umursayanlar ve umursamayanlar, hissedenler ve hissetmeyenler vardı. Hayatın sorunu, uçlardaki duyguların çatışmasındandı. Dengede olamamaktı.

İçinde, Can'a açılan kapıdan geçebilmesine olanak veren ve her nefeste yayılan şeye bıraktı kendini Duru, Deniz'in kendisine bulaştırdığı o eşsiz düşünceye. Bir insanın kendi potansiyeline ulaşabilmesi için dikkatle, incelikle, muhteşem bir zekâyla dizayn edilmişti hayat. Deneyimlerle anbean şekil veriyordu insana. Acıdığımızda bir sonraki adıma geçebiliyor, gelişebiliyorduk ancak. Acının kutsallığını anlamalıydı insan, mutlulukla uyuşmadan, kendimizi kandırmadan, başımıza gelenlere kızmak yerine sahiplenmeliydik. Deniz'in kelimeleri çınladı kulaklarında: "Hayat, seni kendinden uzaklaşmaya başladığında yakalar ve öyle bir köşeye sıkıştırır ki kaçamazsın. İçindeki gücü bulup dönüşmen gereken şeyi net bir şekilde görene, anlayana kadar sıkıştırır. Acıtır. Anlamadan gidemezsin bu dünyadan çünkü anlamak, anlamlandırmak için buradasın. Kendini bulmadan var olamazsın çünkü potansiyelini doldurmak zorundasın. Yapman gerekeni sen yapamıyorsan olaylar öyle bir gelişir ki sonunda yapmak zorunda kalırsın, olmak zorunda kalırsın, doğmak zorunda kalırsın! Yapamıyorsan, olamıyorsan, doğamıyorsan sen olamazsın." Gözlerini açtı. Derin bir nefes aldı. Aklına hapsettiği anılara ulaştı, kendine daha fazla ihanet etmemek için düşünmek istemediği her şey buradaydı. Düşünmeye başladı... Yıllar sonra Can'la karşılaşacağı o güne kadar bir daha asla düşünmemek üzere.

Evin çatısına helikopterle indikleri o ilk geceden başladı. Duru yan yana duran diğer binaların çatılarına şaşkınca bakarken öpmüştü onu Can daha önce kimsenin öpmediği bir ihtirasla, sonra kucağına alıp eve taşımıştı. Çatıdan eve inen merdivenlere geldiklerinde daha fazla dayanamamış, Duru'yu kucağında çevirip çamaşırını aralayarak girmişti içine... Başka kimseyle paylaşmadığı bir doğallıkla birleşmişti onunla. Onları birleştiren şey Duru'yu kendinden ayırana kadar sanki bir rüyaydı. Can nasıl da saplanmıştı kendisine, nasıl tereddütsüzce, yaptığı hiçbir şeyden rahatsız olmadan, olduğu hiçbir halden tiksinmeden istemişti Duru'yu her an. Adım adım yok eden, tüketen bir saplantıya dönüştüğünü nasıl da görememişti Duru. Her şey ne kadar hızlı, aralıksız gelişmişti. Can Manay gitmiş, dünyayı kontrol etmeye çalışan, yalan söyleyen, zorla alan bir manyak gelmişti... Ya da hep oradaydı aslında ama Duru onu görememişti, belki de onu bu kadar çekici yapan içindeki delilik, sevgisindeki arsız bencillikti. Can'ın ihtirası, içinde bir anda hareketlenince, ona dokunmanın, daha doğrusu onun kendisine dokunmasının heyecanının hissettirdikleri kalbinde kıpırdayınca gözlerini açtı Duru. Derin bir nefes aldı ve içindeki duyguyu atarcasına hemen nefesin tamamını dışarı üfledi, sonra bir nefes daha ve aynı hızlı, arındıran üfleme... Can'ı bu şekilde asla düşünmemeli, içindeki o tuhaf, tehlikeli, ele geçiren, kontrolsüz heyecanı asla hissetmemeliydi! Asla! Pişmanlık hissetmek istedi, hissedemedi. Tiksinmek istedi, nasıl kandırıldığını düşündü, ilaçla nasıl uyutulduğunu, hastaneye kapatıldığını... Nefret etmek istedi. Kendini dengesiz hissetti... Yalnız hissetti... Sevgisiz, kimsesiz hissetti. Deniz'i düşünüp Can'ı içinde hafifletmek istedi... Ancak o zaman Can'ın arsızca büyümeye hazır fikri içinde küçülebildi. Deniz'e sığınmak Can'ın içine ektiği bu hadsiz duygunun büyümesini engelledi.

Deniz'in uzun parmaklarıyla, saçının yanık kısmına dokunduğu o ana sığındı Duru, Can'dan kaçarcasına. Parmaklarıyla okşadığı küçük heykelciğe baktı. Yarısı oyulmuş bir taştı bu. Deniz ilk verdiğinde taşın içine sıkışmış bir güneş görmüştü ama şimdi baktığında güneşe dönüşen bir taş görüyordu. O güneşin kendi içinde doğması için daima doğruda durmalıydı.

Tekne kıyıya yaklaşırken kendisine kocaman gelen plastik yağmurluğu çıkardı önce. Sonra kafasındaki başörtüyü çekti, plastik çizmeleri çıkarttı, hasır çantasını alıp kıyaya yanaşan balıkçı teknesinden bir sıçrayışta yalın ayak indi. Arkasına hiç bakmadan, duraklamadan yürümeye başladı. Avrupa'ya böyle girmek yasal değildi ama nasıl olsa yakalanmayacaktı. Yürürken başörtüyü kalçasına bağladı, hafif topuklu terliklerini giydi, çantasından çıkardığı aynalı gözlüklerini taktı. Yan tarafı yandığı için kazınmış, asimetrik saçlarını karıştırdı. İçindeki tohum nihayet çatlamaya hazırdı.

X

1 sene, 6 ay, 1 hafta sonra...

Jetinden indiğinde hemen telefonunu açıp vardığını bildirmek için mesaj yazdı Bilge'ye. Kendisini bekleyen klasik ve lüks arabaya binerken Bilge'den mesaj geldi: "Odan hazır" diyordu. Mesaja, yeni yaptırdıkları evlerinin inşaatından bir fotoğraf eklenmişti. Yüzünü yeşile dönmüş bir manzaraya odaklanan fotoğraf, çalışma odasının içinden çekilmişti. Yeni yapılan bu boş odayla ilgili tek dikkat çeken şey manzarası ve Can'la Bilge'nin üzerine oturup birlikte ağladıkları koltuğun varlığıydı. Tertemiz oda bomboştu. Can kendini çok şanslı hissederek gülümsedi ve cevap yazdı: "Bize o koltuk yeter, başka bir şey koyma odaya."

Araba hareket ederken Can Bilge'yi aramayı düşündü, sesini duymak istedi ama aramadı. İkisi de telefonda konuşmayı sevmiyorlardı. Ne kadar şanslıydı! Hayatının huzuru olmuştu o. Kendini her haliyle paylaşabildiği tek kişiydi. Yaralarını bilen tek kişi. Yeni yaptırdıkları ev şehrin dışında, ormanlık bölgenin kıyısındaydı. Bilge'nin istediği gibi olmasına özen göstererek tamamıyla kontrolü ona bırakmıştı hayatında ilk defa. Londra'daki konferansa gelmek istememişti ama Avrupa Psikologlar Derneği baş konuşmacı olarak onu seçmişti. Gitmesinin önemli olduğuna ikna etmişti onu Bilge ve kendisi gelememişti, çünkü yarın sabah yapılacak yönetim kurulu toplantısına Can Manay adına katılması gerekliydi. Toplantı da önemliydi, her şey yolunda giderse kanalın ortağı olabileceklerdi.

Londra'nın her sene yoğunlaşan trafiğinde ilerlerken kaykıldı koltuğuna, hayatında her şey nasıl da çabuk, nasıl da doğallıkla yerine oturmuştu. İlk defa huzurluydu. Sanki çok büyük bir felaketten kıl payı sıyrılmış gibi hissediyordu. Cehennemden sürünerek çıkabilmiş biri gibi, hem de ikinci defa... Onu kaybedeli bir sene altı ay olmuştu. Hafiflemişti. Aklını karıştıran, karakterini bölen, tabiatını vahşileştiren bir şeyi kaybetmek gibiydi onun yokluğu, iyi gelmişti. Belki de iyi gelen onun yokluğundan çok Bilge'nin varlığıydı. Seven, sahip çıkan, besleyen, önemseyen, hafifleten, anlayan, dengeleyen varlığı. Kendi ağırlığı altında ezilen bir kız çocuğunun her ağırlığı kaldırabilecek güçte, yüce bir kadına dönüşmesini izlemek hayat vericiydi. Bilge'nin karakterinin uyanışını, yaşamın kendi bedenine yeniden dolması gibi deneyimlemişti Can. Trafik yüzünden yavaş giden arabanın camından bakarken camdaki yansımasından suratındaki gülümsemeyi fark etti, huzurluydu ama gülümsemesi bir anda dondu. İçinden çıkarmakta zorlandığı nefes, "Dur!.. Stop the car!"* diyerek bir çığlık gibi çıktı.

Işıklı dev panoda, 1600'lerden kalma kostümün içinde, kızıl lüle lüle inen uzun saçlarıyla, elindeki yelpazeyi yüzünün yarısını saklayacak şekilde tutmuş Duru'nun gözleri... O hiç kimseye benzemeyen gözleri.

Nefes alamıyordu, nefes almaya çalıştıkça, içinde biriken hava çıkmadığı için sanki yenisi içeri giremiyordu. Arabadan kendini atarcasına indi, posterin olduğu dev panoya yaklaştı. Dev posterdeki Duru'nun elindeki yelpazeye baktı. Yelpazenin kenarında sarkan uzun saçlarına odaklandı. Saçının kızıllığı beyaz teninde ne kadar da parlaktı. Nefessizlik tüm bedenine yayıldı, kalbi sıkıştıkça sıkıştı. Sol kolunun ağrısıyla kasılan bedeni iki büklüm oldu, dengesini sağlamak için panoya tutundu. Şoför arabadan inmiş, iki büklüm olan Can'a yetişmişti, ona iyi olup olmadığını sorarken telaşlıydı. Can hissettiği acıya rağmen doğruldu, ağlamak istiyordu, bağıra bağıra ağlamak! Göğüs kafesini yırtarcasına hızlanan kalbi sakinleşmiyordu. Şoförün yardımıyla arabaya geri bindi Can,

---

* Arabayı durdur!

koltuğa bıraktı kendini. Gözlerini kapattı, kalbini yavaşlatmaya odaklandı. Beyni ona kalp krizi geçirdiğini, birazdan öleceğini bağırırken nefesini düzenleyerek bekledi çünkü panik atak geçirdiğine emindi.

Yerine geçen şoföre hareket etmemesini söyledi. Londra'nın dar yollarında, arabaların durması yasak olan bir kaldırımın kıyısında beklediler Can Manay'ın kendi ritmini bulmasını. Gözlerini açtı Can Manay, temkinli, yavaş ve derin bir nefes aldı içinden sızmayı başaran tek bir damla gözünden süzülürken. Şoför iyi olup olmadığını, hastaneye gitmek isteyip istemediğini sordu. Can suratını silip doğruldu, gülümseyip iyiyim dedi sakince ve araba hareketlenirken yavaşça kafasını çevirip son bir kez baktı ona, Duru'nun elbisesinin açıkta bıraktığı omzuna, yelpazeyi tutan narin parmaklarına, gülümseyen dudağının yelpazenin kıyısından azıcık görülen kıvrımına, bakmaya doyamadığı o gözlerin ışığına...

Ve ekledi: "Please take me to the West End Theatre."*

---

* Lütfen beni West End Tiyatrosu'na götür.

Unutma!
Ne olduğunu bulma savaşındasın.
Korkma!
Vazgeçmezsen başaracaksın.
Bil!
Yarattığın etkinin tepkisini deneyimlemek için burdasın.
Çünkü... etkinin tepkisidir hayat.

***

Yolculuğun son durağı Pi yakında.